W9-BOM-608

Stephenie Meyer

Twilight

traduzione di Luca Fusari

A mia sorella Emily,
senza il cui entusiasmo questa storia
sarebbe rimasta incompiuta.

Ma dell'albero della conoscenza del bene e del male non devi mangiare, perché, quando tu ne mangiassi, certamente moriresti.

GENESI 2,17

Non avevo mai pensato seriamente alla mia morte, nonostante nei mesi precedenti ne avessi avuta più di un'occasione, ma di sicuro non l'avrei immaginata così.

Con il fiato sospeso, fissavo gli occhi scuri del cacciatore, dall'altra parte della stanza stretta e lunga, e lui ricambiava con uno sguardo garbato.

Era senz'altro una bella maniera di morire, sacrificarmi per un'altra persona, qualcuno che amavo. Una maniera nobile, anche. Conterà pur qualcosa.

Sapevo che se non fossi mai andata a Forks non mi sarei trovata di fronte alla morte. Per quanto fossi terrorizzata, però, non riuscivo a pentirmi di quella scelta. Se la vita ti offre un sogno che supera qualsiasi tua aspettativa, non è giusto lamentarsi perché alla fine si conclude.

Il cacciatore fece un sorriso amichevole e si avvicinò con passo lento e sfrontato, pronto a uccidermi.

1

A prima vista

Io e mia madre viaggiavamo verso l'aeroporto con i finestrini dell'auto abbassati. A Phoenix c'erano venticinque gradi, il cielo era blu, terso e perfetto. Indossavo la mia camicia preferita, senza maniche, di sangallo bianco; la indossavo come un gesto d'addio. Il mio bagaglio a mano era una giacca a vento.

Nella penisola di Olympia, nel nordovest dello Stato di Washington, nascosta da una perpetua coltre di nuvole, esiste la cittadina di Forks. Questo insignificante agglomerato urbano registra in un anno il più alto numero di giorni piovosi di tutti gli Stati Uniti. Fu da quella città e dalla sua ombra cupa e onnipresente che mia madre fuggì, portandomi con sé quando avevo soltanto pochi mesi. Fu in quella città che mi obbligarono a passare un mese di vacanza, ogni estate, fino all'età di quattordici anni. A quel punto, riuscii finalmente a oppormi; nelle tre estati precedenti era stato mio padre, Charlie, a trascorrere con me due settimane in California.

E a Forks stavo andando in esilio, una decisione che avevo preso volontariamente e con grande disgusto. Detestavo Forks.

Amavo Phoenix. Amavo il sole e il caldo soffocante. Amavo quella città energica e caotica.

«Bella», mi ripeté mia madre un'ultima volta, forse la millesima, mentre salivo sull'aereo, «non sei obbligata».

Mia madre mi somiglia, a parte i capelli corti e le rughe. Mentre fissavo i suoi occhi grandi, da bambina, mi prese il panico. Come potevo abbandonare mia madre, così tenera, sventata, imprevedibile, e costringerla ad arrangiarsi da sé? Certo, adesso c'era Phil, che significava bollette pagate, frigo pieno, benzina nel serbatoio, e qualcuno a cui chiedere aiuto se si fosse persa. Eppure...

«*Ci voglio* andare», mentii. Non ero mai stata brava a dire bugie, ma avevo ripetuto quella frase talmente spesso che ormai suonava quasi convincente.

«Salutami Charlie».

«Certo».

«Ci vediamo presto», insistette. «Puoi tornare quando vuoi. Se hai bisogno di me vengo a prenderti».

Ma capivo dal suo sguardo che dietro la promessa c'era il sacrificio.

«Non preoccuparti per me», tagliai corto. «Andrà benone. Ti voglio bene, mamma».

Mi abbracciò stretta per un minuto, poi salii sull'aereo, e lei non c'era più.

Per arrivare a Seattle da Phoenix ci vogliono quattro ore, più un'altra su un piccolo aereo per raggiungere Port Angeles; Forks è a un'ora di auto da lì. Non mi disturba volare; era il viaggio in auto con Charlie, invece, a preoccuparmi un po'.

Charlie si era comportato davvero bene dal primo all'ultimo istante in quella faccenda. Sembrava fargli sinceramente piacere che, per la prima volta, andassi a vivere da lui con l'intenzione di rimanerci per un po'. Mi aveva già iscritta a una scuola e mi avrebbe dato una mano a cercare un'auto tutta per me.

Ma ero sicura che tra di noi ci sarebbe stato dell'imbarazzo. Nessuno dei due era quel che si dice un tipo logorroico, e comunque non riuscivo a immaginare di cosa avremmo potuto parlare. Sapevo che per lui la mia decisione era tutto tranne che comprensibile: come mia madre prima di me, non avevo mai nascosto che Forks mi ripugnava.

Quando atterrai a Port Angeles, pioveva. Non lo interpretai

come un presagio: era inevitabile. Avevo già detto addio per sempre al sole.

Charlie mi aspettava sull'auto della polizia. Anche questo era inevitabile. Per la brava gente di Forks, Charlie è l'ispettore capo Swan.

Il motivo principale per cui desideravo una macchina tutta mia, malgrado i miei pochi risparmi, era che mi rifiutavo di farmi accompagnare in giro per la città su un'auto con le luci rosse e blu sopra il tetto. Niente rallenta il traffico come un poliziotto.

Charlie mi accolse stringendomi goffamente con un braccio, quando, inciampando, scesi dall'aereo.

«È un piacere rivederti, Bells», mi disse sorridendo, mentre mi afferrava automaticamente per non lasciarmi cadere. «Non sei cambiata molto. Renée come sta?».

«Mamma sta bene. È bello rivederti, papà». In sua presenza, non avevo il permesso di chiamarlo Charlie.

Avevo poche valigie. La maggior parte dei vestiti che portavo in Arizona erano troppo permeabili per Washington. Io e la mamma avevamo unito le nostre risorse per arricchire il mio guardaroba invernale, senza riuscirci. Il baule dell'auto della polizia lo conteneva senza problemi.

«Ho trovato una buona macchina per te, un affarone», mi annunciò, una volta allacciate le cinture.

«Che genere di macchina?». Il modo in cui aveva detto *buona macchina per te*, anziché *buona macchina* e basta, mi aveva insospettito.

«Be', in realtà è un pick-up. Un Chevy».

«Dove l'hai trovato?».

«Ti ricordi Billy Black, quello che sta a La Push?». La Push è la microscopica riserva indiana sulla costa.

«No».

«Veniva con noi quando andavamo a pescare, d'estate», suggerì Charlie.

Ecco perché non lo ricordavo. Sono molto brava a rimuovere dalla memoria tutte le esperienze dolorose e inutili.

«È finito sulla sedia a rotelle», continuò Charlie, in assenza di una mia risposta, «e non può più guidare, perciò mi ha offerto il pick-up a un prezzo davvero basso».

«Di che anno è?». Il repentino cambiamento d'espressione di Charlie mi diceva che questa era l'ultima domanda che sperava gli rivolgessi.

«Be', Billy ha sistemato il motore per bene... ha giusto qualche annetto, ecco».

Speravo che non mi sottovalutasse tanto da credere di potermi zittire con una risposta del genere. «Quando l'ha comprato?».

«Nel 1984, penso».

«Nuovo?».

«Be', no. Penso che fosse nuovo nei primi anni Sessanta, o al massimo nei tardi Cinquanta», ammise, imbarazzato.

«Char... papà, io di auto non so niente. Se si rompesse non saprei dove mettere le mani, e non potrei permettermi un meccanico...».

«Sul serio, Bella, quell'aggeggio va alla grande. Mezzi così robusti non li fabbricano più».

L'aggeggio, pensai tra me e me... Se non altro come soprannome poteva andare.

«Per "prezzo basso" cosa intendi?». In fin dei conti, sui soldi non potevo scendere a compromessi.

«Be', cara, più o meno te l'ho già comprato. Come regalo di benvenuto». Charlie mi guardò di sottecchi, con aria speranzosa.

Evviva. Gratis.

«Non ce n'era bisogno, papà. Mi sarei comprata una macchina con i miei soldi».

«Non m'interessa. Voglio che qui tu sia felice». Quando pronunciò queste parole aveva gli occhi fissi sulla strada. Charlie non era mai a suo agio nell'esprimere i propri sentimenti ad alta voce. Quel tratto l'ho ereditato da lui. Perciò anch'io guardavo dritto di fronte a me, quando gli risposi.

«È un bellissimo pensiero, papà. Grazie. Mi fa davvero piacere». Inutile aggiungere che la possibilità di essere felice a Forks mi sembrava irrealizzabile. Non c'era bisogno che compatisse le mie sofferenze. E io non avevo mai messo la testa nella bocca – o nel motore – di un pick-up.

«Be', perciò... benvenuta», farfugliò, confuso dai miei ringraziamenti.

Scambiammo qualche veloce commento sul tempo e sulla pioggia, e la conversazione, più o meno, finì. Guardavamo in silenzio fuori dai finestrini.

Certo, il panorama era bellissimo, non potevo negarlo. Tutto era verde: gli alberi, i tronchi coperti di muschio, che ne avvolgeva anche i rami come un baldacchino, la terra coperta di felci. Persino l'aria, filtrata dalle foglie, sembrava verdastra.

C'era troppo verde; era un pianeta alieno.

Alla fine giungemmo a casa di Charlie. Viveva ancora nel piccolo stabile con due stanze da letto che aveva comprato assieme a mia madre nei primi giorni di matrimonio. I primi e gli unici, peraltro. Lì, parcheggiato sul vialetto di fronte alla casa, rimasta sempre uguale nel tempo, c'era il mio nuovo – be', nuovo per me – pick-up. Era di un rosso scolorito, con i paraurti grossi e arrotondati e un abitacolo che sembrava un bulbo. Con mia grandissima sorpresa, mi piacque. Non sapevo se si sarebbe mosso di lì, ma mi ci vedevo. In più, era uno di quegli aggeggi di ferro resistenti che non si rompono mai, di quelli che vedi sul luogo di un incidente senza il minimo graffio, in mezzo ai pezzi della macchina straniera che hanno appena distrutto.

«Ehi, papà, è fantastico! Grazie!». L'orrendo domani che mi aspettava era già un po' meno spaventoso. Per andare a scuola non avrei dovuto scegliere tra camminare per tre chilometri sotto la pioggia o farmi dare un passaggio sull'auto del capo della polizia.

«Sono contento che ti piaccia», balbettò Charlie, di nuovo a disagio.

Con un solo viaggio riuscimmo a portare tutte le mie cose al piano di sopra. La mia stanza era quella a ovest, e dava sul prato di fronte a casa. La camera mi era familiare; appena nata mi avevano messa qui. Il pavimento di legno, le pareti azzurre, il soffitto a punta, le tendine di pizzo ingiallite alla finestra: tutto questo era parte della mia infanzia. Negli anni Charlie aveva provveduto soltanto a sostituire il lettino con un letto vero e ad aggiungere una scrivania. Sulla scrivania ora c'era un computer di seconda mano, e sul pavimento strisciava il cavetto per il collegamento al modem, connesso alla presa del telefono più vicina. Questo faceva parte delle condizioni poste da mia madre, perché potessimo restare in contatto più facilmente. Nell'angolo ritrovai la sedia a dondolo di quand'ero bambina.

C'era solo un piccolo bagno in cima alle scale, che avrei dovuto dividere con Charlie. Cercavo di non farci troppo caso.

Una delle qualità migliori di Charlie è che si fa gli affari suoi. Lasciò che disfacessi le valigie e mi sistemassi da sola, impresa che per mia madre sarebbe stata impossibile. Era bello stare per conto mio, senza essere obbligata a sorridere e mostrarmi contenta; un sollievo, starmene a guardare avvilita la pioggia fitta fuori dalla finestra e lasciare cadere soltanto poche lacrime. Non ero dell'umore giusto per una vera crisi di pianto. Quella me la sarei conservata per l'ora di andare a dormire, al pensiero di ciò che mi attendeva il mattino dopo.

La scuola superiore di Forks vantava la spaventosa quota di trecentocinquantasette iscritti più uno, dopo il mio arrivo; a Phoenix, la prima classe da sola ne aveva più di settecento. Tutti i ragazzi erano cresciuti assieme, anche i loro nonni si conoscevano fin da bambini. Io sarei stata la ragazza nuova che viene dalla grande città, una curiosità, un mostro.

Ciò sarebbe stato un vantaggio, se solo avessi avuto davvero l'aria di una ragazza di Phoenix. Purtroppo, fisicamente non rientro in nessuna categoria. *Dovrei* essere abbronzata, bionda, sportiva – una giocatrice di pallavolo o una *cheerleader*, per esempio –, tutte cose automatiche per una che vive nella "valle del sole".

Invece, malgrado le eterne giornate di sole, la mia pelle era color avorio, senza nemmeno un paio di occhi blu o una chioma di capelli rossi a giustificarmi. Sono sempre stata smilza, ma anche un po' fiacca, e di certo non atletica; non ho mai avuto la coordinazione occhio-mano necessaria a praticare uno sport senza umiliarmi o fare del male a me e ai miei compagni di gioco.

Riposti i vestiti nella vecchia cassettiera di abete, entrai nel bagno comune armata di beauty case, per darmi una ripulita dopo la giornata di viaggio. Mi guardai allo specchio, mentre pettinavo i miei capelli annodati e umidi. Forse era la luce, ma già mi sembrava di essere più giallastra, malaticcia. La mia pelle poteva anche essere bella – molto chiara, sembrava quasi trasparente – ma tutto dipendeva dal colore. Qui non avevo colori.

Osservando il mio pallido riflesso nello specchio, fui costretta ad ammettere che mi stavo prendendo in giro da sola. Non sarei mai stata capace di inserirmi e non era colpa del mio aspetto. Non ero riuscita a ritagliarmi un posto in una scuola con tremila studenti, quante possibilità potevo mai avere, qui?

Non ero capace di entrare in sintonia con le persone della mia età. Forse dovrei dire che non sapevo entrare in sintonia con le persone, punto. Non riuscivo a vivere in armonia nemmeno con mia madre, la donna che in assoluto sentivo più vicina, quasi non parlassimo mai davvero la stessa lingua. Ogni tanto mi chiedevo se i miei occhi e quelli del resto del mondo vedessero le stesse cose. Forse il mio cervello era difettoso.

Ma la causa non importava, l'effetto sì. E il giorno dopo sarebbe stato soltanto l'inizio.

Quella notte non riuscii a dormire bene, neanche dopo aver pianto a dirotto. Lo sbuffo continuo del vento e della pioggia sul tetto non tacque nemmeno per un istante. Mi coprii la testa con il vecchio plaid scolorito, poi aggiunsi anche un cuscino. Ma presi sonno soltanto dopo mezzanotte, quando finalmente l'acquazzone si trasformò in una pioggerella silenziosa.

Il mattino dopo, dalla mia finestra non vedevo altro che nebbia densa, e mi sentii assalire dalla claustrofobia. Qui il cielo era perennemente invisibile: una specie di gabbia.

La colazione con Charlie fu tranquilla. Lui mi augurò buona fortuna per il mio primo giorno di scuola. Io lo ringraziai, ma sapevo già di non avere speranze. La fortuna, di solito, mi stava alla larga. Charlie uscì per primo per andare alla centrale di polizia che per lui era una moglie e una famiglia. Rimasta sola, mi sedetti al vecchio tavolo quadrato di quercia, su una delle tre sedie spaiate, ed esaminai la piccola cucina, con le pareti rivestite di pannelli scuri, gli armadietti giallo chiaro e il pavimento di linoleum bianco. Non era cambiato niente. Mia madre aveva dipinto gli armadietti diciotto anni prima, nella speranza di portare un po' di sole in casa. Sopra il caminetto, nel microscopico salotto adiacente alla cucina, c'era una fila di fotografie. Per prima, un'immagine del matrimonio di Charlie e mia madre, a Las Vegas; poi una di noi tre scattata da un'infermiera volenterosa, in ospedale subito dopo la mia nascita; infine una processione di mie foto scolastiche, un anno dopo l'altro. Quelle erano davvero imbarazzanti, dovevo fare il possibile per convincere Charlie a spostarle altrove, almeno finché avessimo vissuto assieme.

Bastava uno sguardo alla casa per rendersi conto che Charlie non era ancora riuscito a dimenticare mia madre. Questo mi metteva a disagio.

Non volevo arrivare troppo in anticipo a scuola, ma non ce la facevo a restare ancora in casa. Indossai il giubbotto – che aveva la consistenza di una tuta anticontaminazione – e uscii sotto la pioggia.

Siccome piovigginava, m'inzuppai per cercare la chiave di casa, nascosta come sempre sotto lo zerbino, e a chiudere la porta. Lo sciaguattare dei miei nuovi stivali impermeabili nelle pozzanghere era snervante. Avevo nostalgia dello scricchiolio familiare della ghiaia sotto i piedi. Non mi fermai neanche ad ammirare il mio nuovo pick-up, avevo fretta di uscire dall'umidità nebbiosa che mi avvolgeva e aderiva ai capelli sotto il cappuccio.

L'abitacolo era ordinato e asciutto. Billy o Charlie ovviamente lo avevano ripulito, ma il rivestimento di pelle dei sedili puzzava ancora un po' di tabacco, benzina e deodorante alla menta. Il motore, con mio gran sollievo, si accese subito, ma prese vita con un rombo e già al minimo faceva un rumore assordante. Be', un mezzo così vecchio doveva avere almeno un difetto. La radio d'antiquariato funzionava, una fortuna in cui non avevo sperato.

Trovare la scuola non fu difficile, malgrado non ci fossi mai stata prima. Come quasi tutto, a Forks, era poco lontana dall'autostrada. A vederla non avrei detto fosse una scuola: mi ci fermai solo grazie al cartello che indicava la «Forks High School». Sembrava una raccolta di case tutte uguali di mattoni rosso scuro. La vegetazione di alberi e cespugli era talmente fitta che non riuscii a farmi subito un'idea di quanto fosse grande il complesso. Mi chiesi con un po' di nostalgia dove fosse l'atmosfera tipica dei luoghi pubblici. Dov'erano le recinzioni e i metal detector?

Parcheggiai di fronte al primo edificio, sulla cui entrata spiccava il cartello «Segreteria». Non c'erano altre auto, perciò era senz'altro zona vietata, ma decisi di entrare a chiedere la strada, invece di girare in tondo sotto la pioggia come un'idiota. Uscii di malavoglia dall'abitacolo caldo del pick-up e seguii un sentierino di ciottoli tra due siepi scure. Prima di aprire la porta feci un respiro profondo.

All'interno c'erano più caldo e luce di quanto avessi sperato. L'ufficio era piccolo: una minuscola area con sedie pieghevoli imbottite che faceva da sala d'attesa, moquette scura variegata di arancione, le pareti tappezzate di avvisi e graduatorie, il pesante ticchettio di un grosso orologio a muro. C'erano piante ovunque, in grossi vasi di plastica, come se fuori non ci fosse abbastanza verde. La stanza era divisa in due da un lungo bancone, disseminato di cestini metallici pieni di moduli e volantini colorati incollati dappertutto. Dietro il bancone c'erano tre scrivanie, una delle quali era occupata da una donna imponente, occhialuta e rossa di capelli. Indossava una maglietta viola, che mi fece immediatamente sentire troppo coperta.

La donna dai capelli rossi alzò lo sguardo. «Posso esserti utile?».

«Sono Isabella Swan», la informai, e immediatamente vidi i suoi occhi accendersi. Mi aspettava, mi aspettavano tutti, senza dubbio ero già stata al centro dei loro pettegolezzi. La figlia della ex moglie fuggitiva dell'ispettore, che finalmente torna a casa.

«Certo», disse. Rovistò con la mano in una pila molto precaria di documenti sulla scrivania, finché ne estrasse quello che stava cercando. «Qui c'è il tuo orario, assieme a una pianta della scuola». Sistemò sul banco parecchi fogli e me li mostrò.

Mi indicò sulla pianta le aule delle mie lezioni e il percorso migliore per raggiungerle, poi mi diede un modulo da fare controfirmare a ognuno dei miei professori e da riportare in segreteria a fine giornata. Mi sorrise e, come Charlie, mi augurò di trovarmi bene, lì a Forks. Le rivolsi il sorriso più convincente che potessi.

Quando tornai al pick-up, gli altri studenti stavano cominciando ad arrivare. Seguii il traffico e feci un giro attorno alla scuola. Notai con piacere che la maggior parte delle auto era vecchia come la mia, niente di appariscente. A Phoenix avevo vissuto in uno dei pochi quartieri a basso reddito inclusi nel distretto di Paradise Valley. Era normale trovare una Mercedes o una Porsche nuova nel parcheggio degli studenti. Qui l'auto più bella era una Volvo tirata a lucido e spiccava in mezzo alle altre. Tuttavia mi affrettai a spegnere il motore non appena trovai un parcheggio, per non attirare l'attenzione con quel rombo tremendo.

Prima di scendere osservai bene la mappa, cercando di memorizzarla; così magari non avrei dovuto camminare tutto il giorno con la cartina sotto il naso. La ficcai nello zaino che tenevo in spalla e feci un altro respiro, profondissimo. Posso farcela, dissi, mentendo a me stessa senza troppa convinzione. Non mordono mica. Svuotai i polmoni e scesi dal pick-up.

Camminavo con il volto nascosto dal cappuccio sul marciapiede affollato di ragazzi. Mi accorsi con sollievo che il mio semplice giubbotto nero a tinta unita non dava nell'occhio.

Giunta alla mensa, l'edificio numero 3 non era difficile da individuare. Sulla facciata est era dipinto il grosso numero nero su sfondo bianco. Più mi avvicinavo alla porta, più sentivo il mio respiro avvicinarsi all'iperventilazione. Cercai di trattenerlo, e seguendo due impermeabili unisex varcai l'entrata.

L'aula era piccola. Le due persone che mi precedevano si fermarono subito oltre, per appendere gli impermeabili a una lunga fila di ganci. Le imitai. Erano due ragazze, una bionda, dalla pelle color porcellana, e l'altra ugualmente pallida, ma con i capelli castano chiaro. Almeno la mia carnagione qui non strideva.

Portai il mio modulo al professore, un uomo alto e calvo, che secondo la targhetta sulla cattedra si chiamava Mr Mason. Quando lesse il mio nome mi fissò con l'aria di chi casca dalle nuvole – reazione tutt'altro che incoraggiante – e ovviamente io arrossii violentemente. Almeno mi fece sedere in ultima fila, senza nemmeno presentarmi ai miei nuovi compagni di classe. Per loro era difficile osservarmi, ma in qualche modo ci riuscirono. Io tenevo gli occhi bassi sulla lista di letture che avevo ricevuto dal professore. Era piuttosto elementare: Brontë, Shakespeare, Chaucer, Faulkner. Avevo letto già tutto. Tanto bastò a tranquillizzarmi... e ad annoiarmi. Chissà se mia madre avrebbe acconsentito a spedirmi i miei vecchi appunti e temi, o se l'avrebbe giudicato sleale. Accompagnata dal mormorio monotono del professore, mi persi in una serie di discussioni immaginarie con lei.

Quando si diffuse il suono nasale e ronzante della campana, un ragazzo allampanato, con qualche problema cutaneo e i capelli neri come una macchia d'olio, si sporse dalla sua fila per parlarmi.

«Tu sei Isabella Swan, vero?». Aveva l'aria del tipico cervellone, impacciato e pieno di attenzioni. Troppe attenzioni.

«Bella», precisai. Nel raggio di tre banchi da me, tutti si voltarono a guardarmi.

«Dov'è la tua prossima lezione?», chiese lui.

Dovetti controllare, nello zaino. «Ehm, educazione civica, con Jefferson, edificio 6».

Ovunque guardassi, incontravo occhi curiosi.

«Io sto andando al 4, se vuoi ti mostro la strada...». Troppe attenzioni, decisamente. «Mi chiamo Eric», aggiunse.

Abbozzai un sorriso. «Grazie».

Ci infilammo i giubbotti e uscimmo sotto la pioggia, che cadeva più fitta. Avrei giurato che la nutrita folla che ci seguiva a pochi passi di distanza fosse intenta a origliare la conversazione. Sperai di non diventare paranoica.

«Così, c'è una bella differenza tra qui e Phoenix, eh?», chiese lui.

«Già».

«Laggiù non piove molto, vero?».
«Tre o quattro volte all'anno».
«Caspita, chissà com'è», si chiese lui.
«Assolato».
«Non sembri molto abbronzata».
«Mia madre è mezzo albina».
Mi squadrò con aria apprensiva, e io sospirai. A quanto pareva, le nuvole e il senso dell'umorismo non andavano d'accordo. Qualche mese così e avrei disimparato a usare il sarcasmo.

Girammo attorno alla mensa e passammo accanto alla palestra, diretti verso l'ala sud della scuola. Eric mi accompagnò fino all'ingresso dell'aula, nonostante le indicazioni fossero chiarissime.

«Be', buona fortuna», disse, mentre aprivo la porta. «Magari ci vediamo a qualche altra lezione». Sembrava speranzoso.

Gli rivolsi un sorriso debole ed entrai.

Il resto della mattinata trascorse più o meno allo stesso modo. Il professore di trigonometria, Mr Varner, che avrei odiato in ogni caso soltanto per la materia che insegnava, fu l'unico che mi presentò ufficialmente alla classe, costringendomi a salutare i miei nuovi compagni, impalata di fronte alla cattedra. Balbettai, arrossii e inciampai nei miei stessi stivali mentre tornavo al posto.

Dopo due lezioni, iniziai a riconoscere qualche volto. C'era sempre qualcuno più coraggioso degli altri che si presentava e mi chiedeva come trovassi Forks. Io cercavo di essere diplomatica, ma perlopiù mentivo. Se non altro, non ebbi mai bisogno della mappa.

Una ragazza si sedette accanto a me sia durante la lezione di trigo che in quella di spagnolo, e a pranzo mi accompagnò in mensa. Era piccola, molti centimetri più bassa del mio metro e sessantacinque, ma i suoi capelli ricci e arruffati compensavano quasi tutto il divario. Non ricordavo il suo nome, perciò sorridevo e annuivo mentre lei ciarlava dei professori e delle lezioni. Non cercai nemmeno di seguire il suo discorso.

Ci sedemmo in fondo a un tavolo pieno di suoi amici, che mi presentò. Dimenticavo i loro nomi un istante dopo averli sentiti. Sembravano stupiti dall'audacia che mostrava parlando con me. Eric, il ragazzo di inglese, mi salutò con la mano dall'altro lato della sala.

Fu in quel momento, seduta a pranzo, impegnata a conversare con sette estranei curiosi, che li vidi per la prima volta.

Erano seduti nell'angolo più lontano e isolato della mensa. Erano in cinque. Non parlavano e non mangiavano, benché ognuno di loro avesse di fronte a sé un vassoio pieno di cibo, intatto. Non mi stavano squadrando, a differenza della maggior parte degli altri studenti, perciò potevo osservarli tranquillamente, senza temere di incontrare uno sguardo un po' troppo curioso. Ma non furono questi particolari ad attirare, e catturare, la mia attenzione.

Non si somigliavano affatto. Dei tre ragazzi, uno era grosso, nerboruto come un sollevatore di pesi professionista, i capelli neri e ricci. Uno era più alto e magro, ma comunque muscoloso, biondo miele. Il terzo era smilzo, meno robusto, con i capelli rossicci e spettinati. Sembrava molto più giovane degli altri, che avrebbero potuto anche essere studenti universitari, o addirittura insegnanti.

Le ragazze erano sedute di fronte a loro. Quella più alta era statuaria. Il genere di bellezza che si vede nei cataloghi di costumi da bagno, di quelle che infliggono duri colpi all'autostima delle altre donne. Aveva capelli dorati, che le accarezzavano la schiena con un'onda delicata. La ragazza più bassa era una specie di folletto, magrissima, dai tratti molto delicati. I suoi capelli erano neri corvini, corti e scompigliati.

Eppure, c'era qualcosa che li rendeva tutti somiglianti. Ognuno di loro era pallido come il gesso, erano i più pallidi tra tutti gli studenti di quella città senza sole. Più pallidi di me, l'albina. Tutti avevano occhi molto scuri, a dispetto del diverso colore dei capelli, e cerchiati da ombre pesanti, violacee, simili a lividi. Quasi avessero tutti trascorso la notte senza chiudere occhio, o si stessero riprendendo da una rissa. Eppure, il resto dei loro lineamenti era dritto, perfetto, spigoloso.

Ma non era questo il motivo per cui non riuscivo a distogliere lo sguardo.

Li fissavo perché i loro volti, così differenti, così simili, erano tutti di una bellezza devastante, inumana. Erano volti che non ci si aspetterebbe mai di vedere se non, forse, sulle pagine patinate di un giornale di moda. O dipinti da un vecchio maestro sotto fattezze di angeli. Difficile decidere chi fosse il più bello: forse la ragazza bionda e perfetta, forse il ragazzo con i capelli di bronzo.

Tutti guardavano altrove, lontano dal loro tavolo, lontano dagli altri studenti, lontano da qualsiasi cosa, per quel che potevo capire. Mentre li osservavo, la ragazza minuta si alzò con il vassoio in mano – bibita ancora sigillata, mela senza l'ombra di un morso – e si allontanò con una falcata veloce, aggraziata, da atleta. Meravigliata da quel passo di danza la guardai finché, rovesciato il contenuto del vassoio nella spazzatura, sparì dalla porta secondaria a una velocità impensabile. Il mio sguardo guizzò di nuovo sugli altri, seduti esattamente come prima.

«E *quelli* chi sono?», chiesi alla ragazza della lezione di spagnolo, di cui avevo dimenticato il nome.

Mentre lei alzava lo sguardo per capire di chi parlassi – ma forse per il mio tono di voce l'aveva già intuito –, lui la guardò, il più magro, il più giovane, quello con l'aria da ragazzino. Osservò la mia vicina per non più di una frazione di secondo, e poi i suoi occhi scuri lampeggiarono nei miei.

Distolse lo sguardo all'istante, ancora più in fretta di me, che avvampando dall'imbarazzo, chinai subito il capo. In quella fulminea schermaglia di occhiate, la sua espressione rimase neutra, come se la mia vicina avesse pronunciato il suo nome e lui avesse alzato gli occhi involontariamente, ma già deciso a non rispondere.

La ragazza fece una risatina imbarazzata e come me guardò verso il tavolo.

«Sono Edward ed Emmett Cullen, assieme a Rosalie e Jasper Hale. Quella che se n'è andata era Alice Cullen; vivono tutti assieme al dottor Cullen e sua moglie», disse, con un filo di voce.

Guardai di sottecchi quel bel ragazzo, che ora osservava il proprio vassoio e faceva a pezzi una ciambella con le dita lunghe e pallide. La sua bocca si muoveva velocissima, le labbra perfette si aprivano appena. Gli altri tre continuavano a guardare altrove, eppure mi sembrava che stesse parlando, piano, con loro.

Nomi strani, poco diffusi, pensai. Nomi da nonni. Ma forse qui andava di moda: nomi da cittadina di provincia? Infine ricordai che la mia vicina si chiamava Jessica, un nome comunissimo. A casa avevo due compagne di classe che si chiamavano Jessica.

«Sono... molto carini», mi sforzai di minimizzare, ma non ero credibile.

«Sì!», concordò Jessica con un'altra risatina. «Però stanno *assieme*. Voglio dire Emmett e Rosalie, e Jasper e Alice. E *vivono* assieme». Nella sua voce si sentivano tutta l'indignazione e la condanna della cittadina, così almeno sembrava al mio orecchio critico. In realtà, onestamente, dovevo ammettere che anche a Phoenix sarebbe stato un pettegolezzo ghiotto.

«Quali sono i Cullen?», chiesi. «Non sembrano parenti...».

«Oh, non lo sono. Il dottor Cullen è molto giovane, ha trent'anni, forse meno. Sono tutti figli adottivi. Gli Hale sì sono davvero fratello e sorella, gemelli – i due biondi – e sono in affidamento».

«Sembrano un po' grandi per essere ancora in affidamento».

«Adesso sì, Jasper e Rosalie hanno diciotto anni, ma vivono con Mrs Cullen da quando ne hanno otto. È una specie di zia o qualcosa del genere».

«È davvero un bel gesto... prendersi cura di tutti quei ragazzi, nonostante siano giovani e tutto il resto».

«Direi di sì», ammise Jessica senza troppo entusiasmo, e mi fece intuire che per un motivo o per l'altro il dottore e sua moglie non le piacevano. A giudicare dagli sguardi che lanciava ai loro figli adottivi, doveva essere una questione di gelosia. «Comunque penso che Mrs Cullen non possa avere bambini», aggiunse, come se ciò sminuisse la bontà della signora.

Durante la conversazione, non potevo fare a meno di lanciare continuamente svelte occhiate al tavolo della strana famiglia. Continuavano a guardare il muro senza mangiare.

«Hanno sempre abitato a Forks?», chiesi. Mi sarei certo accorta di loro, durante una delle mie vacanze lì.

«No», rispose lei, e il tono di voce sottintendeva che la risposta doveva essere ovvia anche per una nuova arrivata come me. «Si sono trasferiti un paio d'anni fa, vengono da un qualche posto in Alaska».

Istintivamente provai compassione e sollievo. Compassione perché, belli com'erano, restavano degli emarginati, chiaramente malvisti. Sollievo perché non ero l'unica nuova arrivata, né di certo, e sotto nessun punto di vista, la più interessante.

Mentre li studiavo, il più giovane dei Cullen alzò lo sguardo e incrociò il mio, e stavolta la sua espressione era evidentemente incuriosita. Mi voltai di scatto, e allora mi sembrò di notare che il ragazzo fosse stranamente sorpreso, quasi deluso.

«Chi è quello con i capelli rossicci?», chiesi. Lo sbirciavo con la coda dell'occhio, lui continuava a fissarmi, ma senza squadrarmi come avevano fatto tutti gli altri studenti. La sua espressione era leggermente frustrata. Abbassai di nuovo lo sguardo.

«Si chiama Edward. È uno schianto, ovviamente, ma non sprecare il tuo tempo. Non esce con nessuna. A quanto pare qui non ci sono ragazze abbastanza carine per lui», disse, con aria di disprezzo. La volpe e l'uva. Chissà quando era toccato a lei essere rifiutata.

Mi morsi un labbro per non riderle in faccia. Poi guardai di nuovo verso il ragazzo. I suoi occhi erano rivolti altrove, ma le guance mi parvero alzarsi come se stesse ridendo anche lui.

Dopo qualche minuto, i quattro si alzarono da tavola assieme. Tutti si muovevano con una grazia che richiamava l'attenzione, anche il più grosso e nerboruto. Osservarli era fonte di turbamento. Quello che si chiamava Edward non mi guardò più.

Rimasi seduta a tavola con Jessica e i suoi amici più di quanto mi sarei trattenuta se fossi stata da sola. Avevo il terrore di arrivare tardi alle lezioni del primo giorno di scuola. Una delle mie nuove conoscenti, che con un certo buon senso mi ricordò il suo nome, Angela, aveva biologia II, come me. Ci dirigemmo verso l'aula in silenzio. Anche lei era timida.

Quando entrammo in classe, Angela andò a sedersi a un tavolo nero per gli esperimenti, uguale a quelli cui ero abituata. Aveva già un compagno. Anzi, tutti i tavoli tranne uno erano occupati. Accanto al corridoio centrale, riconobbi gli strani capelli di Edward Cullen, seduto accanto all'unico posto libero.

Camminando lungo le file di banchi per presentarmi al professore e fargli firmare il modulo, lo tenevo d'occhio, di sottecchi. Quando gli passai accanto, all'improvviso si irrigidì. Mi fissò ancora una volta, con la più strana delle espressioni sul volto: era ostile, furioso. Guardai subito altrove, sbalordita, rossa di vergogna. Inciampai su un libro e per non cadere fui costretta a reggermi a un tavolo. La ragazza seduta lì rise sotto i baffi.

Mi ero accorta che i suoi occhi erano neri – neri come il carbone.

Il signor Banner firmò il modulo e mi diede un libro, senza perdersi in presentazioni. Sentivo che saremmo andati molto d'accordo. Ovviamente, non avendo scelta, mi fece sedere nell'unico posto libero, al centro dell'aula. Tenni basso lo sguardo, mentre mi accomodavo vicino a *lui*, ancora scossa dall'occhiata ostile di poco prima.

Non osavo guardarlo, mentre sistemavo il libro sul tavolo e mi mettevo a sedere, ma con la coda dell'occhio lo vidi cambiare posizione. Si stava allontanando da me, seduto sul bordo della sedia e voltato dall'altra parte, come per evitare una tremenda puzza. Senza farmi notare, mi annusai i capelli. Profumavano di fragola, come il mio shampoo preferito. Come odore mi sembrava piuttosto innocente. Lasciai cadere i capelli sulla mia spalla destra, a chiudere il sipario tra di noi, e cercai di prestare attenzione all'insegnante.

Purtroppo la lezione era sull'anatomia cellulare, un argomento che avevo già studiato. In ogni caso presi appunti, senza staccare gli occhi dal quaderno.

Non potevo trattenermi dallo sbirciare di tanto in tanto, attraverso la ciocca di capelli, verso lo strano ragazzo che mi era seduto accanto. Non si rilassò nemmeno per un istante durante l'intera lezione e rimase rigido, sull'orlo della sedia, il più lontano possibile da me. Riuscivo a vedere il pugno chiuso appoggiato sulla gamba sinistra, i tendini in tensione sotto la pelle pallida. Non riusciva a rilassare neanche quelli. Teneva le maniche della camicia bianca arrotolate fino al gomito, e l'avambraccio che ne spuntava era sorprendentemente sodo e muscoloso. Non era affatto smilzo come mi era sembrato accanto al fratello corpulento.

La lezione pareva durare più delle altre. Era perché finalmente la giornata stava finendo, o perché aspettavo che quel pugno si aprisse? Non lo fece; restò sempre talmente immobile che sembrava non respirasse nemmeno. Cosa c'era che non andava? Si comportava sempre così? Ripensai alle malignità di Jessica, a pranzo. Forse non aveva esagerato con il risentimento.

Non poteva essere a causa mia. Non sapeva niente di niente di me.

Sbirciai di nuovo verso di lui, e me ne pentii. Mi stava di nuovo squadrando, con gli occhi neri pieni di disprezzo. Mentre mi ritraevo, stretta nella sedia, improvvisamente pensai a quel modo di dire: *se gli sguardi potessero uccidere...*

In quel momento la campana prese a squillare, io sobbalzai ed Edward Cullen si alzò dal suo posto con un movimento fluido – era molto più alto di quanto avessi immaginato – dandomi le spalle, e prima che chiunque altro avesse lasciato la sedia era già fuori dalla classe.

Io rimasi pietrificata al mio posto, incredula, a guardarlo. Che cattivo. Non era giusto. Iniziai a raccogliere le mie cose lentamente, cercando di arginare la rabbia che mi aveva presa, per non mettermi a piangere. Per qualche motivo, il mio umore e i miei occhi erano legati a doppio filo. Di solito, quando ero arrabbiata piangevo, una reazione umiliante.

«Sei tu Isabella Swan?», chiese una voce maschile.

Alzai lo sguardo e vidi un ragazzo carino, con il viso da bambino, i capelli biondo cenere raccolti in punte ordinate, che mi sorrideva con aria amichevole. Evidentemente, lui non pensava che avessi un cattivo odore.

«Bella», precisai con un sorriso.

«Io sono Mike».

«Ciao, Mike».
«Serve aiuto per trovare la prossima lezione?».
«Devo andare in palestra, credo di potercela fare».
«Ci vado anch'io». Sembrava entusiasta, benché una coincidenza del genere non fosse poi strana, in una scuola così piccola.

Uscimmo dall'aula assieme. Era un chiacchierone, e fu soprattutto lui a parlare, per mia fortuna. Aveva vissuto in California fino all'età di dieci anni, perciò capiva come mi sentivo, lontana dal sole. Scoprii che frequentava anche le mie lezioni di inglese. Era la persona più gradevole tra le nuove conoscenze di quel giorno.

Però, mentre entravamo in palestra, chiese: «Scusa, ma hai accoltellato Edward Cullen con la matita, o cosa? Non l'ho mai visto comportarsi così».

Io rimpicciolii. Così, non ero stata l'unica ad accorgermene. E a quanto pare, quello *non era* il solito comportamento di Edward Cullen. Decisi di fare la finta tonta.

«Parli del ragazzo seduto accanto a me durante biologia?», chiesi ingenuamente.

«Sì», rispose. «Sembrava gli fosse venuto un attacco di qualcosa».

«Non so. Non gli ho nemmeno rivolto la parola».

«È un tipo strano». Mike continuava a ronzarmi attorno, anziché dirigersi verso lo spogliatoio. «Se io fossi stato tanto fortunato da esserti seduto accanto, ti avrei rivolto la parola».

Prima di voltarmi verso l'entrata dello spogliatoio femminile gli sorrisi. Era cortese, e senza dubbio gli piacevo. Ma non era abbastanza per fare sbollire la mia rabbia.

L'insegnante di ginnastica, Mr Clapp, mi trovò una divisa ma non me la fece indossare, per quella lezione. A casa, ginnastica era obbligatoria solo per due anni. Qui, invece, per quattro. Forks era letteralmente il mio piccolo inferno personale.

Guardai quattro partite di pallavolo in contemporanea. Al ricordo di tutte le volte in cui mi ero fatta male giocando a pallavolo – e avevo fatto male a qualcun altro – mi venne una certa nausea.

Finalmente la campana suonò. Mi trascinai verso la segreteria per restituire il modulo. La pioggia si era calmata, ma il vento era forte e freddo. Mi strinsi nel giubbotto.

Quando entrai nell'ufficio caldo, fui sul punto di riuscirne immediatamente.

Di fronte a me, alla scrivania, c'era Edward Cullen. Riconobbi di nuovo quella massa arruffata di capelli color bronzo. Non sembrò accorgersi del mio ingresso. Io rimasi accanto al muro, in attesa che la segretaria si liberasse.

Stava discutendo con lei, con un tono di voce basso, seducente. Riuscii a captare l'argomento della discussione. Stava cercando di spostare biologia a un altro orario, qualsiasi altro orario.

Non potevo credere che fosse a causa mia. Doveva esserci qualche altra ragione, qualcosa successo prima che io entrassi in aula. Il suo atteggiamento doveva avere un motivo totalmente diverso. Era impossibile che quello sconosciuto potesse odiarmi in maniera tanto improvvisa e intensa.

La porta si riaprì, e il vento freddo che immediatamente invase la stanza sfiorò i documenti sulla scrivania e mi scompigliò i capelli sul viso. La ragazza che era entrata si allungò semplicemente verso il banco, depositò un foglio in un cestino e uscì di nuovo. Ma Edward Cullen si irrigidì e lentamente si voltò per fulminarmi – il suo viso era di una bellezza assurda – con uno sguardo penetrante, pieno d'odio. Per un istante provai un brivido di vera paura, sulle braccia mi venne la pelle d'oca. Lo sguardo non durò che un secondo, ma mi gelò più del vento freddo. Edward tornò a rivolgersi alla segretaria.

«Non fa niente», disse svelto, con la sua voce vellutata. «Mi rendo conto che è impossibile. Molte grazie lo stesso». Girò i tacchi senza degnarmi di altre attenzioni e si dileguò dalla stanza.

Io mi avvicinai timida al banco, pallida, per una volta, anziché rossa di timidezza, e consegnai il modulo con le firme.

«Com'è andato il primo giorno, cara?», chiese la segretaria con aria materna.

«Bene», mentii, a mezza voce. La donna non sembrò convinta.

Tornai al mio pick-up, uno degli ultimi mezzi rimasti nel parcheggio. Era un porto sicuro, la cosa più simile a una casa che avessi, in quel buco verde e umido. Per un po' rimasi immobile sul sedile a fissare il parabrezza. Ma dopo qualche minuto iniziò a fare freddo e per accendere il riscaldamento mi toccò avviare il motore, che partì con un rombo. Tornai a casa di Charlie, sforzandomi per tutto il tragitto di non piangere.

2

Libro aperto

Il giorno dopo andò meglio... e peggio.

Andò meglio perché quando uscii di casa, malgrado le nuvole dense e opache, ancora non pioveva. Ed ero più rilassata, perché sapevo cosa aspettarmi dalla giornata. Mike si sedette accanto a me durante l'ora di inglese e mi accompagnò alla lezione successiva, sotto lo sguardo infastidito di Eric il secchione. Ne fui lusingata. Quasi nessuno mi squadrava più come il primo giorno. A pranzo mi sedetti al tavolo di una compagnia numerosa che includeva Mike, Eric, Jessica e altri ragazzi di cui infine ricordavo i volti e i nomi. Non mi sembrava più di affogare: ora camminavo sulle acque.

Andò peggio perché ero stanca: nemmeno quella notte ero riuscita a dormire a causa del rumore del vento che risuonava in casa. Peggio ancora perché il professor Varner mi fece una domanda di trigonometria senza che io avessi alzato la mano e diedi la risposta sbagliata. Il punto più basso fu quando mi toccò giocare a pallavolo e l'unica volta in cui non riuscii a evitare la palla colpii sulla testa una mia compagna di squadra. La cosa peggiore in assoluto, però, era che Edward Cullen non si era presentato a scuola.

Per tutta la mattina fui terrorizzata al pensiero di incontrare lui e i suoi sguardi bizzarri all'ora di pranzo. Una parte di me desiderava andare a chiedergli quale fosse il problema. Sdraiata a letto, insonne, avevo anche pensato alle parole da dire. Ma mi conoscevo abbastanza da sapere che non avrei mai avuto il fegato di fare un passo simile. Accanto a me, il Leone Vigliacco faceva la figura di Terminator.

Quando però entrai in mensa assieme a Jessica – decisa a non perlustrare il salone in cerca di Edward, ma incapace di trattenermi – notai che i quattro strani fratelli erano seduti al solito tavolo e lui non era con loro.

Mike ci intercettò e ci fece sedere al suo tavolo. Jessica sembrava felice di quelle attenzioni, e le sue amiche ci raggiunsero al volo. Tentando di seguire il loro chiacchiericcio, però, terribilmente a disagio, me ne stavo palpitante in attesa dell'arrivo di Edward. Speravo che mi avrebbe ignorato, né più né meno, dimostrando che i miei sospetti erano immotivati.

Non arrivava, e più passava il tempo più la tensione aumentava.

Alla fine della pausa pranzo non era ancora comparso, perciò affrontai la lezione di biologia con un filo di coraggio in più. Mike, come un impeccabile cane da riporto, trottava fedele al mio fianco. Prima di entrare trattenni il respiro, ma Edward Cullen non era neppure lì. Mi rilassai e mi sedetti al tavolo. Mike mi seguì, parlando di un'imminente gita alla spiaggia. Ronzò attorno al mio posto fino al suono della campanella. Poi mi rivolse un sorriso un po' triste e andò a sedersi vicino a una ragazza con l'apparecchio e una brutta permanente. Sembrava che tra me e Mike ci fosse qualcosa, e ciò non mi tranquillizzava affatto. In una cittadina come quella, dove tutti si facevano gli affari di tutti, la diplomazia era fondamentale. Non ero mai stata una campionessa di tatto, non sapevo come comportarmi con ragazzi così sfacciatamente amichevoli.

Il tavolo era tutto per me, Edward era assente, questo era un gran sollievo. Cercai di ficcarmelo bene in testa. Ma non riuscivo a liberarmi del sospetto strisciante che il motivo della sua assenza fossi io. Era ridicolo ed egocentrico pensare che potessi avere un tale ascendente su qualcuno. Era impossibile. Eppure non riuscivo a non temere che fosse proprio così.

Infine, al termine della giornata, una volta smaltita la vergogna per l'incidente della partita di pallavolo, passai in un lampo dalla tuta ai jeans e alla felpa blu. Fuggii dallo spogliatoio femminile così in fretta da evitare che il mio cagnolino da riporto fosse già lì ad aspettarmi. Attraversai svelta il parcheggio. Era affollato di studenti pronti a tornare a casa. Salii sul pick-up e mi assicurai di avere tutto il necessario nello zaino.

La sera prima avevo scoperto che Charlie non sapeva cucinare granché, escluse uova fritte e pancetta. Perciò gli avevo chiesto di potermi occupare della cucina durante la mia permanenza a Forks. Fu tanto compiacente da cedermi le chiavi della sala dei banchetti. Scoprii anche che in casa non c'era niente da mangiare. Perciò avevo preparato una lista e preso un po' di contanti dal barattolo della credenza con l'etichetta «Per la spesa». Li avevo con me, e mi diressi al supermercato più vicino.

Azionai la batteria di cannoni che avevo al posto del motore, ignorai tutte le teste che si voltarono a guardare e feci retromarcia, attenta a infilarmi senza danni nella colonna di auto in attesa di uscire dal parcheggio. Mentre aspettavo, fingendo che il rumore assordante giungesse dal motore di qualcun altro, vidi i due Cullen e i gemelli Hale salire sulla loro auto. Era la Volvo tirata a lucido. Ovvio. Non mi ero ancora accorta del loro abbigliamento, ero stata troppo catturata dai loro volti. Ora ci facevo caso: e naturalmente erano vestiti benissimo, con abiti semplici, ma probabilmente disegnati da qualche stilista. Erano di una tale avvenenza, e avevano tanto stile e portamento che avrebbero potuto cavarsela anche coperti di stracci. Sembrava un'esagerazione che quei ragazzi fossero sia belli che ricchi. Eppure, per quel che ne sapevo, il più delle volte la vita andava così. Tuttavia non pareva che il denaro gli avesse comprato la benevolenza di Forks.

No, non ero convinta. Il loro isolamento doveva essere volontario: nessuno chiuderebbe la porta in faccia a tanta bellezza.

Quando passai davanti a loro, guardarono come tutti gli altri il mio pick-up rumoroso. Io fissavo la strada di fronte a me e mi rilassai soltanto dopo essermi lasciata la scuola alle spalle.

Il supermercato era poco lontano, alcuni incroci più a sud, appena fuori dall'autostrada. Era piacevole stare lì dentro: sembrava un luogo normale. A casa la spesa l'avevo sempre fatta io, e fui lieta di tornare a un'abitudine vecchia e familiare. L'edificio era abbastanza grande da impedirmi di sentire il rumore della pioggia sul tetto. Per qualche minuto dimenticai dove mi trovavo.

Giunta a casa, scaricai la spesa e riempii ogni angolo libero della dispensa, sperando che Charlie non si lamentasse. Avvolsi le patate nella carta stagnola per cuocerle in forno e misi una bistecca a marinare nel frigo, in equilibrio su un cartone di uova.

Finito di sbrigare queste faccende, salii in camera mia con lo zaino in spalla. Prima di iniziare a fare i compiti indossai un paio di pantaloni asciutti, raccolsi in una coda i capelli bagnati e per la prima volta controllai la mia posta elettronica. Avevo tre messaggi.

Il primo era di mia madre:

Bella, scrivimi appena arrivi. Raccontami com'è andato il volo. Piove? Mi manchi già. Ho quasi finito di fare le valigie per la Florida. Ma non trovo più la mia camicetta rosa. Sai dove potrei averla messa? Un saluto anche da Phil. Mamma.

Sospirai e passai alla e-mail successiva. Era stata spedita otto ore dopo la prima.

Bella, perché non mi hai ancora scritto? Cosa aspetti? Mamma.

L'ultima era di quella mattina.

Isabella,
se entro le cinque e mezzo di oggi non rispondi, telefono a Charlie.

Controllai l'orologio. Mancava ancora un'ora, ma mia madre era famosa per anticipare i tempi.

Mamma,
calmati. Ti sto scrivendo ora. Non essere impulsiva.
Bella.

La inviai subito e ne iniziai un'altra.

Mamma,
va tutto benissimo. Certo che piove. Aspettavo che succedesse qualcosa, per scriverti. La scuola non è male. Solo un po' monotona. Ho conosciuto qualche amica simpatica, pranziamo sempre assieme.
La tua camicetta è in lavanderia – avresti dovuto andare a ritirarla venerdì.
Charlie mi ha comprato un pick-up, ci credi? Lo adoro. È vecchio ma solidissimo. Il che, per me, è soltanto un bene.
Anche tu mi manchi. Ti scriverò ancora presto, ma sappi che non scarico la posta ogni cinque minuti. Rilassati, fai un bel respiro. Ti voglio bene.
Bella.

Avevo deciso di rileggere, per il gusto di farlo, *Cime tempestose*, su cui in quel giorno vertevano le lezioni di inglese, e quando Charlie tornò a casa tenevo ancora il libro tra le mani. Avevo perso del tutto la cognizione del tempo, così scesi di corsa le scale per togliere le patate dal forno e cuocere la bistecca.

«Bella?», chiese mio padre, sentendomi scendere.

Che domanda. Chi altro poteva essere?

«Ehi, papà, bentornato».

«Grazie». Appese la fondina con la pistola e si tolse gli stivali, mentre io spadellavo in cucina. Per quel che ne sapevo, non aveva mai sparato un colpo, in servizio. Ma teneva sempre l'arma pronta. Quando da piccola trascorrevo le vacanze lì, la svuotava appena entrato in casa. Probabilmente ora mi giudicava grande abbastanza da non potermi sparare incidentalmente, e non abbastanza depressa da volermi sparare di proposito.

«Cosa c'è per cena?», chiese lui, cauto. Mia madre era una cuoca fantasiosa e non sempre i suoi esperimenti erano mangiabili. Fui sorpresa, e rattristata, che lui se ne ricordasse ancora.

«Bistecca e patate», risposi, e parve sollevato.

Sembrava imbarazzato, impalato in cucina senza far niente; mentre io mi davo da fare, si spostò rumorosamente in salotto a guardare la TV. Quella mossa ci mise entrambi a nostro agio. Mentre la bistecca cuoceva preparai l'insalata, e apparecchiai la tavola.

Quando la cena fu pronta lo chiamai, ed entrando in cucina annusò il cibo e si complimentò.

«Che buon profumo, Bell».

«Grazie».

Per qualche minuto mangiammo in silenzio. Non mi sentivo a disagio. Nessuno di noi era infastidito dal silenzio. In un certo senso, eravamo fatti per vivere assieme.

«E allora, come ti sembra la scuola? Ti sei già fatta qualche amica?», chiese, al secondo giro di patate.

«Be', frequento un po' di lezioni assieme a una ragazza che si chiama Jessica. A pranzo mangio con lei. E poi c'è un ragazzo, Mike, molto gentile. Tutti sembrano tanto carini». Con una evidente eccezione.

«Dev'essere Mike Newton. Bravo ragazzo, buona famiglia. Suo padre è il proprietario del negozio di articoli sportivi che sta appena fuori città. Si guadagna da vivere con la gente che viene a fare trekking da queste parti».

«Conosci i Cullen?», chiesi, con voce esitante.

«La famiglia del dottor Cullen? Certo. Cullen è un grand'uomo».

«Loro... i figli... sono un po' strani. Non sembrano proprio inseriti, a scuola».

L'espressione infuriata di Charlie mi sorprese.

«La gente di questa città», mormorò. «Il dottor Cullen è un chirurgo brillante che probabilmente potrebbe permettersi di lavorare in qualsiasi ospedale al mondo e guadagnare dieci volte tanto quello che gli danno qui», continuò, alzando la voce. «È una fortuna che sia con noi, una fortuna che sua moglie abbia accettato di vivere in questa cittadina. È una risorsa per tutta la comunità, e i suoi figli sono educati e cortesi. Anch'io ero dubbioso, quando si sono trasferiti qui, con tutti quei ragazzi adottati. Pensavo che potessero darci qualche grattacapo. Invece sono molto maturi, e nessuno di loro mi ha mai dato il minimo problema. Non posso dire la stessa cosa di figli di gente che abitano qui da generazioni. E sono uniti, come dovrebbe essere una famiglia, ogni fine settimana vanno in campeggio... La gente deve aprire per forza il becco soltanto perché sono gli ultimi arrivati».

Era il discorso più lungo che avessi mai sentito uscire dalla bocca di Charlie. I pettegolezzi della gente dovevano averlo fatto indignare sul serio.

Io arretrai un po'. «A me sono sembrati carini. Ho solo notato che stanno sempre per i fatti loro. Sono tutti molto attraenti», aggiunsi, cercando di dare più peso ai complimenti.

«Dovresti conoscere il dottore», disse Charlie ridendo. «Per fortuna è sposato. Quando gira per l'ospedale, la maggior parte delle infermiere fatica a concentrarsi sul proprio lavoro».

Restammo di nuovo zitti e finimmo di cenare. Charlie sparecchiò mentre io iniziavo a lavare i piatti. Poi tornò davanti alla TV, e quando anch'io ebbi finito – niente lavastoviglie – salii svogliatamente al piano di sopra a fare i compiti di matematica. Sentivo che sarebbe diventata una tradizione.

Quella notte, finalmente, fu silenziosa. Mi addormentai subito, esausta.

Il resto della settimana passò senza problemi. Mi abituai alla routine delle lezioni. Il venerdì sapevo riconoscere, se non i nomi, i volti di tutti gli studenti. In palestra, i miei compagni di squadra capirono che era meglio non passarmi la palla, e mi si paravano davanti in un baleno se gli avversari cercavano di sfruttare la mia incapacità. Io li lasciavo fare volentieri.

Edward Cullen non tornò a scuola.

Ogni giorno osservavo con ansia i suoi fratelli che arrivavano a mensa senza di lui. Allora mi rilassavo e mi univo alla conversazione del giorno. Questa girava attorno a una gita al parco marino di La Push che Mike voleva organizzare di lì a due settimane. Mi avevano invitata e avevo accettato di andarci, più per gentilezza che per entusiasmo. Le spiagge, di solito, sono calde e asciutte.

A quel punto, nemmeno entrare nell'aula di biologia era un problema, perché non mi preoccupavo più della presenza di Edward. Per quel che ne sapevo, aveva lasciato la scuola. Cercavo di non pensarci, ma non riuscivo a soffocare del tutto il dubbio che la causa delle sue continue assenze fossi io, per quanto ridicolo potesse sembrare.

Anche il primo fine settimana a Forks passò senza problemi. Charlie non era abituato a trascorrere il suo tempo libero nella casa vuota, perciò lavorava anche di sabato e domenica. Io feci un po' di pulizie, mi portai avanti con i compiti e spedii qualche altra e-mail forzatamente sdolcinata a mia madre. Il sabato, feci un giro in biblioteca, ma era talmente poco fornita che non chiesi neanche la tessera; decisi di prendermi un giorno per visitare Olympia o Seattle, in cerca di una buona libreria. Mi chiesi distrattamente quanti chilometri facesse con un litro il mio pick-up... e tremai al solo pensiero.

Durante il weekend la pioggia cadde leggera e silenziosa, e dormii sempre tranquilla.

Il lunedì mattina successivo, i ragazzi che incontravo nel parcheggio della scuola mi salutavano. Non ricordavo i loro nomi, ma restituivo i saluti e sorridevo a tutti. Faceva più freddo, ma per fortuna non pioveva. Durante la lezione di inglese, Mike si sedette accanto a me, come al solito. A sorpresa, il professore ci diede un questionario su *Cime tempestose*. Era elementare, molto facile.

Tutto sommato, fin lì mi sentivo molto più a mio agio del previsto. Più di quanto mi sarei mai aspettata prima di trasferirmi.

Quando uscimmo dall'aula, vedemmo volteggiare per aria qualcosa di bianco. Sentivo gli altri schiamazzare e lanciarsi gridolini allegri. Il vento mi frustava le guance e il naso.

«Ehi», esclamò Mike, «nevica».

Osservavo i batuffoli ammassarsi piano lungo il marciapiede, fluttuare lungo traiettorie imprevedibili davanti al mio naso.

«Oh». La neve. Fine della bella giornata.

Lui sembrava sorpreso. «Non ti piace la neve?».

«No. Vuol dire che fa troppo freddo per piovere». Ovvio. «E poi, pensavo venisse giù a fiocchi più piccoli. Hai presente, ognuno diverso dagli altri e tutto il resto. Questi sembrano palle di cotone».

«Non hai mai visto la neve?», chiese lui, incredulo.

«Certo che sì», attesi un istante, «in televisione».

Mike rise. Subito dopo, una grossa e viscida palla di neve si abbatté sulla sua nuca. Ci voltammo entrambi per vedere da dove venisse. Avevo qualche sospetto su Eric, che si stava allontanando nella direzione opposta a quella dell'aula in cui sarebbe dovuto andare. Mike la pensava allo stesso modo. Si piegò e iniziò a fare una palla con quella poltiglia bianca.

«Ci vediamo a pranzo, ok?». Parlavo continuando a camminare. «Quando qualcuno inizia a tirare roba umida, io mi rifugio al coperto».

Lui annuì solamente, gli occhi già fissi sulla sagoma di Eric che si allontanava.

Per l'intera mattinata non si fece altro che parlare della neve: a quanto pareva, era la prima nevicata dell'anno. Io stavo zitta. Certo, era meno umida della pioggia... finché non ti si scioglieva nelle calze.

Dopo la lezione di spagnolo entrai in mensa assieme a Jessica, con circospezione. Volavano palle dappertutto. Tenevo in mano una cartellina, da usare come scudo, se necessario. Jessica pensava stessi scherzando, ma qualcosa nella mia espressione la trattenne dal tirarmi lei stessa una palla addosso.

Mike ci raggiunse all'entrata, con il sorriso sulle labbra e le punte dei capelli ghiacciate. Mentre facevamo la fila per il cibo, lui e Jessica parlavano animatamente della battaglia appena finita. La forza dell'abitudine mi fece dare un'occhiata al solito tavolo nell'angolo. E rimasi di sasso. Erano in cinque.

Jessica mi tirò per un braccio.

«Pronto? Bella? Tu cosa prendi?».

Fissavo il pavimento, avevo le orecchie bollenti. Ripetevo a me stessa che non c'era motivo di sentirmi in colpa. Non avevo fatto niente di male.

«Cos'ha Bella?», chiese Mike a Jessica.

«Niente», risposi. «Oggi prendo soltanto una soda». E li raggiunsi in fondo alla fila.

«Non hai fame?», chiese Jessica.

«A dir la verità, non mi sento tanto bene», dissi, sempre con lo sguardo basso.

Aspettai che prendessero da mangiare e li seguii fino al tavolo, guardandomi le punte dei piedi.

Sorseggiai la soda piano piano, mi brontolava lo stomaco. Mike mi domandò due volte, inutilmente preoccupato, come stessi. Gli risposi che non era niente, ma intanto mi chiedevo se invece non fosse il caso di andare avanti a fingere e passare l'ora successiva in infermeria.

Ridicolo. Non dovevo mica scappare.

Decisi di concedermi uno sguardo al tavolo dei Cullen. Se avessi incrociato i suoi occhi che mi fissavano con ira, avrei saltato biologia, codarda com'ero.

Sempre a testa bassa, sbirciai di sottecchi. Nessuno di loro era voltato dalla mia parte. Alzai un po' la testa.

Ridevano. Edward, Jasper ed Emmett avevano i capelli pieni di neve. Alice e Rosalie cercavano di tenersi lontane da Emmett che si scrollava la chioma davanti a loro. Si stavano godendo la giornata come chiunque altro. Loro, però, rispetto a noi, sembravano usciti da un film.

A parte le risate e i giochi, tuttavia, c'era qualcosa di diverso, e a prima vista non riuscii a capire cosa. Osservai Edward con più attenzione. Notai che era meno pallido – probabilmente per reazione alla neve fredda – e le occhiaie erano molto meno evidenti. Ma c'era qualcos'altro. Continuai a scrutarlo, meditando e cercando di isolare ciò che era cambiato.

«Bella, cosa stai guardando?», disse Jessica interrompendo la mia riflessione e cercando di seguire il mio sguardo.

In quel preciso istante, gli occhi di Edward guizzarono come lampi e incontrarono i miei.

Chinai di colpo la testa tra le mani, lasciando che i capelli mi nascondessero il viso. Eppure, nell'istante in cui i nostri occhi si erano incrociati ero sicura che la sua espressione non fosse dura o sprezzante, come nell'ultima occasione in cui l'avevo visto. Sembrava soltanto curioso, e in qualche modo insoddisfatto.

«Edward Cullen ti sta fissando», bisbigliò Jessica, con un sorrisetto.

«Non sembra arrabbiato, vero?», non potei fare a meno di chiedere.

«No», disse lei, apparentemente confusa dalla mia domanda. «Dovrebbe esserlo?».

«Penso di non piacergli», confidai. Mi sentivo ancora le gambe molli. Poggiai la testa sul braccio.

«Ai Cullen non piace nessuno... be', non fanno proprio granché caso agli altri per considerarli. Ma lui continua a fissarti».

«Smettila di guardarlo», sibilai io.

A malincuore, Jessica distolse lo sguardo. Alzai la testa quel tanto che bastava per verificarlo, pronta a usarle violenza se si fosse rifiutata.

In quel momento Mike ci interruppe, stava progettando un'epica battaglia a palle di neve nel parcheggio dopo le lezioni e voleva che ci unissimo anche noi. Jessica accettò con entusiasmo. A giudicare da come guardava Mike, si poteva star certi che avrebbe accettato qualsiasi invito proveniente da lui. Io rimasi in silenzio. Mi sarebbe toccato nascondermi in palestra finché il parcheggio non si fosse svuotato.

Per il resto del pranzo feci molta attenzione a non spostare lo sguardo dal mio tavolo. Decisi di onorare la scommessa che avevo fatto con me stessa. Dal momento che non si mostrava arrabbiato, non avrei saltato biologia. Il mio stomaco sobbalzò impaurito al pensiero di sedersi di nuovo accanto a lui.

Non avevo molta voglia di farmi accompagnare in classe da Mike come al solito – a quanto pare era uno dei bersagli preferiti dai cecchini delle palle di neve – ma all'uscita, tutti, tranne me, alzarono all'unisono un lamento di delusione. Pioveva, e l'acqua lavava via ogni traccia di neve trasformandola in rivoli ghiacciati e trasparenti che correvano lungo il bordo del marciapiede. Io mi alzai il cappuccio, segretamente soddisfatta. Dopo la lezione di ginnastica avrei potuto tornare subito a casa.

Lungo tutto il percorso fino all'edificio 4, Mike non fece che lamentarsi.

Una volta in classe, mi accorsi con sollievo che il mio tavolo era vuoto. Il professor Banner camminava per la stanza e distribuiva a ogni tavolo un microscopio e una scatola di vetrini. La lezione sarebbe cominciata di lì a qualche minuto, e nell'aula regnava un vivace chiacchiericcio. Non osavo guardare verso la porta, e scarabocchiavo sulla copertina del quaderno.

Sentii chiaramente quando la sedia accanto alla mia si mosse, ma tenni gli occhi ben concentrati sui miei disegni.

«Ciao», disse una voce bassa, melodiosa.

Io alzai gli occhi, sbalordita dal fatto che si stesse rivolgendo proprio a me. Era seduto al banco il più lontano possibile, ma la seggiola era voltata nella mia direzione. I suoi capelli erano fradici, spettinati, ma anche conciato in quel modo sembrava appena uscito dalla pubblicità di un gel. Il suo viso splendente era amichevole, luminoso, con l'ombra di un sorriso sulle labbra perfette. Lo sguardo però esprimeva cautela.

«Mi chiamo Edward Cullen», continuò. «La settimana scorsa non ho avuto occasione di presentarmi. Tu devi essere Bella Swan».

Mi girava la testa per la confusione. Mi ero inventata tutto? Ora era perfettamente educato. Dovevo parlargli: aspettava che lo facessi. Ma non riuscivo a pensare a niente di convenzionale da dire.

«Co... come fai a conoscere il mio nome?», balbettai.

Fece una risata leggera e ammaliante.

«Oh, penso che tutti sappiano come ti chiami. La città intera ti stava aspettando».

Feci una smorfia. Sapevo che più o meno era la verità.

«No», insistetti, come una stupida, «intendevo, come mai mi hai chiamato Bella».

Sembrò confuso. «Preferisci che ti chiami Isabella?».

«No, Bella mi piace», risposi io. «Ma Charlie – voglio dire, mio padre – quando parla di me credo mi chiami Isabella: a quanto pare qui tutti mi conoscono con quel nome». Cercavo di spiegarmi, ma mi sentivo una perfetta cretina.

«Ah». Lasciò cadere il discorso. Io distolsi lo sguardo, goffamente.

Grazie al cielo il professor Banner iniziò la lezione proprio in quel momento. Cercai di concentrarmi, mentre spiegava l'esperimento del giorno. I vetrini erano in ordine sparso. Lavorando a coppie, dovevamo separare ed etichettare epitelio di cipolla in base alla fase di mitosi in cui si trovavano. Senza usare libri. Avevamo venti minuti di tempo.

«Iniziate pure», disse il professore.

«Prima le donne, collega?», mi chiese Edward. Alzai lo sguardo e vidi un sorriso beffardo tanto bello da catturarmi come un'idiota.

«Se vuoi comincio io». Il sorriso si spense; evidentemente si stava chiedendo se fossi nelle mie piene facoltà mentali.

«No, faccio io», risposi rossa di vergogna.

Volevo pavoneggiarmi, almeno un po'. Avevo già fatto quell'esperimento e sapevo cosa cercare. Sarebbe stato facile. Sistemai il primo vetrino sotto il microscopio e in un baleno misi a fuoco l'ingranditore. Per qualche istante studiai il reperto.

Ero sicura della mia analisi. «Profase».

«Ti dispiace se do un'occhiata?», chiese lui, intanto che rimuovevo il vetrino dal microscopio. Mentre parlava, mi prese la mano per fermarmi. Le sue dita erano fredde come il ghiaccio, come se prima di entrare in classe le avesse tenute dentro un cumulo di neve. Ma non fu per quello che mi staccai subito dalla sua presa. Quando mi aveva toccato, avevo sentito quasi una fitta alla mano, come fossimo stati percorsi da una scintilla di corrente elettrica.

«Scusa», mormorò, ritirando immediatamente la mano. Però rimase piegato sul microscopio. Lo guardai, ancora scossa, mentre esaminava il vetrino, più velocemente di me.

«Profase», concordò, e lo scrisse in bella grafia nella prima casella del nostro foglio di lavoro. Estrasse subito il secondo reperto e gli diede uno sguardo distratto.

«Anafase», mormorò, scrivendolo immediatamente.

Io feci l'indifferente. «Posso?».

Con un sorrisetto mi passò il microscopio.

Guardai nel mirino con impazienza e restai delusa. Maledizione, aveva indovinato.

«Numero tre?», allungai una mano senza guardarlo.

Mi diede il vetrino. Sembrava attento a non sfiorare di nuovo la mia pelle.

Ci gettai un rapido sguardo, più frettoloso che potei.

«Interfase». Gli passai il microscopio ancora prima che potesse chiedermelo. Lui diede un'occhiata svelta e scrisse ciò che avevo detto. Avrei potuto annotarlo anch'io, ma la sua grafia nitida, elegante, mi intimidiva. Non volevo rovinare la pagina con i miei scarabocchi maldestri.

Terminammo molto prima di tutti gli altri. Mike e la sua compagna non facevano che confrontare due vetrini, e un'altra coppia teneva il libro aperto sotto il tavolo.

Perciò non mi restava altro da fare che tentare di non guardarlo... senza riuscirci. Alzai gli occhi e c'era lui a fissarmi, con quella solita aria di inspiegabile frustrazione. All'improvviso capii quale fosse la leggera differenza che avevo percepito nel suo viso.

«Porti le lenti a contatto?», mi uscì di bocca, senza pensarci.

Lui sembrò spiazzato dalla mia domanda inaspettata. «No».

«Oh. Mi sembrava di avere notato qualcosa di diverso nei tuoi occhi».

Si strinse nelle spalle e guardò altrove.

A dire la verità, ero sicura che ci fosse qualcosa di diverso. Avevo un ricordo molto vivo dell'ultima volta che mi aveva fulminata con lo sguardo, con quel nero cupo che spiccava sullo sfondo del suo colorito pallido e dei capelli ramati. Oggi la tonalità era completamente diversa: uno strano ocra più scuro di una caramella ma con i riflessi dorati. Non capivo come fosse possibile, a meno che per qualche motivo non mi avesse mentito sulle lenti a contatto. Oppure Forks mi stava letteralmente facendo impazzire.

Abbassai lo sguardo. Di nuovo teneva i pugni serrati.

Allora il professor Banner si avvicinò al nostro tavolo a chiederci perché non stessimo lavorando. Dalle nostre spalle lanciò un'occhiata alla tabella completata, poi iniziò a controllare con attenzione le risposte una per una.

«Scusa, Edward, perché non hai lasciato usare il microscopio anche a Isabella?», chiese il professor Banner.

«Bella», corresse lui, automaticamente. «A dire la verità, è stata lei a identificarne tre su cinque».

Ora il professor Banner guardava me, con espressione scettica.

«Hai già fatto prima questo esperimento?», chiese.

Io feci un sorriso timido. «Non con radici di cipolla».

«Embrioni di coregone?».

«Sì».

Il professor Banner fece un cenno d'assenso. «A Phoenix frequentavi le lezioni del programma avanzato?».

«Sì».

«Bene», aggiunse, dopo un istante, «penso sia il caso che voi due lavoriate assieme». Bofonchiò qualcos'altro mentre si allontanava. Quando se ne fu andato, ricominciai a scarabocchiare sul quaderno.

«Peccato per la neve, eh?», chiese Edward. Avevo la sensazione che si sentisse in dovere di parlare con me. La paranoia mi assalì di nuovo. Era come se avesse ascoltato la mia conversazione con Jessica, a pranzo, e volesse dimostrarmi che sbagliavo.

«Non direi». Risposi con sincerità, anziché fingere di essere normale, come tutti gli altri. Ero ancora impegnata a liberarmi di quella stupida sensazione di sospetto e non riuscivo a concentrarmi.

«Il freddo non ti piace». Non era una domanda.

«Neanche l'umido».

«Per te dev'essere difficile vivere a Forks», concluse.

«Non lo immagini neppure», mormorai, cupa.

Sembrava affascinato dalle mie parole, ma il motivo mi sfuggiva. Il suo viso mi distraeva così tanto che cercavo di non fissarlo più di quanto mi imponessero le buone maniere.

«Ma allora, perché sei venuta qui?».
Nessuno me l'aveva mai chiesto, non in maniera così diretta.
«È... una storia complicata».
«Penso di poterla capire», insistette.
Feci una lunga pausa, poi commisi l'errore di incrociare di nuovo il suo sguardo. I suoi occhi d'oro mi confondevano, e risposi senza pensarci.
«Mia madre si è risposata», dissi.
«Non sembra così complicato», ribatté lui, ma si fece improvvisamente comprensivo. «Quando è stato?».
«Settembre». La mia voce suonò triste anche alle mie orecchie.
«E lui non ti piace», dedusse Edward, ancora con un tono gentile.
«No, Phil va bene. Forse troppo giovane, ma un bel tipo».
«Perché non sei rimasta con loro?».
Non riuscivo a capire il motivo del suo interessamento, ma continuava a fissarmi con quello sguardo penetrante, quasi che la banale storia della mia vita fosse una questione di importanza capitale.
«Phil viaggia molto. Gioca a baseball. È un professionista». Feci un mezzo sorriso.
«Lo conosco?», chiese, sorridendo anche lui.
«Probabilmente no. Non è un *bravo* professionista. Solo serie minori. Cambia squadra di continuo».
«E tua madre ti ha spedita qui per poterlo seguire». Nemmeno questa suonava come una domanda, sembrava più una conclusione.
Ebbi un invisibile fremito. «No, non è stata lei a spedirmi qui. Sono stata io».
Aggrottò le sopracciglia. «Non capisco», ammise, e ne sembrava fin troppo preoccupato.
Tirai un sospiro. Perché gli stavo raccontando i fatti miei? Lui continuava a scrutarmi con ovvia curiosità.
«All'inizio è rimasta con me, ma lui le mancava. Era infelice... perciò ho deciso che era il caso di passare un po' di tempo in famiglia con Charlie». Nel dire questo la mia voce si era fatta cupa e triste.

«Ma ora sei infelice tu», suggerì lui.
«E...?», obiettai a mo' di sfida.
«Non mi sembra giusto». Si strinse nelle spalle, i suoi occhi però erano sempre intensi.
Abbozzai una risata, ma non ero divertita. «Non te l'hanno ancora detto? La vita non è giusta».
«Penso di averla già sentita», rispose laconico.
«E questo è tutto». Chissà perché mi stava ancora fissando in quel modo.
Prese a studiarmi, stava facendo le sue valutazioni. «Dai buona mostra di te», disse, lentamente. «Ma sono pronto a scommettere che soffri molto più di quanto dai a vedere».
Storsi la bocca, resistendo a malapena all'istinto di tirare fuori la lingua come una bambina di cinque anni, e distolsi lo sguardo.
«Mi sbaglio?».
Cercai di ignorarlo.
«Io credo di no», ribadì, sfacciato.
«Perché ti dovrebbe interessare?», chiesi, irritata. Evitavo di guardarlo, seguivo il professore che girava tra i banchi.
«Questa è una domanda molto sensata», bofonchiò, così piano che pensai parlasse tra sé e sé. In ogni caso, dopo qualche secondo di silenzio, capii che non sarebbe andato oltre quella risposta.
Sospirai, imbronciata, guardando la lavagna.
«Ti do fastidio?», chiese. Sembrava divertito.
Mi voltai verso di lui senza pensare... e gli dissi di nuovo la verità. «Non esattamente. Sono io stessa a darmi fastidio. Il mio volto è così facile da leggere... mia madre dice sempre che sono un libro aperto». Aggrottai le sopracciglia.
«Al contrario, per me tu sei molto difficile da leggere». Malgrado tutto ciò che gli avevo detto e che lui aveva intuito, sembrava sincero.
«Devi essere un bravo lettore, allora», replicai.
«Di solito sì». Si illuminò di un gran sorriso, sfoggiando una schiera di denti perfetti e bianchissimi.
Il professor Banner riportò la classe all'ordine, e io mi disposi ad ascoltarlo con sollievo. Non riuscivo a credere di ave-

re appena raccontato tutta la mia vita desolata a questo ragazzo bizzarro e bellissimo, che forse mi odiava, o forse no. Mi era sembrato molto preso dalla conversazione, ma ora, con la coda dell'occhio, lo vedevo arretrare di nuovo, le mani serrate sul bordo del tavolo, in palese tensione.

Finsi di stare attenta, mentre il professore illustrava con le diapositive ciò che avevo appena visto senza problemi attraverso il microscopio. Ma i miei pensieri erano ingestibili.

Quando infine la campanella suonò, Edward scivolò via dall'aula con la stessa velocità e grazia del lunedì precedente. Io, come la settimana prima, rimasi a occhi sgranati per lo stupore.

Mike si presentò subito al mio fianco e mi aiutò a portare i libri. Me lo immaginavo scodinzolante.

«Terribile», disse con un lamento. «Sembravano tutti identici. Sei stata fortunata a lavorare assieme a Cullen».

«Non ci ho trovato niente di difficile», risposi, punta dalla sua osservazione. Ma me ne pentii all'istante. «Era un esperimento che ho già fatto», aggiunsi, prima che potesse aversene a male.

«Oggi Cullen sembrava piuttosto amichevole», commentò, mentre ci stringevamo nelle giacche a vento. Non ne sembrava tanto contento.

Cercai di fare l'indifferente. «Chissà cosa gli era preso lunedì scorso».

Andando in palestra non riuscii a concentrarmi sul suo chiacchiericcio, e non prestai attenzione nemmeno alla lezione di ginnastica. Quel giorno ero in squadra con Mike. Molto cavallerescamente difese la sua zona e la mia, perciò potevo andare tranquilla a farfalle, eccetto nei miei turni di battuta. I miei compagni si riparavano ogni volta che toccava a me.

Quando uscii nel parcheggio, la pioggia era diventata solo una nebbiolina, ma nonostante tutto mi sentii davvero bene soltanto all'asciutto nel mio pick-up. Accesi il riscaldamento e per una volta non mi preoccupai del rombo rintronante del motore. Mi slacciai la giacca a vento, mi liberai dal cappuccio e scossi i capelli umidi perché si potessero asciugare con la ventola nel tragitto verso casa.

Mi guardai attorno per controllare che non ci fossero altre auto. Fu in quel momento che notai una sagoma bianca, immobile. Edward Cullen era appoggiato alla portiera anteriore della Volvo, a tre auto di distanza dalla mia, e guardava fisso verso di me. Distolsi lo sguardo alla svelta, ingranai la retromarcia, e poco ci mancava che per la fretta colpissi in pieno la Toyota Corolla che mi seguiva. Fortunatamente per la Toyota, feci in tempo a inchiodare. Quello era esattamente il tipo di auto che il mio pick-up avrebbe trasformato in una palla di lamiera. Feci un respiro profondo, guardai di nuovo dal lato opposto della mia macchina, e con cautela iniziai a muovermi, questa volta senza fare danni. Passando davanti alla Volvo cercai di fissare soltanto la strada, ma con una sbirciatina laterale vidi Edward e – sarei pronta a giurarlo – rideva.

Fenomeno

Il giorno dopo, al mio risveglio, qualcosa era cambiato.

Era la luce. Era sempre del consueto grigioverde, come in una foresta sotto il cielo coperto, ma appariva più limpida del solito. Fuori dalla finestra non c'era il velo di nebbia a cui mi ero abituata.

Saltai giù dal letto per controllare, e grugnii, disgustata.

Il cortile era ricoperto da un sottile strato di neve, di cui era anche spolverato il tetto del pick-up e imbiancata la strada. Ma c'era di peggio. La pioggia del giorno prima si era ghiacciata, disegnava ghirigori fantasiosi e splendenti tra gli aghi dei pini e aveva trasformato il vialetto in un lastrone mortale. Avevo già i miei problemi di stabilità sull'asciutto: forse, per la mia incolumità, sarebbe stato meglio tornare subito a letto.

Charlie uscì prima che io scendessi al piano di sotto. Per molti versi, vivere con mio padre era come avere una casa tutta mia e, lungi dal sentirmi abbandonata, mi godevo quelle occasioni di solitudine.

Divorai qualche cucchiaiata di cereali e un po' di succo d'arancia direttamente dal cartone. Ero eccitata all'idea di andare a scuola e la cosa mi spaventava. Sapevo bene che il merito non era dell'ambiente educativo stimolante o dei miei nuovi amici. Inutile raccontarsi storie, ero in agitazione perché sapevo che avrei incontrato Edward Cullen. E ciò era molto, molto stupido.

Dopo tutto il mio blaterare insensato e imbarazzante del giorno prima, sarebbe stato il caso di girargli alla larga. Ed ero ancora piuttosto diffidente: che senso aveva mentire sul colore degli occhi? Continuavo a temere un'ostilità che talvolta mi pareva ancora di cogliere in lui, e mi bastava anche solo immaginare il suo viso perfetto perché mi si annodasse la lingua. Ero perfettamente consapevole che apparteneva a un'altra categoria, irraggiungibile. Perciò tutta quell'impazienza di vederlo era immotivata.

Ci volle tutta la concentrazione di cui ero capace per arrivare viva alla fine del vialetto ghiacciato. Rischiai di perdere l'equilibrio quando ormai avevo raggiunto il pick-up, ma mi aggrappai allo specchietto, e fui salva. Non avevo dubbi, quel giorno sarebbe stato un incubo.

Guidando verso la scuola, cercai di non pensare alla paura di cadere e di non fare involontarie speculazioni su Edward Cullen, e mi concentrai su Mike ed Eric e sul modo nuovo in cui i ragazzi qui a Forks reagivano alla mia presenza. Ero certa di non essere minimamente cambiata, rispetto a Phoenix. Forse dipendeva soltanto dal fatto che a casa i miei coetanei mi avevano vista attraversare lentamente le fasi più impacciate dell'adolescenza e mi giudicavano ancora una ragazzina. Forse qui ero soltanto una novità, in un luogo in cui le novità erano poche e rare. Poteva anche darsi che la mia rovinosa goffaggine apparisse tenera, anziché patetica, e mi facesse vestire i panni della damigella bisognosa d'aiuto. Qualunque fosse il motivo, il comportamento da cagnolino di Mike e l'apparente rivalità di Eric nei suoi confronti mi sconcertavano un po'. Tutto sommato, non ero sicura che non fosse meglio essere ignorata.

Il pick-up non sembrava avere alcun problema di tenuta sopra il ghiaccio scuro che copriva le strade. In ogni caso, guidavo molto lentamente, non mi andava di seminare distruzione sfrecciando attraverso Main Street.

Giunta a scuola, e scesa dal mezzo, capii perché il viaggio era stato così semplice. Fui incuriosita da qualcosa di argentato e mi avvicinai al retro del pick-up – ancorandomi per bene alla carrozzeria – per controllare gli pneumatici. Erano avvolti da catenelle sottili, intrecciate a forma di rombo. Charlie si era alzato chissà a che ora per montarle. Sentii un nodo alla gola. Non ero abituata ad avere accanto qualcuno che si prendesse cura di me, e la cortesia silenziosa di Charlie mi colse di sorpresa.

Impalata accanto al faro posteriore del pick-up, mi sforzavo di ricacciare indietro l'ondata improvvisa di emozioni provocata dalle catene. Fu in quel momento che sentii un rumore strano.

Era un fischio acuto, una frenata, sempre più vicina e inquietante. Alzai gli occhi, sbigottita.

Vidi parecchie cose contemporaneamente. Non era un film, perciò niente rallentatore. Anzi, la vampata di adrenalina accelerò l'attività del mio cervello e mi trovai a recepire con chiarezza molti dettagli in un colpo solo.

Edward Cullen, a quattro auto di distanza da me, mi fissava terrorizzato. Il suo viso emergeva da un mare di altri volti, immobilizzati nella stessa maschera di terrore. Ma l'elemento più importante era il furgoncino blu scuro che sbandava, le ruote bloccate e stridenti, una trottola impazzita nel parcheggio ghiacciato. Stava per schiantarsi contro il retro del mio pick-up, di fronte al quale c'ero io. Non ebbi nemmeno il tempo di chiudere gli occhi.

Un istante prima che potessi sentire il fragore del furgoncino che si accartocciava sul cassone del pick-up, qualcosa mi colpì, forte, ma il colpo non giunse da dove me lo aspettavo. Sbattei la testa contro il fondo stradale ghiacciato e sentii qualcosa di duro e freddo che mi teneva giù. Ero sdraiata sull'asfalto, dietro l'auto scura accanto alla quale avevo parcheggiato. Non potevo scorgere altro, perché la corsa del furgoncino non era ancora finita. Aveva strusciato girandosi contro la coda del mio mezzo con una derapata, continuando a slittare in testacoda, e stava per investirmi *di nuovo*.

Sentii mormorare un'imprecazione e mi accorsi che accanto a me c'era qualcuno, una voce inconfondibile. Due mani affusolate e bianche mi si pararono di fronte per proteggermi, e il furgone si arrestò di colpo a una spanna dal mio volto. Le grandi mani erano affondate nella carrozzeria, dentro una provvidenziale, profonda ammaccatura del furgone.

Poi agirono così velocemente da diventare invisibili. Una fece presa in un istante sotto il furgoncino, e qualcosa mi trascinò, inerme come una bambola, girandomi per le gambe e facendomele sbattere contro una ruota dell'auto scura. Fui assordata da un lancinante rumore metallico, e il furgoncino, con il vetro sbriciolato, si piantò sull'asfalto, esattamente nel punto in cui, fino a un secondo prima, si trovavano le mie gambe.

Per un interminabile istante il silenzio fu assoluto, poi iniziarono le urla. In quel pandemonio, sentivo gridare il mio nome dappertutto. Ma nitida in mezzo al frastuono, vicina al mio orecchio, udii la voce bassa e affannata di Edward Cullen.

«Bella? Tutto a posto?».

«Sto bene». La mia voce suonava strana. Cercai di sedermi, e mi accorsi che mi teneva stretta contro il suo fianco, con una presa ferrea.

«Attenta», mi avvertì, mentre cercavo di liberarmi. «Mi sa che hai preso una bella botta in testa».

In quel momento mi accorsi della dolorosa pulsazione sopra l'orecchio sinistro.

«Ahi», dissi, sorpresa.

«Come pensavo». Incredibilmente, sembrava che stesse trattenendo una risata.

«Come diavolo...». Mi ritrassi da lui, per tentare di schiarirmi le idee e riprendere il contegno. «Come hai fatto ad arrivare così in fretta?».

«Ero qui accanto a te, Bella», rispose lui, serio.

Cercai di sedermi, e mi lasciò fare, mollando la presa attorno alla mia vita e allontanandomi quanto poteva, nello spazio angusto tra l'auto e il furgone. Osservai la sua espressione preoccupata, innocente, e per l'ennesima volta fui disorientata dall'intensità dei suoi occhi dorati. Cosa gli stavo chiedendo?

Infine ci trovarono, una folla di persone con le lacrime agli occhi, che urlavano verso di noi e si urlavano a vicenda.

«Non muovetevi», ci ingiunse qualcuno.

«Tirate fuori Tyler dal furgone!», gridò qualcun altro. Il movimento attorno a noi era frenetico. Cercai di alzarmi, ma la mano fredda di Edward mi tenne per una spalla e mi ricacciò giù.

«Per adesso resta qui».

«Ma fa freddo!», mi lagnai. Fui sorpresa nel sentirlo sogghignare. Suonava sarcastico.

«Tu stavi laggiù», ricordai all'improvviso, e la sua risatina si interruppe. «Eri accanto alla tua macchina».

Il suo volto si indurì. «Invece no».

«Ti ho visto». Attorno a noi c'era il caos. Sentivo le voci più roche degli adulti giungere sul luogo dell'incidente. Eppure mi ostinai a non lasciar cadere il discorso: avevo ragione io, e l'avrei costretto ad ammetterlo.

«Bella, ero qui accanto a te e ti ho spinta via appena in tempo». Scatenò tutta la potenza devastante del suo sguardo, come se volesse comunicarmi qualcosa di fondamentale.

«Invece no».

L'oro dei suoi occhi era fiammeggiante. «Per favore, Bella».

«Perché?».

«Fidati», mi pregò lui, sopraffacendomi con la sua voce dolce.

Ora si sentivano anche le sirene.

«Prometti che poi mi spiegherai tutto?».

«Promesso», concluse lui, esasperato.

«Promesso», ribadii, arrabbiata.

Ci vollero sei infermieri e due insegnanti – Varner di trigonometria e Clapp di ginnastica – per spostare il furgoncino abbastanza da far passare le barelle fino a noi. Edward rifiutò con decisione di salirci, io tentai di imitarlo, ma il traditore disse loro che avevo battuto la testa e che potevo aver subito una commozione cerebrale. Quasi morii di umiliazione, quando mi fecero indossare il collarino. Sembrava che tutta la scuola si fosse radunata lì per osservarmi, senza fare una piega, mentre mi caricavano sull'ambulanza. Edward si sedette davanti, al posto del passeggero. La situazione era pazzesca.

Tanto per peggiorare le cose, prima che l'ambulanza partisse arrivò anche l'ispettore capo Swan.

«Bella!», urlò, preso dal panico, quando mi riconobbe sdraiata sulla barella.

«Sto benissimo, Char... papà», sospirai io. «Niente di rotto».

Chiese conferma all'infermiere più vicino. Non facevo più caso a lui, ripensavo alle immagini inspiegabili che mi ribollivano caoticamente nella testa. Quando mi avevano sollevata e allontanata dall'auto, avevo visto l'ammaccatura profonda sul paraurti del furgoncino: un'impronta molto definita che combaciava con il profilo delle spalle di Edward... come se si fosse lanciato lui contro il mezzo, con tanta violenza da danneggiare la sbarra di metallo.

Poi vidi i suoi fratelli che osservavano la scena da lontano: alcuni sembravano infuriati, altri scuotevano il capo, ma nessuno di loro sembrava minimamente preoccupato per la salute del fratello.

Cercavo una spiegazione logica per ciò che avevo appena visto, una soluzione con cui convincermi di non essere pazza.

Ovviamente, l'ambulanza fu scortata dalla polizia lungo il tragitto verso l'ospedale. Mentre mi scaricavano, mi sentii ridicola dal primo all'ultimo istante. Edward, invece, semplicemente si dileguò oltre l'entrata dell'ospedale con le proprie forze. Io digrignavo i denti dalla rabbia.

Mi ricoverarono nella lunga corsia del pronto soccorso, con tanti letti in fila separati da tendine color pastello. Un'infermiera mi misurò la pressione e la febbre. Dato che nessuno si era preoccupato di abbassare la mia tendina per concedermi un po' di privacy, decisi che non ero obbligata a indossare il collarino come una stupida. Appena l'infermiera si fu allontanata, strappai il velcro e gettai l'arnese sotto il letto.

Ricominciò il viavai di infermieri, che sistemarono un altro ferito nel letto accanto al mio. Riconobbi Tyler Crowley, del mio stesso corso di educazione civica, nonostante la stretta fasciatura sporca di sangue che gli avvolgeva la testa. Stava cento volte peggio di me. Ma mi fissava, ansioso.

«Bella, non sai quanto mi dispiace!».

«È tutto a posto, Tyler. Tu sembri davvero malridotto, sicuro di star bene?». Mentre parlavamo, le infermiere cominciarono a sciogliergli il bendaggio, scoprendo una miriade di escoriazioni sulla fronte e sulla guancia sinistra.

Non rispose. «Ho avuto paura di ucciderti! Andavo troppo veloce, e ho preso una lastra di ghiaccio...». Fece una smorfia di dolore, quando l'infermiera iniziò a strofinargli la faccia.

«Non preoccuparti, mi hai mancata».

«Come hai fatto a spostarti così in fretta? Ti ho vista, e un istante dopo eri sparita...».

«Ehm... è stato Edward a spingermi via».

Sembrava stupito. «Chi?».

«Edward Cullen. Era lì accanto a me». Mentire non era mai stata la mia specialità: non ero stata affatto convincente.

«Cullen? Non l'ho visto... Dio, forse perché è successo tutto talmente in fretta. Lui sta bene?».

«Penso di sì. È qui anche lui, non so dove. Ma non l'hanno nemmeno portato in barella».

Ero sicura di non essere pazza. Cos'era successo? Spiegare quel che avevo visto era letteralmente impossibile.

Mi sistemarono su una sedia a rotelle e mi portarono via per farmi una radiografia alla testa. Insistevo a dire che non c'era niente di rotto, e avevo ragione. Nemmeno una piccola commozione. Chiesi di andarmene subito, ma l'infermiera rispose che prima dovevo parlare con un dottore. Perciò, eccomi imprigionata dentro il pronto soccorso, impaziente, assillata dalle continue scuse di Tyler e dalle sue promesse di risarcimento. Non c'era verso: malgrado i miei continui tentativi di convincerlo che stavo bene, si tormentava da solo. Alla fine chiusi gli occhi e lo ignorai. Lui continuava a borbottare in preda al rimorso.

«Dorme?», chiese una voce melodiosa. Aprii immediatamente gli occhi.

Ai piedi del mio letto c'era Edward, l'ombra di un sorriso sulle labbra. Lo fulminai. Non fu facile, il primo impulso era di fargli gli occhi dolci.

«Ehi, Edward, mi dispiace tanto...», attaccò Tyler.

Edward lo mise a tacere con un gesto.

«Niente sangue, niente danno», rispose, mostrando un sorriso smagliante. Si mise a sedere sul bordo del letto di Tyler, voltato verso di me. Ancora quel sorriso furbesco.

«Allora, qual è il verdetto?», chiese.

«Non mi sono fatta neanche un graffio, ma non vogliono lasciarmi tornare a casa», risposi io. «Com'è che tu non sei legato a una barella come noi?».

«Tutto merito di chi sai tu», rispose. «Ma non preoccuparti, sono venuto a liberarti».

Poi sbucò un dottore, e rimasi a bocca aperta. Era giovane, era biondo... ed era più bello di qualsiasi divo del cinema. Però era pallido, con l'aria stanca e le occhiaie marcate. A giudicare dalla descrizione di Charlie, doveva trattarsi del padre di Edward.

«E allora, signorina Swan», disse il dottor Cullen con un tono di voce decisamente attraente, «come stiamo?».

«Bene». Sperai di non doverlo ripetere più.

Accese il pannello luminoso sul muro sopra la mia testa.

«Le radiografie sono buone», disse. «Ti fa male la testa? Edward dice che hai preso un brutto colpo».

«Sto bene», ribadii con un sospiro, lanciando un'occhiataccia verso Edward.

Le dita fredde del dottore mi massaggiavano piano il cranio. Quando sobbalzai lui se ne accorse.

«Sensibile?», chiese.

«No, davvero». Sarebbe stato peggio.

Sentì sogghignare, e alzai gli occhi verso il sorriso malizioso di Edward. Lo fulminai.

«Bene, tuo padre è in sala d'attesa, puoi farti riaccompagnare a casa. Se hai capogiri o problemi di vista, però, torna subito».

«Posso andare a scuola?», chiesi, immaginando di dover subire le attenzioni di Charlie.

«Forse per oggi dovresti stare tranquilla».

Feci un cenno verso Edward. «Lui invece può tornare?».

«Qualcuno dovrà pur diffondere la notizia che siamo sopravvissuti, no?», rispose il ragazzo, compiaciuto.

«A dir la verità», lo corresse il dottor Cullen, «sembra che metà istituto sia in sala d'attesa».

«Oh, no», esclamai, nascondendomi il viso tra le mani.

Il dottor Cullen alzò le sopracciglia. «Vuoi restare?».

«No, no!», insistetti, balzando giù dal letto alla svelta. Troppo alla svelta: inciampai, e il dottor Cullen mi afferrrò. Parve preoccupato.

«Sto bene», lo rassicurai. Era inutile informarlo che i miei problemi di equilibrio non avevano nulla a che fare con la botta in testa.

«Prendi dell'aspirina contro il dolore», suggerì, mentre mi aiutava ad alzarmi.

«Non fa così male».

«A quanto pare sei stata davvero molto fortunata», disse il dottor Cullen, sorridendo, mentre firmava le mie carte con uno svolazzo.

«Fortunata perché Edward si trovava lì accanto a me», aggiunsi, con un'occhiata fredda all'interessato.

«Oh certo, sì», concordò il padre, improvvisamente concentrato sui moduli che aveva davanti. Poi si rivolse altrove, diede un'occhiata a Tyler e si avvicinò al suo letto. Era un indizio preciso: il dottore la sapeva lunga.

«Purtroppo, *tu* dovrai restare qui un po' più a lungo», disse a Tyler, e iniziò a controllare i suoi tagli.

Appena il dottore ebbe girato le spalle, mi accostai a Edward.

«Hai un minuto? Ho bisogno di parlarti». Lui fece un passo indietro, irrigidendo il volto.

«Tuo padre ti aspetta», disse tra i denti.

Io lanciai uno sguardo verso il dottor Cullen e Tyler.

«Vorrei parlare con te, da soli, se non è un problema», incalzai.

Allargò le braccia, poi mi voltò le spalle e si diresse con lunghe falcate dall'altra parte dello stanzone. Quasi mi toccava correre per tenere il suo passo. Non appena girammo l'angolo che dava su un breve corridoio, si volse verso di me.

«Cosa vuoi?», chiese, con tono irritato. Lo sguardo era freddo.

Quell'aria ostile mi intimidiva. Parlai con molta meno decisione di quanto desiderassi. «Mi devi una spiegazione», gli ricordai.

«Ti ho salvato la vita. Non ti devo niente».

Arretrai davanti al risentimento che trapelava dalla sua voce. «L'hai promesso».

«Bella, hai battuto la testa, non sai quello che dici». Mi stava provocando.

A quel punto persi le staffe, e gli lanciai un'occhiata spavalda. «La mia testa non ha un graffio».

Lui mi restituì l'occhiata. «Cosa vuoi da me, Bella?».

«Voglio la verità. Voglio sapere perché ti sto coprendo».

«Secondo te, cos'è successo?», sbottò lui.

Non riuscii a trattenermi.

«Quello che so è che eri tutt'altro che vicino a me. Neanche Tyler ti ha visto, perciò non dirmi che ho battuto la testa. Quel furgoncino stava per schiacciarci entrambi, invece non l'ha fatto, e con le mani hai lasciato un'ammaccatura sulla fiancata sinistra – e hai lasciato un bozzo anche sull'altra auto, senza farti niente – e il furgone stava per spaccarmi le gambe, ma l'hai alzato e trattenuto...». Mi resi conto di quanto suonasse assurdo, e non riuscii a continuare. Ero talmente infuriata che ero sul punto di piangere; serrai i denti per lo sforzo di trattenere le lacrime.

Lui mi fissava, incredulo e rigido. Stava sulla difensiva.

«Pensi che abbia sollevato un furgoncino per salvarti?». Il tono di voce voleva mettere in dubbio che fossi sana di mente, ma non fece altro che insospettirmi di più. Sembrava una battuta recitata alla perfezione da un attore esperto.

Mi limitai ad annuire, a denti stretti.

«Non ci crederà nessuno, lo sai». Adesso pareva che volesse deridermi.

«Non lo dirò a nessuno». Controllai la rabbia e pronunciai ogni parola lentamente.

Sembrò ancora più sorpreso. «E allora, che importa?».

«Importa a me», insistetti. «Non mi piace mentire; perciò, se lo faccio, dev'esserci un buon motivo».

«Non puoi limitarti a ringraziarmi e lasciar perdere?».

«Grazie». Ma non mi davo per vinta: aspettavo, infuriata e impaziente.

«Immagino che tu non intenda lasciar perdere».

«No».

«In tal caso... spero che tu sopporti di buon grado la delusione».

Ci guardavamo in cagnesco, muti. Parlai per prima, sforzandomi di mantenere la concentrazione. Correvo il rischio di lasciarmi distrarre dal suo volto glorioso e livido. Era come tentare di vincere lo sguardo di un angelo vendicatore.

«Perché ti sei preso il disturbo di salvarmi?», chiesi, con grande freddezza.

Lui esitò, e per un istante su quel volto meraviglioso vidi un'inattesa vulnerabilità.

«Non lo so», disse, a mezza voce.

Poi mi voltò le spalle e se ne andò.

Ero talmente arrabbiata che per qualche minuto non riuscii a muovermi. Quando fui in grado di camminare, imboccai a passi lenti il corridoio che portava all'uscita.

La sala d'attesa era ancora più sgradevole di quanto temessi. Sembrava che chiunque avessi mai intravisto a Forks fosse lì a osservarmi. Charlie mi corse incontro. Alzai le mani.

«Non mi sono fatta niente», gli dissi burbera, per rassicurarlo. Mi sentivo ancora esasperata, non ero dell'umore giusto per le chiacchiere.

«Cos'ha detto il dottore?».

«Il dottor Cullen mi ha visitata, ha detto che sto bene e che posso tornare a casa». Sospirai. Mike, Jessica ed Eric erano tutti lì e si stavano avvicinando. «Dai, andiamocene», lo sospinsi.

Charlie mi mise un braccio attorno alle spalle, senza toccarmi davvero, e mi guidò verso le porte a vetri dell'uscita. Io salutai con un gesto imbarazzato i miei amici, sperando di riuscire a suggerirgli che non era il caso di preoccuparsi. Salire sull'auto della polizia fu davvero – per la prima volta in assoluto nella mia vita – un gran sollievo.

Restammo in silenzio. Ero talmente presa dai miei pensieri che a malapena mi accorgevo della presenza di Charlie. Ero sicura che il comportamento di Edward in ospedale, così sulla difensiva, fosse una conferma delle cose bizzarre che ancora non riuscivo quasi a credere di aver visto.

Alla fine, giunti a casa, Charlie parlò.

«Ehm... forse è il caso che tu chiami Renée». Chinò la testa, con aria colpevole.

Rimasi sgomenta. «L'hai detto alla mamma!».

«Scusami».

Scesi dall'auto sbattendo la portiera con più foga del necessario.

Ovviamente mia madre era in piena crisi isterica. Mi toccò ripeterle che stavo bene almeno trenta volte, prima che si calmasse. Mi implorò di tornare a casa – dimenticandosi che al momento casa nostra era disabitata – ma resistere a quelle suppliche fu più facile del previsto. Ero tormentata dai misteri irrisolti di Edward. E un po' più che ossessionata da Edward stesso. Stupida, stupida, stupida. Non ero più impaziente di fuggire da Forks come avrei dovuto, come qualunque persona normale, e sana, avrebbe dovuto.

Quella sera, decisi che tanto valeva andare a letto presto. Charlie continuava a osservarmi con aria ansiosa, il che mi dava sui nervi. Prima di entrare in camera passai dal bagno a prendere tre pillole di aspirina. Mi aiutarono, in effetti, e come il dolore si allievò mi abbandonai al sonno.

Quella notte, per la prima volta, sognai Edward Cullen.

Inviti

Nel sogno era buio pesto, e l'unica luce fioca sembrava irradiarsi dalla pelle di Edward. Il volto non lo vedevo, mi dava le spalle e si allontanava da me, lasciandomi nell'oscurità. Per quanto veloce corressi, non riuscivo a raggiungerlo; per quanto lo chiamassi urlando, non si voltava. Mi svegliai nel cuore della notte, in ansia, e per un tempo che mi parve interminabile non riuscii a riprendere sonno. Dopo quella volta, lo sognai quasi tutte le notti, ma restava sempre irraggiungibile, ai margini.

Il mese successivo all'incidente fu difficile, pieno di tensione e, sulle prime, imbarazzante.

Purtroppo per me, durante tutta la settimana successiva mi ritrovai al centro dell'attenzione. Tyler Crowley era insopportabile, mi seguiva ovunque, ossessionato dal desiderio di farsi perdonare. Cercai di convincerlo che la cosa migliore che potesse fare per me era dimenticare tutto – specialmente perché ero rimasta illesa – ma lui non si dava per vinto. Mi seguiva tra una lezione e l'altra, e a pranzo sedeva al mio stesso tavolo, ormai sempre affollato. Mike ed Eric, che tra loro andavano tutt'altro che d'amore e d'accordo, con lui erano ancor meno amichevoli, il che mi fece temere di essermi conquistata un altro pretendente indesiderato.

Nessuno sembrava interessarsi a Edward, malgrado tutto il mio spiegare che l'eroe era lui, che era stato lui a spingermi via, rischiando di farsi investire. Cercavo di essere convincente. Jessica, Mike, Eric e chiunque altro assicuravano invariabilmente di non averlo visto finché i soccorsi non avevano spostato il furgoncino.

Mi chiedevo perché nessuno avesse notato quanto stesse lontano, prima dello scatto repentino e impossibile che mi aveva salvato la vita. Un po' preoccupata, mi resi conto del motivo: nessun altro si accorgeva come me della presenza di Edward. Nessuno lo guardava con occhi simili ai miei. Che cosa meschina.

Nessuna folla di curiosi avvicinò mai Edward per chiedergli particolari di prima mano del salvataggio. La gente lo evitava, come sempre. I Cullen e gli Hale si sedevano al solito tavolo, senza mangiare, e parlavano soltanto tra loro. Non mi rivolsero più uno sguardo, specialmente Edward.

Quando mi si sedeva accanto in classe, il più lontano possibile, non sembrava neanche notare la mia presenza. Ogni tanto mi capitava di vederlo d'un tratto stringere i pugni – e la sua pelle diventava ancora più tesa e pallida – e mi chiedevo se fosse davvero indifferente come sembrava.

La conclusione cui riuscii ad arrivare fu una sola: si era pentito di avermi salvato dal furgoncino di Tyler.

Sentivo il desiderio di parlargli, e il giorno dopo l'incidente ci provai. L'ultima volta che l'avevo visto, appena fuori dal pronto soccorso, eravamo entrambi infuriati. Il suo rifiuto di fornirmi spiegazioni mi dava ancora sui nervi, benché avessi mantenuto il mio impegno senza battere ciglio. Ma in fin dei conti mi aveva salvato la vita, in qualunque modo fosse riuscito a farlo. Nel giro di una nottata, la mia rabbia era sbollita e si era trasformata in gratitudine e rispetto.

Entrando nell'aula di biologia lo trovai già seduto, con lo sguardo dritto di fronte a sé. Mi accomodai, immaginando che mi avrebbe rivolto la parola. Non diede segno di accorgersi della mia presenza.

«Ciao, Edward», dissi gentile, per dimostrargli in che disposizione d'animo fossi.

In risposta fece un cenno millimetrico verso di me, ma senza incontrare i miei occhi, e tornò a guardare altrove.

Quello fu l'ultimo contatto tra noi, malgrado ogni giorno ci ritrovassimo a poche spanne di distanza. A volte non riuscivo a resistere e lo osservavo da lontano, a mensa o nel parcheggio. Vedevo i suoi occhi diventare sempre più scuri con il passare dei giorni. Ma in classe non gli riservavo un'attenzione maggiore di quella che lui riservava a me. Stavo malissimo. E continuavo a sognarlo.

Malgrado le mie bugie sfacciate, il tono delle e-mail che spedivo a Renée la fece insospettire e pensò che mi stessi deprimendo, perciò mi chiamò un paio di volte, preoccupata. Cercai di convincerla che ero solo giù a causa del tempo.

Se non altro, Mike fu contento dell'improvvisa freddezza nei rapporti tra me e il mio compagno di laboratorio. Il timore che Edward avesse fatto un figurone, salvandomi, lo aveva evidentemente intimorito, e per lui fu un sollievo notare che l'effetto sembrava l'opposto. Si fece sempre più sfacciato, prima dell'inizio delle lezioni si sedeva sul bordo del banco a parlare con me, ignorando Edward come lui ignorava noi due.

Dopo il pericoloso giorno della gelata, la neve sparì definitivamente. A Mike dispiaceva di non essere più riuscito ad allestire la grande battaglia a cui aveva pensato, ma era felice che finalmente si potesse organizzare la gita in spiaggia. Eppure, non smetteva di piovere, e le settimane passavano.

Jessica mi ricordò che all'orizzonte c'era un altro evento che incombeva su di me. Il primo martedì di marzo mi telefonò per chiedermi il permesso di invitare Mike al ballo di primavera, che si sarebbe tenuto due settimane dopo.

«Sei sicura che non sia un problema... non pensavi di invitarlo tu?», insistette, nonostante le avessi già detto che non ne avevo la minima intenzione.

«No, Jess, io non ci vengo proprio», la rassicurai. Ballare era molto, molto al di là delle mie capacità.

«Ci sarà da divertirsi». Il suo tentativo di convincermi suonava scarsamente entusiasta. Avevo il sospetto che a Jessica piacesse più la mia incomprensibile popolarità che la mia compagnia.

«Ti divertirai, con Mike», cercai di incoraggiarla.

Il giorno dopo, durante trigonometria e spagnolo, mi accorsi con sorpresa che Jessica non era frizzante come al solito. Tra una lezione e l'altra mi camminava al fianco in silenzio, e io esitavo a chiederle perché. Ammesso che Mike avesse rifiutato l'invito, io sarei stata l'ultima persona al mondo a cui avrebbe voluto dirlo.

I miei timori si rafforzarono a pranzo, quando Jessica si sedette il più lontano possibile da Mike e prese a chiacchierare vivacemente con Eric. Mike restò stranamente in silenzio.

Silenzio che continuò anche lungo il tragitto che ci portava entrambi all'aula di biologia, e l'aria incerta nei suoi occhi era un cattivo segno. Ma non affrontò l'argomento finché non mi accomodai al mio posto. Lui si appollaiò sul banco. Come al solito, sentivo nell'aria la presenza elettrica di Edward, seduto tanto vicino da poterlo toccare, ma anche tanto lontano da apparire un prodotto della mia immaginazione.

«Insomma...», disse Mike, guardando il pavimento, «Jessica mi ha invitato al ballo di primavera».

«Grande». Diedi alla mia voce un tono allegro ed entusiasta. «Te la spasserai davvero, con lei».

«Be'...», balbettò studiando il mio sorriso, evidentemente scontento della mia reazione, «le ho detto che volevo pensarci».

«E perché l'avresti fatto?». Lasciai trapelare il mio disappunto, ma ero contenta che non le avesse rifilato un "no" definitivo.

Tornò a fissare il pavimento e arrossì. La pena che mi faceva mi tolse un po' di determinazione.

«Mi chiedevo se... be', non avessi intenzione di invitarmi tu».

Rimasi in silenzio un istante, disgustata dall'ondata di senso di colpa che m'investiva dentro. Con la coda dell'occhio, però, notai la testa di Edward voltarsi automaticamente verso di me.

«Mike, credo che dovresti accettare l'invito di Jessica».

«L'hai già chiesto a qualcun altro?». Chissà se Edward si era accorto che Mike stava guardando proprio lui.

«No, figuriamoci. Non ci vengo, al ballo».

«Perché no?», chiese Mike.

Non volevo rischiare l'osso del collo danzando, perciò mi ero prontamente organizzata.

«Quel sabato vado a Seattle», chiarii. Avevo già progettato una gita fuori città – ne avevo assoluto bisogno – e quella era un'occasione perfetta per farla.

«Non puoi rimandare a un altro fine settimana?».

«No, mi dispiace», risposi. «Perciò non fare aspettare Jess: è scortese».

«Va bene, hai ragione», mormorò, e tornò al suo posto, a capo chino. Io chiusi gli occhi e mi premetti le tempie, cercando di rimuovere il senso di colpa e il dispiacere per Mike. Il professor Banner aveva iniziato a parlare. Sospirai e riaprii gli occhi.

E trovai Edward che mi fissava, curioso, gli occhi scuri di nuovo venati da quel consueto filo di frustrazione, più evidente che mai.

Anch'io lo fissai, sorpresa, sicura che avrebbe abbassato lo sguardo. Invece continuò a scrutarmi dentro, sempre più intensamente. Non ero disposta a cedere. Mi tremavano le mani.

«Cullen?», chiese il professore, in cerca della risposta a una domanda che non avevo sentito.

«Il ciclo di Krebs», rispose Edward, voltandosi, suo malgrado, per prestare attenzione al professor Banner.

Libera dal peso del suo sguardo, tornai al mio libro, cercando di ricompormi. Codarda come sempre, mi coprii portandomi i capelli sulla spalla destra. Non riuscivo a credere all'ondata di sensazioni che mi era montata dentro, soltanto perché, per la prima volta in sei settimane, mi aveva degnata di uno sguardo. Non potevo permettergli di influenzarmi in quel modo. Ero patetica. Di più, era una cosa malsana.

Per il resto della lezione cercai con tutte le mie forze di non pensare a lui, o, visto che ciò era impossibile, almeno di non fargli capire che pensavo a lui. Quando finalmente la campanella suonò, nel raccogliere le mie cose gli diedi le spalle, immaginando che come al solito se ne sarebbe andato in un baleno.

«Bella?». La sua voce non avrebbe dovuto suonarmi così familiare, come se la conoscessi da una vita anziché da poche settimane.

Mi voltai lentamente, riluttante. Non volevo lasciarmi assalire dal sentimento che *sicuramente* mi avrebbe assalito ammirando il suo viso troppo perfetto. Quando infine lo guardai, avevo un'espressione preoccupata; la sua era illeggibile. Non disse nulla.

«Cosa? Hai deciso di rivolgermi la parola?», chiesi infine, con tono involontariamente petulante.

Le sue labbra si stesero, trattenendo a malapena un sorriso. «No, non proprio», ammise.

Chiusi gli occhi, inspirai a fondo dal naso e mi accorsi che iniziavo a digrignare i denti. Lui attendeva.

«E allora, Edward, che vuoi?», domandai, ancora a occhi chiusi, così era più facile parlargli senza perdere il filo.

«Mi dispiace». Sembrava sincero. «Sono molto maleducato, lo so. Ma è meglio così, davvero».

Aprii gli occhi. Aveva l'aria molto seria.

«Non capisco che vuoi dire», risposi, senza abbassare la guardia.

«È meglio se non diventiamo amici», chiarì. «Fidati».

Socchiusi gli occhi. Questa l'avevo già sentita.

«Peccato che tu non te ne sia reso conto prima», sibilai. «Non avresti avuto nulla di cui rimproverarti».

«Rimproverarmi?». La parola, e la mia voce, l'avevano ovviamente colto di sorpresa. «Rimproverarmi di cosa?».

«Di non avere lasciato semplicemente che quello stupido furgone mi spiaccicasse».

Era sbigottito. Mi fissava, incredulo.

Quando si decise a rispondere, sembrava quasi impazzito. «Vuoi dire che pensi mi sia pentito di averti salvato la vita?».

«Non penso. *Lo so*».

«Tu non sai niente». Sì, era pazzo furioso.

Mi voltai, piena di sdegno, con la bocca serrata per non lasciarmi scappare tutte le accuse che avrei voluto rovesciargli addosso. Raccolsi i libri, mi alzai e andai verso la porta. Avrei desiderato uscire teatralmente dalla classe, impettita, ma ovviamente la punta del mio stivale incappò nello stipite e i libri mi caddero. Per un istante rimasi lì a chiedermi se fosse il caso di lasciarli dov'erano. Poi feci un sospiro e mi piegai a raccoglierli. Ed eccolo al mio fianco: li aveva già impilati uno sull'altro. Me li porse, serio e accigliato.

«Grazie», dissi, gelida.

Contraccambiò, gli occhi diventati due fessure: «Prego».

Mi rialzai di scatto, girai i tacchi e mi precipitai verso la palestra, senza guardare indietro.

La lezione di ginnastica fu dura. Dalla pallavolo eravamo passati alla pallacanestro. I miei compagni di squadra non mi passavano mai la palla – fin qui tutto bene – ma non facevo che cadere. Talvolta trascinavo qualche altro giocatore con me. Quel giorno andò peggio del solito, perché in testa avevo soltanto Edward. Cercavo di concentrarmi sui miei piedi, ma lui continuava a sgusciare tra i miei pensieri ogni volta che avevo bisogno di equilibrio.

La fine della lezione fu un sollievo. Raggiunsi il pick-up quasi di corsa: c'erano davvero troppe persone che non volevo incontrare. I danni al veicolo, dopo l'incidente, erano stati minimi. Avevo dovuto cambiare i fari posteriori, e se la verniciatura fosse stata più seria avrei dovuto metter mano anche a quella. Ai genitori di Tyler era toccato vendere quello che restava del furgoncino.

Mi venne quasi un colpo quando vidi, voltato l'angolo, una sagoma alta e scura appoggiata alla fiancata del pick-up. Mi fermai. Poi mi accorsi che si trattava semplicemente di Eric e ripresi a camminare.

«Ciao, Eric».

«Ciao, Bella».

«Come va?», chiesi, mentre aprivo la portiera. Non avevo notato il tono imbarazzato del suo saluto, perciò le sue parole mi presero alla sprovvista.

«Ehm, mi chiedevo se... verresti con me al ballo di primavera?». L'ultima parola la disse balbettando.

«Mi sembrava che secondo tradizione gli inviti spettassero alle ragazze», risposi, troppo sbigottita per essere diplomatica.

«Be', sì», ammise, rosso di vergogna.

Recuperai il contegno e cercai di rivolgergli un sorriso convincente. «Grazie per avermelo chiesto, ma purtroppo quel sabato sarò a Seattle».

«Ah», rispose lui, «allora magari la prossima volta».

«Certo», conclusi io, pentendomene subito. Sperai che non mi prendesse troppo alla lettera.

Lui tornò verso la scuola, ciondolando. Io sentii una risatina soffocata.

Edward camminava davanti al mio pick-up, lo sguardo dritto di fronte a sé, e tratteneva un sorriso. Saltai sul sedile sbattendo la portiera con violenza. Misi in moto e, rombando, feci retromarcia sul viale. Edward era già sulla sua macchina, a due piazzole di distanza, e mi svicolò davanti bloccandomi. Si fermò lì, ad aspettare i suoi fratelli; li vedevo procedere verso di noi, ma erano ancora vicini alla mensa. Per un attimo pensai se fosse il caso di tranciare la coda alla sua Volvo luccicante, ma c'erano troppi testimoni. Guardai nel retrovisore. Si stava formando una coda. Proprio dietro di me c'era Tyler Crowley sulla Sentra usata che aveva appena comprato e mi salutava con la mano. Ero troppo snervata per degnarlo di una risposta.

Mentre attendevo, evitando con cura di guardare verso l'auto che mi precedeva, sentii qualcuno bussare al finestrino del passeggero. Mi voltai e vidi Tyler. Perplessa, lanciai uno sguardo allo specchietto. Aveva lasciato la macchina accesa in mezzo alla strada, con la portiera aperta. Mi sporsi per abbassare il vetro. Era durissimo. Arrivata a metà, rinunciai all'impresa.

«Scusa Tyler, sono bloccata dietro Cullen». Ero seccata: ovviamente l'ingorgo non era colpa mia.

«Oh sì, ho visto. Volevo soltanto chiederti una cosa, mentre siamo fermi qui». Fece un gran sorriso.

Non poteva essere.

«Mi inviteresti al ballo di primavera?».

«Sarò fuori città, Tyler». Mi uscì un tono di voce leggermente acido. Dovevo tener presente che non era colpa sua se Mike ed Eric avevano già esaurito la mia quota di pazienza per quel giorno.

«Già, me l'ha detto Mike», confessò.

«Ma allora...».

Fece spallucce. «Speravo fosse un modo carino di rifiutare il suo invito».

Bene, a questo punto diventava colpa sua.

«Spiacente, Tyler», dissi, sforzandomi di nascondere l'irritazione. «Sarò davvero fuori città».

«Non c'è problema. Rimandiamo al ballo di fine anno».

Prima che potessi rispondergli, tornò in auto. Sentivo l'espressione stupefatta sul mio volto. Non vedevo l'ora che Alice, Rosalie, Emmett e Jasper si infilassero su quella Volvo. Edward mi fissava dal retrovisore interno. Stava di fatto morendo dal ridere, come se avesse origliato il nostro dialogo dalla prima all'ultima parola. Che voglia di premere l'acceleratore... un colpetto non avrebbe fatto male a nessuno, giusto quanto bastava a graffiare un po' quella splendente vernice argento metallizzata. Misi di nuovo in moto.

Ma erano già saliti, ed Edward stava sfrecciando via. Percorsi la strada verso casa a bassa velocità, bofonchiando senza sosta.

Una volta arrivata a casa, decisi di preparare le *enchiladas* di pollo. Era una ricetta complicata e mi avrebbe tenuta occupata per un po'. Mentre facevo sobbollire le cipolle e il peperoncino, il telefono iniziò a squillare. Avevo quasi paura di rispondere, ma poteva anche essere Charlie, o mia madre.

Era Jessica, esultante: Mike, dopo le lezioni, l'aveva fermata per dirle che accettava l'invito. Festeggiai distrattamente con lei, mentre rimestavo. Doveva andare, voleva chiamare Angela e Lauren per dirlo anche a loro. Le suggerii – ostentando ingenuità – che magari Angela, la ragazza timida che frequentava biologia assieme a me, avrebbe potuto invitare Eric. E Lauren, una smorfiosa che a pranzo non mi rivolgeva mai la parola, avrebbe potuto invitare Tyler; avevo sentito che lui era ancora disponibile. Jess la giudicò una grande idea. Adesso che era sicura di Mike, il suo dispiacere per la mia assenza al ballo sembrava sincero. Accampai di nuovo la scusa di Seattle.

Dopo la telefonata, cercai di concentrarmi sulla cena, soprattutto sul tagliare il pollo a dadi: non mi andava di tornare a far visita al pronto soccorso. Ma mi girava la testa, mentre tentavo di analizzare ogni parola pronunciata da Edward quel giorno. Cosa voleva dire che era meglio che non diventassimo amici?

Sentii un blocco allo stomaco, quando mi resi conto di cosa poteva significare. Probabilmente aveva capito quanto fossi presa da lui; non voleva che andassi troppo oltre... perciò non potevamo essere neanche amici... perché non gli interessavo affatto.

Ma certo che non gli interessavo, pensai, arrabbiata e con gli occhi lucidi – reazione ritardata al taglio delle cipolle. Io non ero *interessante*. Lui sì. Interessante... brillante... misterioso... perfetto... bellissimo... e probabilmente anche capace di alzare un furgoncino con una mano sola.

Be', poco importava. Avrei anche potuto lasciarlo perdere. Lo *avrei* lasciato perdere. Avrei scontato la mia condanna autoimposta in quel purgatorio, e poi, a voler essere ottimisti, una qualche scuola del Sudovest, o magari delle Hawaii, mi avrebbe offerto una borsa di studio. Mentre terminavo le *enchiladas* e le infornavo, pensai soltanto a spiagge assolate e palme.

Quando Charlie tornò a casa, l'odore del peperoncino verde lo insospettì. Non potevo dargli torto – il posto più vicino in cui mangiare cibo messicano commestibile era probabilmente la California del Sud. Ma in fin dei conti era un poliziotto, per quanto di un commissariato di provincia, perciò fu abbastanza coraggioso da dare il primo morso. Sembrò gradire. Era divertente vedere che iniziava a fidarsi delle mie doti culinarie.

«Papà?», chiesi, quasi alla fine della cena.

«Dimmi, Bella».

«Ehm, volevo solo dirti che sabato prossimo passerò la giornata a Seattle... se per te non è un problema...». Non volevo chiedere il permesso – sarebbe stato un cattivo precedente – ma non volevo essere maleducata, e mi salvai in extremis.

«Perché?». Sembrava sorpreso, incapace di immaginare cosa potesse offrire Seattle rispetto a Forks.

«Be', vorrei comprare qualche libro – qui la biblioteca non è molto fornita – e magari fare un po' di shopping». Avevo più soldi di quanti fossi abituata a maneggiare, dal momento che, grazie a Charlie, non avevo dovuto pagare l'auto. Non che la benzina per far circolare il pick-up costasse poco, comunque.

«Il pick-up non fa tanti chilometri con un pieno», disse lui, facendo eco ai miei pensieri.

«Lo so, mi fermerò a Montesano e a Olympia... magari anche a Tacoma, se ce ne sarà bisogno».

«Ci vai da sola?», chiese lui, e non riuscivo a capire se sospettasse la presenza di un fidanzato segreto o fosse soltanto preoccupato che avessi problemi con l'auto.

«Sì».

«Seattle è una città grande: potresti perderti».

«Papà, Phoenix è cinque volte Seattle, e sono in grado di leggere una cartina, perciò non preoccuparti».

«Vuoi che venga con te?».

Cercai di nascondere il mio orrore con un po' di furbizia.

«Va bene, ma considera che potrei passare la giornata tra un camerino e l'altro. Ci sarà da annoiarsi».

«Ah, allora non fa niente». La prospettiva di starsene seduto ad aspettare in un negozio di abbigliamento femminile gli aveva fatto cambiare idea all'istante.

«Grazie». Gli rivolsi un sorriso.

«Tornerai in tempo per il ballo?».

Grrr. Solo in una città così piccola i padri conoscono la data del ballo di una scuola superiore.

«No. Io non ballo, papà». Nessuno come lui poteva capirmi: i problemi di equilibrio non li avevo ereditati da mia madre.

E infatti capì. «Oh, d'accordo».

Il mattino dopo, arrivando a scuola, decisi di parcheggiare il più lontano possibile dalla Volvo. Non intendevo sottopormi a una tentazione cui avrei potuto cedere, avrei rischiato di dovergli rimborsare un'auto nuova. Scendendo dal pick-up mi feci sfuggire di mano la chiave, che cadde dentro una pozzanghera, ai miei piedi. Mi chinai a riprenderla, ma una mano bianca spuntò dal nulla e l'afferrò per prima. Mi alzai di scatto. Edward Cullen era a pochi centimetri da me, appoggiato al pick-up come se niente fosse.

«Ma come fai?», chiesi io, stupita e irritata.

«Come faccio cosa?». Giocherellava con la chiave, la faceva dondolare appesa a un capo. Mi allungai a prenderla, e la lasciò cadere nel palmo della mia mano.

«Ad apparire dal nulla».

«Bella, non è colpa mia se tu sei straordinariamente distratta». La sua voce era tranquilla come al solito, vellutata, smorzata.

Osservai torva il suo viso perfetto. Gli occhi quella mattina erano di nuovo chiari, di un miele dorato e intenso. Fui costretta ad abbassare lo sguardo per riordinare i miei pensieri confusi.

«Perché l'ingorgo, ieri sera?», chiesi, senza guardarlo. «Pensavo avessi deciso di fingere che non esisto, *non* di irritarmi a morte».

«L'ho fatto per Tyler. Dovevo concedergli una possibilità». Rise sotto i baffi.

«Razza di...», rantolai. Non riuscivo a pensare a un aggettivo abbastanza brutto. Sentivo una tale vampa d'ira da poterlo squagliare, ma più mi innervosivo, più sembrava divertirto.

«E non sto fingendo che tu non esista», continuò.

«Allora hai deciso di irritarmi a morte, visto che il furgoncino di Tyler non è riuscito a farmi fuori?».

I suoi occhi bronzei si illuminarono di rabbia. Le labbra gli si irrigidirono, altro segno che il buonumore se n'era andato.

«Bella, sei totalmente assurda», disse, la voce bassa e fredda.

Mi prudevano le mani: avevo un gran desiderio di picchiare qualcuno. Ero sorpresa di me stessa. Non ero mai stata una persona violenta. Gli voltai le spalle e feci per andarmene.

«Aspetta», disse lui. Continuavo a camminare, sbattendo con collera i piedi nell'acqua. Ma lui mi era accanto, teneva il mio passo senza fatica.

«Scusa se sono stato maleducato», disse, senza smettere di camminare. Io lo ignoravo. «Non dico che non sia vero», continuò, «ma è stato maleducato dirtelo, ecco».

«Perché non mi lasci stare?», bofonchiai io.

«Volevo chiederti una cosa, ma mi hai fatto perdere il filo del discorso», sghignazzò lui. Sembrava aver recuperato il buonumore.

«Soffri di disordini da personalità multipla?», chiesi io, rigida.

«Non sviarmi un'altra volta».
Sbuffai. «Va bene. Cosa vuoi?».
«Mi chiedevo se, sabato prossimo... hai presente, il giorno del ballo di primavera...».
«Mi stai prendendo in giro?», lo interruppi io, voltandomi di scatto. Lo guardavo dritto in faccia mentre la pioggia mi inzuppava.
Il suo sguardo era perfidamente divertito. «Per cortesia, posso finire di parlare?».
Mi morsi le labbra e strinsi una mano nell'altra, con forza, per evitare di assalirlo.
«Ti ho sentita dire che quel giorno hai in programma di andare a Seattle e volevo chiederti se accetteresti un passaggio».
Questo non me l'aspettavo.
«Cosa?». Chissà dove voleva arrivare.
«Vuoi un passaggio fino a Seattle?».
«Da chi?», chiesi, disorientata.
«Da me, ovviamente». Scandì la frase sillaba per sillaba, come se parlasse con una ritardata.
Ero sbigottita. «Perché?».
«Be', avevo intenzione di fare un salto a Seattle nelle prossime settimane e, onestamente, non sono sicuro che il tuo pick-up possa farcela».
«Il mio pick-up funziona più che bene, molte grazie per l'interessamento». Ricominciai a camminare, ma ero troppo sorpresa per mantenere lo stesso livello di arrabbiatura.
«Il tuo pick-up ce la fa anche con un solo pieno di benzina?». Mi stava ancora alle calcagna.
«Non credo siano affari tuoi». Stupido possessore di Volvo metallizzata.
«Lo spreco di riserve non rinnovabili è affare di tutta la comunità».
«Seriamente, Edward», sentii un brivido quando pronunciai il suo nome e non ne fui contenta, «non riesco a seguirti. Pensavo che non volessi essermi amico».
«Ho detto che sarebbe meglio se non diventassimo amici, non che non voglio».

«Oh, grazie, adesso è tutto *molto* più chiaro». Sarcasmo pesante. Mi accorsi di essermi fermata, di nuovo. Ora ci trovavamo al riparo della tettoia della mensa, perciò guardarlo in faccia era più facile. Il che non mi aiutava di certo a mantenere la lucidità.

«Sarebbe più... *prudente* che tu non diventassi mia amica», spiegò lui. «Ma sono stanco di costringermi a evitarti, Bella».

Mi parlò fissandomi con uno sguardo celestiale e intenso, la sua voce era caldissima. Mi bloccò letteralmente il respiro.

«Vieni con me a Seattle?», chiese, con la stessa intensità.

Ancora non riuscivo a parlare, perciò feci un cenno con il capo.

Lui sorrise per un istante, poi tornò serio.

«Sarebbe meglio che mi stessi lontana, sul serio», mi avvertì. «Ci vediamo a lezione».

Si voltò di scatto e tornò sui suoi passi.

Gruppo sanguigno

Giunsi nell'aula di inglese completamente intontita. Quando entrai non mi accorsi nemmeno che la lezione era già iniziata.

«Grazie per essersi unita a noi, signorina Swan», disse il professor Mason, sarcastico.

Arrossii e mi affrettai a prendere posto.

Soltanto alla fine della lezione mi accorsi che Mike non si era seduto accanto a me. Provai un vago senso di colpa. Ma sia lui che Eric mi aspettarono all'uscita, come al solito, perciò probabilmente mi avevano perdonato, almeno un po'. Mike tornò pian piano se stesso mentre camminavamo, esaltato per le previsioni del tempo di quel fine settimana. Sembrava che la pioggia dovesse concedersi una breve pausa, perciò, forse, sarebbe finalmente riuscito a organizzare la gita alla spiaggia. Cercai di mostrare un po' di entusiasmo, per risarcirlo almeno in parte della delusione del giorno prima. Era difficile, però: pioggia o no, la temperatura più alta che potevamo aspettarci era attorno ai dieci gradi.

Il resto della mattinata passò in un baleno. Non riuscivo a credere di non essermi inventata tutto, le parole di Edward o la luce che avevo visto nei suoi occhi. Forse era stato solo un sogno molto dettagliato che avevo scambiato per realtà. Sì, era statisticamente più probabile che avessi preso un abbaglio, piuttosto che in qualche modo fosse attratto da me.

Perciò, entrando in mensa assieme a Jessica, ero impaziente e impaurita. Volevo vederlo in faccia per capire se fosse tornato la persona fredda e indifferente che avevo conosciuto nelle ultime settimane. Oppure se, per miracolo, ciò che mi pareva di aver sentito proprio quel mattino fosse vero. Jessica non smetteva di blaterare dei suoi progetti per il ballo – Lauren e Angela avevano invitato i ragazzi, sarebbero andate tutte assieme – senza accorgersi che non le davo retta.

Bastò uno sguardo deciso verso il suo tavolo per farmi sprofondare nella delusione. Gli altri quattro c'erano, lui no. Era tornato a casa? Seguii Jessica, che continuava a chiacchierare durante la fila, con il cuore a pezzi. Avevo perso l'appetito, quindi comprai soltanto una bottiglia di limonata. Volevo starmene seduta e imbronciata, nient'altro.

«Edward Cullen ti sta fissando di nuovo», disse Jessica, facendo breccia tra i miei pensieri astratti grazie a quel nome. «Chissà come mai oggi se ne sta da solo».

Alzai la testa di scatto. Seguii lo sguardo di Jessica fino a Edward che, sotto i baffi, sorrideva da un tavolo vuoto, dalla parte opposta rispetto a quello che occupava di solito. Incrociato il mio sguardo, con un dito mi fece segno di raggiungerlo. Dato che rimanevo a fissarlo incredula, strizzò l'occhio.

«Ce l'ha con *te*?», chiese Jessica, in tono sospettoso e sprezzante.

«Forse ha bisogno d'aiuto per i compiti di biologia», mormorai per concederle il beneficio del dubbio. «Uhm, penso che mi toccherà andare a sentire cosa vuole».

Mentre mi allontanavo percepivo il suo sguardo addosso.

Arrivata al tavolo di Edward, rimasi impalata accanto alla sedia, in imbarazzo totale.

«Perché non mi fai compagnia, oggi?», chiese lui, con un sorriso.

Mi sedetti con un gesto meccanico, osservandolo circospetta. Non smetteva di sorridere. Difficile credere che un ragazzo così bello potesse essere vero. Temevo che sparisse all'improvviso in una nuvoletta di fumo e che dovessi svegliarmi.

Forse aspettava che aprissi bocca.

«Così è diverso», riuscii infine a sillabare.

«Be'...». Fece una pausa, e poi riprese di slancio a parlare. «Ho pensato che se proprio devo andare all'inferno, tanto vale andarci in grande stile».

Attesi che aggiungesse qualcosa di più sensato. I secondi passavano.

«Sai bene che non ho la più pallida idea di cosa tu stia dicendo».

«Certo che lo so». Sfoderò un altro sorriso e cambiò discorso. «Credo che i tuoi amici siano arrabbiati con me perché ti ho rapita».

«Sopravvivranno». Sentivo ancora i loro sguardi che mi perforavano la schiena.

«Non è detto che ti restituisca, però», disse lui, con una luce maliziosa negli occhi.

Io deglutii.

Rise. «Sembri preoccupata».

«No», risposi balbettando. «Più che altro, sorpresa... a cosa devo tutto questo?».

«Te l'ho detto, sono stanco di sforzarmi di starti lontano. Perciò, ci rinuncio». Sorrideva ancora, i suoi occhi ocra però si erano fatti seri.

«Rinunci?», ripetei io, confusa.

«Sì, rinuncio a sforzarmi di fare il bravo. D'ora in poi farò solo ciò che mi va e mi prenderò quel che viene». Il sorriso svanì e nella sua voce c'era una punta di durezza.

«Mi sono persa un'altra volta».

Riecco il sorriso sghembo mozzafiato.

«Quando parlo con te mi lascio sempre scappare troppe cose. Questo è uno dei problemi».

«Non preoccuparti, tanto non ne capisco una», dissi io, con una smorfia.

«Ci conto».

«La traduzione di tutto questo è che adesso siamo amici?».

«Amici...», bofonchiò lui, scettico.

«Oppure no», borbottai io.

Fece un ghigno. «Be', immagino che possiamo provarci. Ma

ti avviso da subito che non sarò un buon amico, per te». Dietro il sorriso, l'avvertimento suonava serio.

«Continui a ripeterlo». Cercai di ignorare l'improvviso sussulto nel mio stomaco e di parlare senza balbettare.

«Sì, perché tu non mi dai ascolto. Sto ancora aspettando che tu ci creda. Se sai quello che fai, cercherai di evitarmi».

«A quanto pare ti sei fatto un'opinione piuttosto precisa della mia intelligenza». Ridussi gli occhi a una fessura.

Sorrise, come per scusarsi.

«Perciò, dato che per ora non so quello che faccio, possiamo provare a essere amici?». Mi sforzai di tirare le somme di quella conversazione ingarbugliata.

«Mi sembra una proposta sensata».

Fissavo le mie mani che stringevano la bottiglietta di limonata, non sapevo che fare.

«Cosa pensi?», chiese lui, curioso.

Levai lo sguardo verso i suoi occhi dorati, così intensi da darmi le vertigini, e come al solito sputai la verità.

«Sto cercando di capire cosa sei».

Lui ebbe un sussulto, ma si sforzò di sorridere.

«E hai fatto qualche passo avanti?», chiese, disinvolto.

«Non molti», ammisi io.

Rise sotto i baffi. «Hai una teoria?».

Arrossii. Nel mese precedente avevo oscillato tra Bruce Wayne e Peter Parker. Confessare una cosa del genere era fuori discussione.

«Non me la vuoi dire?», chiese lui, inclinando il capo e illuminandosi di un sorriso tentatore da infarto.

Feci cenno di no. «Troppo imbarazzante».

«È una grossa frustrazione, lo sai».

«No», ribattei subito io, squadrandolo. «Non riesco proprio a immaginare cosa ci sia di frustrante nel fatto che qualcuno si rifiuti di dirti cosa pensa e nel frattempo faccia anche piccole osservazioni criptiche proprio per toglierti il sonno quando ti sforzi di interpretarle... Cosa ci sarà mai di frustrante in tutto questo?».

Fece una smorfia.

«Oppure», continuai io, lasciando che tutto il nervosismo accumulato si sciogliesse, «ammettiamo che questo qualcuno abbia anche fatto una serie di gesti strani – dal salvarti la vita in circostanze incredibili un giorno al trattarti come un'emarginata il giorno dopo – senza mai spiegare il suo comportamento, mai, malgrado avesse promesso di farlo. Anche questo sarebbe *estremamente* non frustrante?».

«Sbaglio o sei un po' in collera?».

«Non mi piace il "due pesi e due misure"».

Ci guardavamo negli occhi senza sorridere.

Lui lanciò un'occhiata alle mie spalle e, a sorpresa, accennò una risata.

«Che c'è?».

«Il tuo amichetto è convinto che io sia scortese con te: sta decidendo se venire o no a interrompere il litigio». Ridacchiava.

«Non so di chi stai parlando», risposi, dura. «Ma sono sicura che ti sbagli».

«Invece no. Te l'ho detto, di solito sono bravo a leggere le persone».

«A parte me, ovviamente».

«Sì, a parte te». Il suo umore cambiò all'improvviso, l'espressione si fece pensosa. «Chissà perché».

Di nuovo fui costretta a distogliere lo sguardo dal suo, troppo intenso. Mi concentrai sul tappo della limonata, cercando di svitarlo. La sorseggiai, mentre fissavo il tavolo senza vederlo.

«Non hai fame?», chiese lui, distrattamente.

«No». Non mi andava di dirgli che ero a stomaco pieno... di farfalle. «E tu?». Lanciai un'occhiata al tavolo vuoto.

«No, non ho fame». Non riuscii a interpretare la sua espressione: sembrava stesse ridendo di una battuta che non potevo capire.

«Mi faresti un favore?», chiesi dopo un secondo di esitazione.

Subito si fece guardingo. «Dipende da cosa vuoi».

«Non è granché», lo rassicurai.

Restò in attesa, sospettoso ma incuriosito.

«Mi chiedevo... se ti andrebbe di farmelo sapere, la prossima volta che decidi di ignorarmi per il mio bene. Così mi posso preparare». Guardavo la bottiglia di limonata, sfiorando con il dito roseo il bordo del tappo.

«Mi sembra corretto», rispose. Rialzai lo sguardo e lo vidi serrare le labbra per soffocare una risata.

«Grazie».

«In cambio, posso avere una risposta?».

«Una sola».

«Spiegami *una* teoria».

Ops. «Quella no».

«Non hai specificato, mi hai solo promesso una risposta», puntualizzò.

«Tu sei ancora in debito di una promessa», ribattei io.

«Solo una teoria: giuro che non mi metto a ridere».

«Oh sì, lo farai». Di questo ero certa.

Abbassò lo sguardo; poi, da sotto le lunghe ciglia nere, lanciò un'occhiata dorata che mi trafisse.

«Per favore», sussurrò, avvicinandosi a me.

In un attimo la mia mente si svuotò. Santi numi, come diamine faceva?

«Ehm, cosa?». Ero frastornata.

«Per favore, raccontami solo una teoria, una piccola». I suoi occhi continuavano ad ardere.

«Ehm, dunque, sei stato punto da un ragno radioattivo?». Era anche un ipnotizzatore? Oppure ero io senza nerbo?

«Poco originale». Mi stava prendendo in giro.

«Scusa, ma di più non riesco a fare», risposi stizzita.

«Non ci siamo proprio».

«Niente ragni?».

«Nah».

«Niente radioattività?».

«Niente».

«Acci...».

«E la kriptonite non mi fa niente», ridacchiò lui.

«Alt, avevi detto che non avresti riso». Si sforzò di tornare serio.

«Prima o poi capirò», lo avvertii.

«Meglio che non ci provi». Era tornato serio.

«Perché?».

«E se non fossi il supereroe? Se fossi il cattivo?». Sorrise. Cercava di scherzare, ma il suo sguardo era impenetrabile.

«Oh», dissi, e mi parve che molte di quelle allusioni acquistassero improvvisamente senso. «Capisco».

«Davvero?». Il suo viso si fece improvvisamente severo, come per paura di essersi lasciato scappare una frase di troppo.

«Sei pericoloso?», chiesi, in preda al batticuore quando intuii il fondo di verità nella mia domanda. Sì, era pericoloso. Ecco cosa stava cercando di dirmi.

Si limitò a guardarmi, preso da una qualche emozione che non riuscivo a cogliere.

«Ma non cattivo», sussurrai, scuotendo il capo. «No, non posso credere che tu sia cattivo».

«Ti sbagli». La sua voce era quasi impercettibile. Guardò giù, rubò il tappo della bottiglietta e iniziò a giocherellarci. Lo fissavo e mi chiedevo perché non mi facesse paura. Diceva sul serio, era evidente. Eppure io mi sentivo solo inquieta, ansiosa… e affascinata, soprattutto. Lo stesso stato d'animo che la sua vicinanza mi aveva sempre scatenato.

Il silenzio proseguì finché non mi accorsi che la mensa era quasi vuota.

Scattai in piedi. «Arriveremo in ritardo».

«Oggi non vengo a lezione», disse lui, roteando il tappo così veloce da farlo quasi sparire.

«Perché no?».

«Saltare qualche lezione fa bene alla salute». Sorrideva, ma lo sguardo era ancora inquieto.

«Be', io ci vado», risposi. Ero troppo codarda per rischiare di farmi scoprire.

Tornò a fissare il tavolo. «Allora ci vediamo più tardi».

Esitai per un istante, lacerata, ma allo squillo della campana corsi via. Gli gettai un'ultima occhiata dalla porta, e in effetti era ancora lì, immobile.

Mentre procedevo di buon passo verso l'aula, la testa mi girava più velocemente del tappo della bottiglia. La conversazione aveva prodotto pochissime risposte e troppe nuove domande.

Se non altro, aveva smesso di piovere.

Per fortuna, il professor Banner non era ancora arrivato. Mi accomodai alla svelta al mio posto, consapevole che Mike e Angela mi stavano osservando. Mike sembrava risentito, Angela era sorpresa, un po' in soggezione.

Poi arrivò il professore e richiamò la classe all'ordine. Si destreggiava a fatica tenendo tra le braccia alcune scatolette di cartoncino. Le appoggiò sul tavolo di Mike e gli disse di passarle al resto della classe.

«Bene, ragazzi, ora prendete un oggetto da ogni scatola», disse, infilandosi un paio di guanti di gomma estratti dalla tasca del camice. Lo schiocco secco dei guanti attorno ai suoi polsi fu per me un cattivo presagio. «Il primo è un cartoncino di controllo», proseguì, mostrandoci un quadrato bianco diviso in quattro sezioni. «Il secondo è un applicatore a quattro aghi», mostrò un aggeggio che sembrava un pettine sdentato, «e il terzo è una lancetta sterile». Afferrò un oggetto di plastica blu e lo aprì in due. La punta era invisibile dalla distanza in cui stavo, ma mi fece comunque rivoltare lo stomaco.

«Farò il giro dei banchi con un contagocce per preparare i cartoncini, perciò, per favore, prima di iniziare aspettate me». Cominciò dal tavolo di Mike, lasciando cadere con attenzione una goccia d'acqua su ognuno dei quadrati del cartoncino. «Poi vi chiederò di pungervi un dito con la lancetta...», prese la mano di Mike e gli conficcò la punta sul polpastrello del dito medio. Oh no. La mia fronte si velò di sudore freddo.

«Sporcate con una gocciolina di sangue ciascuno degli aghi dell'applicatore». Continuò la dimostrazione stringendo il dito di Mike fino a fargli versare del sangue. Io deglutivo convulsamente, con lo stomaco sottosopra.

«Poi fate combaciare l'applicatore e il cartoncino», concluse, mostrandoci per bene il quadrato sporco di sangue. Chiusi gli occhi, cercando di ascoltarlo senza badare alle orecchie che mi fischiavano.

«La prossima settimana la Croce Rossa organizzerà una giornata di donazioni a Port Angeles, perciò mi sembrava utile farvi scoprire qual è il vostro gruppo sanguigno». Sembrava orgoglioso di sé. «Ai minori di diciotto anni serve il consenso dei genitori: i moduli sono sulla cattedra».

Continuò il giro della classe, con il contagocce in mano. Io appoggiai la guancia al piano freddo e nero del tavolo, sforzandomi di non svenire. Sentivo il pigolio, le lamentele e le risatine dei miei compagni di classe che si pungevano le dita. Iniziai a respirare lentamente, con la bocca.

«Bella, stai bene?», chiese il professor Banner. Sentivo la sua voce molto vicina, e sembrava allarmata.

«Conosco già il mio gruppo sanguigno, professore». Risposi con un sussurro. Avevo paura di alzare la testa.

«Ti senti debole?».

«Sì, signore», mormorai, prendendomela con me stessa per non aver saltato la lezione.

«Qualcuno può portare Bella in infermeria, per favore?».

Anche senza sollevare il capo sapevo che il volontario sarebbe stato Mike.

«Riesci a camminare?», chiese il professor Banner.

«Sì», sussurrai. Fatemi solo uscire di qui, anche strisciando, pensavo.

Sembrava che Mike non vedesse l'ora di mettermi un braccio attorno alla vita e di tenermi stretta a sé. Mi appoggiai a lui di peso e mi lasciai trascinare fuori dall'aula.

Mike mi guidò lentamente attraverso il campus. Nei dintorni della mensa, lontana dall'edificio 4 e perciò dallo sguardo del professor Banner, mi fermai.

«Posso sedermi un minuto?», lo implorai.

Mi aiutò ad accomodarmi sul ciglio del sentiero.

«Non togliere la mano dalla tasca, per nessuna ragione al mondo», lo avvertii. Ero ancora sconvolta. Mi accasciai a terra, su un fianco, con la guancia contro il cemento ghiacciato e umido del marciapiede, a occhi chiusi. Così andava meglio.

«Caspita, sei diventata verde, Bella», disse Mike, nervoso.

«Bella?». Da lontano, qualcun altro mi chiamava.

No! Per carità, lasciatemi qui a immaginare quella voce terribilmente familiare.

«Cos'è successo, si è fatta male?». Ora la voce era più vicina, e sembrava turbata. Non la stavo immaginando. Mi sforzai di tenere gli occhi ben chiusi, speravo di morire. O perlomeno di non vomitare.

Mike sembrava teso. «Temo sia svenuta. Non so cos'è successo, non si è nemmeno punta il dito».

«Bella». La voce di Edward era proprio accanto a me, più sollevata ora. «Mi senti?».

«No», bofonchiai. «Vattene».

Rise.

«La stavo portando dall'infermiera», spiegò Mike, sulla difensiva, «ma si è intestardita a rimanere qui».

«La porto io», disse Edward. Capivo dal suo tono di voce che stava ancora sorridendo. «Tu torna pure in classe».

«No», protestò Mike. «È compito mio».

All'improvviso non sentivo più il marciapiede sotto di me. Aprii gli occhi, per la sorpresa. Edward mi aveva presa tra le braccia di slancio, come se pesassi cinque chili, e non cinquantacinque.

«Rimettimi giù!». Oddio, ti prego, ti prego fa' che non gli vomiti addosso. Non avevo fatto in tempo ad aprir bocca che era già in marcia.

«Ehi!», esclamò Mike, già dieci passi dietro di noi.

Edward lo ignorò. «Sei conciata proprio male», mi disse, con un ghigno.

«Rimettimi sul marciapiede!», protestai, lamentosa. Il movimento ondeggiante della sua camminata non mi aiutava affatto. Mi allontanò da sé con delicatezza, sollevandomi soltanto con le braccia; non sembrava gli facesse molta differenza.

«Perciò la vista del sangue ti fa perdere i sensi?», chiese. Sembrava divertito.

Non risposi. Chiusi di nuovo gli occhi e combattei con tutte le mie forze contro la nausea, a denti stretti.

«E dire che non era nemmeno tuo», proseguì, senza perdere il buonumore.

Non so come riuscì ad aprire la porta tenendomi sollevata, ma all'improvviso sentii caldo e capii che eravamo al coperto.

«Oh, cielo», esclamò una voce femminile.

«È svenuta durante biologia», spiegò Edward.

Aprii gli occhi. Eravamo in segreteria, Edward avanzava a grandi passi lungo il bancone all'entrata, verso la porta dell'infermeria. La signorina Cope, la rossa che stava all'ingresso, la aprì precedendolo di corsa. L'infermiera, una specie di nonna premurosa, alzò gli occhi da un libro, meravigliata, mentre Edward mi portava di slancio nella stanza e mi adagiava delicatamente sul foglio di carta ruvida che copriva il materassino di vinile marrone dell'unica branda. Poi si spostò e rimase in piedi appoggiato al muro più lontano da me. Il suo sguardo era acceso, inquieto.

«Ha avuto un leggero mancamento», disse all'infermiera interdetta. «È reduce dalla lezione sui gruppi sanguigni».

L'infermiera annuì con aria saggia. «C'è sempre qualcuno che fa questa fine».

Lui soffocò una risata.

«Resta un po' sdraiata, piccola, passerà».

«Lo so», sussurrai. La nausea stava già diminuendo.

«Ti succede spesso?».

«Ogni tanto», ammisi. Edward tossì per nascondere un'altra risata.

«Tu puoi tornare in classe», gli disse l'infermiera.

«Devo restare con lei». Pronunciò quelle parole con tanta solida autorevolezza da mettere a tacere la donna, che pure sembrava contrariata.

«Vado a prendere un po' di ghiaccio da metterti sulla fronte, cara», mi disse lei, e uscì in fretta dalla stanza.

«Avevi ragione», farfugliai, con gli occhi ancora socchiusi.

«Certo, come al solito... ma a cosa ti riferisci adesso, di preciso?».

«Saltare le lezioni fa *davvero* bene alla salute». Cominciavo a respirare regolarmente.

«Per qualche minuto mi hai messo davvero paura», ammise lui dopo un breve silenzio. Dal tono di voce sembrava che stesse confessando una debolezza umiliante. «Pensavo che Mike Newton stesse trafugando il tuo cadavere per seppellirlo nel bosco».

«Divertente». Tenevo sempre gli occhi chiusi, ma con il passare dei minuti riacquistavo le forze.

«Seriamente... ho visto cadaveri con un colorito migliore. Ero preoccupato di dover vendicare il tuo omicidio».

«Povero Mike. Gli saranno saltati i nervi».

«Mi detesta con tutte le sue forze», disse Edward, allegro.

«Non puoi saperlo», ribattei io, ma d'un tratto non ne ero più così sicura.

«La sua espressione era inconfondibile».

«Come hai fatto a vedermi? Pensavo avessi marinato la scuola». A quel punto stavo già meglio, forse la debolezza mi sarebbe passata più alla svelta se a pranzo avessi mangiato qualcosa. D'altra parte, avere lo stomaco vuoto era stata una fortuna.

«Ero in macchina, ascoltavo un CD». Una risposta tanto normale da sorprendermi.

Udii la porta e aprii gli occhi. Vidi l'infermiera che stringeva un impacco freddo.

«Ecco qui, cara». Lo adagiò sulla mia fronte. «Mi sembra che vada meglio», aggiunse.

«Penso di sì», risposi, e mi alzai. Mi fischiavano ancora un po' le orecchie, ma la testa non girava più. Le pareti verde chiaro restavano al loro posto.

L'infermiera era chiaramente intenzionata a farmi sdraiare di nuovo, ma a quel punto la porta si aprì e sbucò la testa della signorina Cope.

«Ce n'è un altro», annunciò.

Saltai giù dalla branda per fare posto al nuovo invalido.

Restituii l'impacco all'infermiera. «Tenga, non mi serve più».

A quel punto, dalla porta entrò Mike, barcollante, trascinandosi dietro un mio compagno di classe, Lee Stephens, giallo di nausea. Io ed Edward ci accostammo alla parete per fargli spazio.

«Oh no», borbottò Edward. «Esci, torna in segreteria, Bella».

Restai a guardarlo, sorpresa.

«Fidati: vai».

Schizzai via dall'ambulatorio prima che richiudessero la porta. Sentivo Edward subito dietro di me.

«Mi hai obbedito all'istante». Era meravigliato.

«Ho sentito odore di sangue», dissi, storcendo il naso. La nausea di Lee non nasceva dal guardare il sangue degli altri, come la mia.

«L'odore del sangue non si sente», mi contraddisse lui.

«Be', io lo sento, ecco perché mi viene la nausea. Sa di ruggine... e di sale».

Mi fissava con un'espressione indecifrabile.

«Che c'è?», chiesi.

«Niente».

A quel punto dalla porta uscì anche Mike, che squadrò prima me e poi Edward. Aveva ragione: Mike lo detestava, glielo si leggeva negli occhi. Poi si rivolse di nuovo a me, con uno sguardo triste.

«Sembra che *tu* stia meglio», mi accusò.

«Basta che tu tenga la mano in tasca», lo avvertii di nuovo.

«Non sanguina più», borbottò lui. «Rientri in classe?».

«Scherzi? Dovrei fare dietrofront appena arrivata per tornarmene qui».

«Be', immagino... Allora vieni, questo fine settimana? Alla spiaggia?». Mentre parlava lanciò un'altra occhiataccia a Edward, che se ne stava dritto accanto al bancone ingombro di carte, immobile come una statua, con lo sguardo perso nel vuoto.

Cercai di risultare il più possibile ben disposta. «Certo, ho già detto che ci sarò».

«Appuntamento al negozio di mio padre alle dieci». Lanciò un'occhiata verso Edward, badando a non lasciarsi sfuggire troppe informazioni. I suoi gesti sottintendevano che l'invito era riservato.

«Ci sarò».

«D'accordo. Ci vediamo in palestra», disse, e si diresse con passo incerto verso la porta.

«Ci vediamo», risposi. Mi rivolse un ultimo sguardo, con un'espressione imbronciata sul viso rotondo, le spalle cadenti.

Fui presa da un'ondata di compassione. Pensavo che mi sarei ritrovata di fronte quell'espressione delusa... in palestra.

«No... ginnastica», bofonchiai.

«Me ne occupo io». Non mi ero accorta che Edward si era avvicinato, ma ora lo sentivo sussurrare al mio orecchio. «Siediti e impallidisci», mormorò.

Non era difficile: ero sempre pallida, e lo svenimento di poco prima mi aveva lasciato un leggero velo di sudore sul viso. Mi accomodai su una delle sedie pieghevoli cigolanti e abbandonai il capo contro la parete, chiudendo gli occhi. Gli svenimenti mi lasciavano sempre spossata.

Udii Edward parlare piano, al bancone.

«Signorina Cope?».

«Sì?». Non l'avevo sentita tornare alla scrivania.

«La prossima lezione di Bella è in palestra, e non credo si senta abbastanza bene. A dire la verità, credo sarebbe più opportuno che l'accompagnassi a casa. Potrebbe preparare una giustificazione per lei?». La sua voce era una cucchiaiata di miele. E immaginavo quanto stupefacenti dovessero essere i suoi occhi.

«Anche tu hai bisogno di una giustificazione, Edward?», cinguettò la signorina Cope. Perché io non ero capace di fare cose del genere?

«No, io ho la professoressa Goff. Per lei non sarà un problema».

«Bene, è tutto sistemato. Ti senti meglio, Bella?». Feci un debole cenno, fingendo quel tanto che bastava.

«Riesci a camminare o vuoi che ti porti ancora in braccio?». Dava le spalle alla segretaria e la sua espressione si fece sarcastica.

«Cammino».

Mi alzai con prudenza, in effetti stavo bene. Lui mi aprì la porta, con un sorriso gentile e uno sguardo ironico. Andai incontro alla nebbiolina sottile e fredda che aveva appena iniziato a scendere. Era una bella sensazione – per la prima volta mi gustavo l'umidità costante che veniva dal cielo – perché mi lavava il sudore appiccicoso dalla faccia.

«Grazie», dissi a Edward, che mi seguiva. «Pur di saltare ginnastica vale quasi la pena di ammalarsi».

«Quando vuoi». Guardava dritto di fronte a sé, strizzando gli occhi a causa della pioggia. «Allora, sei in partenza? Questo sabato, intendo».

Speravo che anche lui si unisse alla gita, per poco probabile che fosse. Non riuscivo a immaginarlo, in macchina con il resto dei miei compagni: non apparteneva a quel mondo. Eppure speravo che mi fornisse almeno un primo briciolo di entusiasmo per quel fine settimana.

«Dove andate, di preciso?». Il suo sguardo era ancora fisso e inespressivo.

«Giù a La Push, a First Beach». Studiai la sua espressione, nel tentativo di leggerla. Aggrottò impercettibilmente le sopracciglia.

Mi lanciò un'occhiata di sottecchi e sorrise a denti stretti. «Non mi sembra di essere stato invitato».

Feci un sospiro. «Ti sto invitando ora».

«Per questa settimana è meglio che io e te non esageriamo, con il povero Mike. Non è il caso di fargli saltare i nervi». I suoi occhi danzavano: l'idea lo divertiva più di quanto fosse lecito.

«Povero Mike», mormorai, preoccupata dal tono con cui aveva detto "io e te". Mi piaceva più di quanto fosse lecito.

Eravamo arrivati dietro il parcheggio. Svoltai a sinistra, in direzione del pick-up. Qualcosa mi tirò per il giubbotto e mi trattenne.

«Dove pensi di andare?», chiese lui, indignato. Stringeva un lembo della mia giacca a vento.

Rimasi disorientata. «Vado a casa».

«Non hai sentito? Ho promesso di portarti a casa sana e salva. Pensi che ti lasci guidare in quelle condizioni?». Era ancora indignato.

«Quali condizioni? E il mio pick-up?», ribattei io.

«Te lo faccio riportare da Alice dopo la scuola». Ora mi trascinava verso la sua auto, senza mollare il mio giubbotto. L'unica alternativa sarebbe stata lasciarmi cadere all'indietro. Ma credo che non mi avrebbe mollata neanche stesa per terra.

«Mollami!». Non mi dava ascolto. Cercai di divincolarmi, ma lui mi fece andare barcollando lungo il marciapiede e mi lasciò libera soltanto davanti alla Volvo. A quel punto inciampai, sbattendo contro la portiera del passeggero.

«Quanto sei prepotente!».

«È aperta», fu la sua unica risposta. Si sedette al volante.

«Sono perfettamente in grado di guidare fino a casa!». Me ne stavo accanto all'auto, infuriata. La pioggia scendeva più forte, e non avendo alzato il cappuccio mi ritrovai i capelli e la schiena completamente zuppi.

Edward abbassò il finestrino elettrico e si sporse verso di me. «Sali, Bella».

Non rispondevo. Tra me e me stavo calcolando le possibilità di raggiungere il pick-up prima che potesse afferrarmi. Erano bassissime, dovevo ammetterlo.

«Tanto ti riprendo», minacciò lui, che aveva intuito tutto.

Cercai di mantenere un minimo di dignità, salendo sull'auto. Non ci riuscii granché, sembravo un gatto mezzo annegato, e i miei stivali facevano un rumore simile a uno squittio.

«Non ce n'è bisogno», dissi, irrigidita.

Non rispose. Armeggiava con le manopole sul cruscotto, alzò il riscaldamento e abbassò il volume della radio. Uscendo dal parcheggio, mi stavo proponendo di riservagli il trattamento mutismo, ero già in modalità imbronciata, quando a un tratto riconobbi la musica, e la curiosità ebbe la meglio sulle mie intenzioni.

«*Claire de lune*?», chiesi, sorpresa.

«Conosci Debussy?». Anche lui sembrava sorpreso.

«Non bene», precisai. «Mia madre ascolta sempre un sacco di musica classica in casa, io riconosco solo i miei preferiti».

«È anche uno dei miei preferiti». Guardava fuori, nella pioggia, perso nei suoi pensieri.

Ascoltavo la musica, rilassandomi contro il sedile di pelle grigio chiaro. Era impossibile non lasciarsi trasportare da quella melodia familiare e rassicurante. Fuori dal finestrino, la pioggia trasformava il panorama in una serie di macchie verdi e nere. Mi resi conto che stavamo andando molto veloci; eppure, l'auto procedeva con tale sicurezza e stabilità che non ne percepivo il movimento. Solo le luci della città svelavano l'inganno.

«Com'è tua madre?», chiese lui, di punto in bianco.

Sollevai lo sguardo e vidi che mi stava studiando con curiosità.

«Mi somiglia molto, ma è più carina», risposi. Mi guardò, incuriosito. «Io ho troppo in comune con Charlie. Lei è più estroversa di me, e più coraggiosa. Ed è una persona irresponsabile e piuttosto eccentrica, nonché cuoca imprevedibile. È la mia migliore amica». Mi fermai lì. Parlare di lei mi deprimeva.

«Quanti anni hai, Bella?». Sembrava abbattuto, ma non riuscivo a coglierne il motivo. Spense l'auto: eravamo già arrivati a casa di Charlie. La pioggia era talmente fitta che i contorni dell'edificio si vedevano a malapena. Era come se la macchina fosse stata travolta da un fiume.

«Diciassette», risposi, un po' confusa.

«Non li dimostri».

Suonava come un rimprovero. Mi fece ridere.

«Che c'è?», chiese, curioso.

«Mia madre dice sempre che quando sono nata avevo già trentacinque anni e che ormai sono vicina alla mezza età». Mi lasciai andare a una risata, poi a un sospiro. «Be', qualcuno dovrà pur fare la parte dell'adulto». Per un istante rimasi in silenzio. «Neanche tu hai tanto l'aria di uno studente del terzo anno», suggerii.

Lui fece una smorfia e cambiò discorso.

«Come mai tua madre ha sposato Phil?».

Mi sorprese che ricordasse ancora il suo nome: l'avevo citato una volta sola, quasi due mesi prima. Mi ci volle qualche istante prima di rispondere.

«Mia madre... si sente più giovane della sua età. Penso che Phil la faccia sentire ancora più giovane. E comunque, è pazza di lui». Scossi il capo. Quell'attrazione era un mistero, per me.

«Approvi?», chiese lui.

«Importa qualcosa? Voglio che sia felice... e lui è ciò che desidera».

«Mi sembra un atteggiamento come minimo... generoso», commentò lui.

«Cosa?».

«Pensi che si comporterebbe allo stesso modo con te? Su chiunque cadesse la tua scelta?». Il suo sguardo si era acceso all'improvviso e cercava il mio.

«P-penso di sì», balbettai. «Ma in fin dei conti, la mamma è lei. È un po' diverso».

«Niente ragazzi spaventosi, quindi». Mi voleva stuzzicare.

Risposi con un sorriso. «Cosa intendi per "spaventosi"? Piercing facciali multipli e tatuaggi dappertutto?».

«Anche… Per esempio».

«E cos'altro, secondo te?».

Ma lui ignorò quella domanda e me ne rivolse un'altra: «Pensi che *io* potrei essere spaventoso?». Alzò un sopracciglio, e la debole traccia di un sorriso gli illuminò il viso.

Per un istante mi chiesi se fosse il caso di dire la verità o mentire. Optai per la verità. «Mmm… penso che potresti esserlo, se volessi».

«In questo momento hai paura di me?». Il sorriso scomparve e il suo volto angelico si fece serio.

«No». Ma risposi troppo in fretta. Riecco il sorriso.

«Adesso mi racconti tu qualcosa della tua famiglia?», cercai di sviare il discorso. «Senz'altro è una storia molto più interessante della mia».

Di colpo alzò la guardia. «Cosa vuoi sapere?».

«È vero che i Cullen ti hanno adottato?».

«Sì».

Esitai per un istante. «Cos'è successo ai tuoi genitori?».

«Sono morti parecchi anni fa». Il suo tono restò neutro.

«Mi dispiace», mormorai.

«Non ricordo granché di loro. Carlisle ed Esme sono i miei genitori da parecchio tempo».

«E gli vuoi bene». La mia non era una domanda. Era implicito nel modo in cui parlava di loro.

«Sì». Sorrise. «Non potrei immaginare due persone migliori».

«Sei molto fortunato».

«Lo so».

«E i tuoi fratelli?».

Lanciò un'occhiata all'orologio del cruscotto.

«Mio fratello e mia sorella, oltre a Jasper e Rosalie, si innervosiranno parecchio se gli toccherà aspettarmi sotto la pioggia».

«Oh, scusa, immagino che tu sia in ritardo». Non volevo scendere.

«E immagino che tu rivoglia indietro il tuo pick-up prima che l'ispettore Swan torni a casa, così non dovrai dirgli dell'incidente di biologia». Mi rivolse un gran sorriso.

«Di sicuro sa già tutto. A Forks non ci sono segreti». Feci un sospiro.

Lui rise, ma non sembrava rilassato.

«Divertiti, alla spiaggia... c'è il tempo giusto per prendere il sole». E guardò fuori la pioggia scrosciante.

«Domani non ci vediamo?».

«No. Io ed Emmett anticipiamo il weekend».

«Cosa fate?». Un'amica poteva permettersi una domanda del genere, no? Sperai che nella mia voce non si scorgesse la delusione.

«Andiamo a fare trekking nella riserva di Goat Rocks, a sud del monte Rainier».

Ricordai che Charlie mi aveva parlato delle gite in campeggio dei Cullen.

«Oh be', divertitevi». Cercai di mostrarmi entusiasta. Probabilmente non riuscii a convincerlo. Gli angoli delle sue labbra tradivano un sorriso.

«Faresti una cosa per me, questo weekend?». Si voltò per guardarmi in faccia, sfruttando tutto il potere dei suoi occhi dorati e abbaglianti.

Feci cenno di sì, inerme.

«Non offenderti, ma tu sembri il classico genere di persona che attrae gli incidenti come una calamita. Perciò... cerca di non cadere nell'oceano, di non farti investire, o chissà cos'altro, d'accordo?». Sorrise, di sbieco.

Ora mi sentivo un po' meno disarmata. Lo fissai.

«Ci proverò», dissi, prima di scendere dalla macchina nella pioggia fitta. Sbattei la portiera con troppa forza.

Se ne andò che ancora rideva.

6

Racconti del terrore

Seduta in camera mia, cercavo di concentrarmi sull'atto terzo del *Macbeth*, ma in realtà aspettavo di sentire il rumore del pick-up. Immaginavo che il suo rombo sarebbe spiccato anche sotto la pioggia battente. Invece, a un'ennesima occhiata dietro la tenda, mi accorsi che era già lì, come se fosse spuntato dal nulla.

Ero tutt'altro che impaziente che arrivasse il venerdì, e la giornata confermò alla grande tutti i miei presagi. Ovviamente ci furono i commenti allo svenimento. Jessica sembrava la più interessata alla storia. Per fortuna, Mike aveva tenuto chiuso il becco, e all'apparenza nessuno sapeva del coinvolgimento di Edward. Lei però mi bersagliò di domande sul pranzo del giorno prima.

Iniziò durante la lezione di trigonometria: «Che voleva ieri Edward Cullen?».

«Non so». Non mentivo. «Non è mai arrivato al dunque».

«Sembravi piuttosto arrabbiata».

«Davvero?». Cercavo di non darle a intendere nulla.

«Sai, non l'ho mai visto sedersi accanto a nessuno a parte i suoi fratelli. Che cosa assurda».

«Assurda», ribadii. Sembrava nervosa: continuava a sistemarsi i riccioli. Immaginavo che fosse in attesa di un aneddoto interessante da trasformare in pettegolezzo.

La cosa peggiore di quel venerdì era che, malgrado sapessi bene che Edward non sarebbe venuto, continuavo a sperare di vederlo. Quando entrai in mensa assieme a Jessica e Mike, non potei fare a meno di perlustrare il tavolo al quale erano seduti Rosalie, Alice e Jasper, impegnati in una fitta conversazione. E non riuscii a frenare la delusione che mi assalì quando mi resi conto che non sapevo quando ci saremmo rivisti.

Al mio solito tavolo, tutti erano presi dai piani per il giorno seguente. Mike aveva ripreso vita, dopo aver riposto piena fiducia nelle previsioni del tempo locali, secondo le quali il sole era in arrivo. Non ci avrei creduto finché non l'avessi visto. La temperatura, intanto, si era alzata: c'erano quasi quindici gradi. Forse la gita non sarebbe stata un disastro totale.

Durante il pranzo intercettai un paio di sguardi poco amichevoli di Lauren, che non capii finché non uscimmo di lì. Camminavamo in gruppo; io le stavo alle spalle, a pochi centimetri dai suoi liscissimi capelli biondo platino, ma lei, evidentemente, non se n'era accorta.

«...Forse sarebbe il caso che *Bella*», pronunciò il mio nome con scherno, «d'ora in poi si sedesse al tavolo dei Cullen», la sentii borbottare a Mike. Non mi ero mai accorta di quanto la sua voce fosse sgradevole e nasale e fui sorpresa da tanta malignità. Non ci conoscevamo affatto bene, di certo non abbastanza perché mi potesse avere tanto in antipatia. Almeno, così pensavo prima.

«È amica mia, e si siede al nostro tavolo», rispose a mezza voce Mike, con lealtà, ma forse anche per marcare il suo territorio. Mi fermai, lasciandomi superare da Jess e Angela. Non volevo sentire altro.

Quella sera, a cena, Charlie sembrò entusiasta della gita a La Push. Probabilmente si sentiva in colpa perché durante i fine settimana mi lasciava sempre a casa da sola, ma del resto gli ci erano voluti anni per consolidare le proprie abitudini e non poteva certo distruggerle ora. Ovviamente conosceva i nomi di tutti i miei compagni di escursione, dei loro genitori, e probabilmente anche dei loro bisnonni. Si vedeva che approvava l'iniziativa. Mi chiedevo se avrebbe anche approvato il mio progetto di andare a Seattle con Edward Cullen. Non che pensassi, è chiaro, di farne parola.

«Papà, tu conosci un posto che si chiama Goat Rocks o qualcosa del genere? Mi sembra che sia a sud del monte Rainier», chiesi, buttandola lì casualmente.

«Sì, perché?».

Feci spallucce. «Certi ragazzi che conosco parlavano di andarci in campeggio».

«Non è un gran posto per campeggiare». Sembrava sorpreso. «Troppi orsi. Più che altro ci si va durante la stagione di caccia».

«Ah», mormorai, «forse ho capito male il nome».

Avevo intenzione di dormire fino a tardi, ma uno strano luccichio mi svegliò. Aprii gli occhi e vidi un raggio di luce forte e gialla penetrare dalla tenda. Non potevo crederci. Corsi alla finestra a controllare, e c'era il sole, davvero. Era nel posto sbagliato, troppo basso nel cielo, e non sembrava vicino come avrebbe dovuto essere, ma era il sole, senza dubbio. La linea dell'orizzonte era ancora coperta di nubi, però al centro del cielo si apriva una grande chiazza azzurra. Restai alla finestra il più a lungo possibile, temendo che se mi fossi allontanata l'azzurro sarebbe sparito.

Olympic Outfitters, il negozio di articoli sportivi dei Newton, era a nord, appena fuori Forks. L'avevo già notato ma non mi ci ero mai fermata: non avevo mai avuto bisogno di equipaggiamento da trekking o da campeggio. Nel parcheggio riconobbi il Suburban di Mike e la Sentra di Tyler. Mi avvicinai. Il gruppo si era radunato di fronte all'auto di Mike. Ecco Eric, assieme ad altri due nostri compagni di corso; ero quasi sicura che si chiamassero Ben e Conner. Ed ecco Jess, affiancata da Angela e Lauren. Accanto a loro c'erano tre ragazze. Una la ricordavo bene perché l'avevo travolta il venerdì precedente durante l'ora di ginnastica. Mi lanciò un'occhiataccia quando scesi dal pick-up e sussurrò qualcosa a Lauren. Lauren ravvivò la sua chioma platinata e mi guardò con un certo disprezzo.

Ecco, sarebbe stato uno di *quei* giorni.

Se non altro, Mike era contento di vedermi.

«Sei arrivata!», disse, allegro. «Te l'avevo detto che sarebbe uscito il sole!».

«Te l'avevo detto che sarei venuta», risposi io.

«Mancano soltanto Lee e Samantha... a meno che tu non abbia invitato qualcun altro», aggiunse Mike.

«No», dissi, una mezza bugia che mi auguravo passasse inosservata. Eppure speravo in un miracolo, speravo che apparisse Edward.

Mike sembrava soddisfatto.

«Sali in macchina con me? L'alternativa è il furgoncino della mamma di Lee».

«Certo».

Il suo viso si illuminò. Era così facile fare contento Mike.

«Puoi sederti davanti accanto a me», promise lui. Nascosi il mio nervosismo. Non era tanto semplice fare contenti Mike e Jessica allo stesso tempo. Ora sentivo addosso lo sguardo di lei.

Tuttavia, i numeri giocarono a mio favore. Lee aveva invitato due persone in più, perciò bisognava sfruttare tutti i posti. Feci in modo di fare accomodare Jessica tra me e Mike, sul sedile anteriore del Suburban. Mike si adattò malvolentieri, ma se non altro Jess si calmò.

La Push distava soltanto una ventina di chilometri da Forks. La strada, quasi completamente attorniata da foreste rigogliose e verdi, incrociava per due volte la serpentina del fiume Quillayute. Ero così contenta di stare seduta accanto al finestrino. Lo tenevo abbassato – il Suburban con nove passeggeri era un po' claustrofobico – e cercavo di non perdermi neanche un istante di luce solare.

Durante i miei soggiorni a Forks da Charlie, ero già stata alle spiagge nei dintorni di La Push, perciò la mezzaluna lunga un miglio di First Beach mi era familiare. Rimasi comunque senza fiato. L'oceano era plumbeo, scuro, anche sotto la luce del sole, e gli spruzzi bianchi delle onde si frangevano sul litorale grigio e roccioso. Dalle acque del golfo color dell'acciaio emergevano isolotti rocciosi a strapiombo sul mare come scogli, sulla cui cima spiccavano alberi solitari e austeri. L'unico lembo di sabbia non era più che un orlo al limitare del bagnasciuga: da lì in poi era solo una larga fascia di sassi levigati, confusi dalla distanza in una tinta grigia uniforme, ma che visti da vicino mostravano tutte le tonalità possibili: terracotta, verde mare, lavanda, grigio-azzurro, oro opaco. La battigia era disseminata di grandi tronchi alla deriva, sbiancati come ossa dal sale delle onde, alcuni impilati ai bordi della foresta, altri solitari, appena fuori dalla portata del mare impetuoso.

Dal mare soffiava un vento robusto, fresco e salmastro. I pellicani galleggiavano sulla cresta delle onde, sopra di loro planavano qualche gabbiano e un'aquila solitaria. L'orizzonte era ancora circondato di nubi che minacciavano di invadere il cielo, ma per il momento il sole aveva ancora il coraggio di brillare in mezzo alla sua aureola blu.

Imboccammo il sentiero per la spiaggia, con Mike che ci guidava verso un gruppo di tronchi disposti in cerchio che ovviamente erano già stati usati per un'altra scampagnata come la nostra. C'era anche la postazione per il fuoco, traccia carbonizzata di un falò recente. Eric e il ragazzo che mi pareva si chiamasse Ben raccolsero un po' di rami prendendoli dai tronchi più lontani dalla spiaggia e quindi più asciutti, e in poco tempo assemblarono sulle vecchie ceneri una costruzione a forma di tepee.

«Hai mai visto un falò fatto con questa legna?», chiese Mike. Ero seduta su un tronco color osso che faceva da panchina improvvisata; le altre ragazze, appollaiate di fianco a me, non smettevano di spettegolare. Mike s'inginocchiò accanto alla legna e diede fuoco a un ramo più piccolo con un accendino.

«No», risposi, mentre lui posizionava con cura il rametto al centro del tepee.

«Allora ti piacerà... guarda che colori». Incendiò un altro rametto e lo mise accanto al primo. Le fiamme attecchirono in fretta sulla legna secca.

«È blu», dissi, sorpresa.

«È il sale che dà quel colore. Bello, vero?». Accese un altro ramo, lo avvicinò a una parte non ancora in fiamme e venne a sedersi accanto a me. Per fortuna vicino a lui c'era Jess, che reclamò subito la sua attenzione. Io fissavo le strane fiamme verdi e blu che scoppiettavano verso il cielo.

Dopo mezz'ora di chiacchiere, alcuni proposero di avventurarci fino alle pozze. Che dilemma. Da una parte, le pozze formate dalle maree mi piacevano. Mi avevano sempre affascinata, fin da bambina: erano una delle poche cose che non vedevo l'ora di ritrovare, quando venivo a Forks. Dall'altra, ci ero caduta un sacco di volte. Il che non è un problema, se hai sette anni e lì accanto c'è tuo padre. Ripensai a Edward: gli avevo promesso di non cadere nell'oceano.

Fu Lauren a decidere per me. Non aveva voglia di camminare in mezzo ai sassi, non aveva le scarpe adatte. Tranne Angela e Jessica, quasi tutte le ragazze decisero di restare alla spiaggia. Aspettai a decidere finché Tyler ed Eric dichiararono di voler restare con loro, allora mi alzai e mi unii al gruppo che voleva fare la passeggiata. Mike salutò la decisione con un grande sorriso.

Il percorso non era molto lungo, l'unica cosa fastidiosa era che il bosco nascondeva l'azzurro del cielo. La luce verde della foresta strideva stranamente con le risate dei ragazzi, troppo cupa e minacciosa per armonizzarsi con il chiacchiericcio leggero. Dovevo stare molto attenta a ogni passo, evitando le radici in basso e i rami in alto, e in poco tempo persi terreno. Alla fine oltrepassai il limite verde smeraldo della foresta e trovai di nuovo la costa rocciosa. La marea era bassa, attraversammo un canale che sboccava nel mare. Lungo le rive di ciottoli, le pozze poco profonde che non si prosciugavano mai pullulavano di vita.

Mi sforzavo di non sporgermi troppo sulle piccole pozze oceaniche. Gli altri erano più temerari, saltavano sulle rocce, si mantenevano in equilibrio precario sulle sponde. Trovai una pietra dall'aria molto solida ai margini di una delle pozze più grandi e mi ci sedetti con cautela, rapita da quell'acquario naturale. I cespugli di anemoni brillanti dondolavano senza sosta, mossi da una corrente invisibile, e sulle sponde strisciavano le forme più strane di conchiglie trascinate da molluschi invisibili. Le stelle marine se ne stavano immobili, abbarbicate alla pietra, una addosso all'altra, mentre una piccola anguilla nera a righe bianche ondeggiava tra le alghe verdi, in attesa della prossima marea. Ero completamente assorta, se non per una piccola parte della mia mente che si chiedeva cosa stesse facendo Edward in quel momento e immaginava cosa ci saremmo detti se lui fosse stato lì con me.

Infine, ai ragazzi venne fame, e io mi alzai per seguirli, rigida come un pezzo di legno. Cercai di stargli più alle costole durante il tragitto nel bosco, perciò, ovviamente, caddi un paio di volte. Mi sbucciai leggermente il palmo delle mani e macchiai i jeans di verde sulle ginocchia, ma sarebbe potuta andare peggio.

Tornati a First Beach, la comitiva che avevamo lasciato alla spiaggia si era moltiplicata. Più ci avvicinavamo, più riuscivamo a distinguere i capelli lisci, neri e dritti e la carnagione bronzea dei nuovi arrivati: erano ragazzi della riserva venuti a fare amicizia. Il cibo iniziava a circolare e tutti si affrettavano a prendere la loro porzione. Eric ci presentava mano a mano che entravamo all'interno del cerchio di tronchi. Io e Angela arrivammo per ultime, e non appena Eric annunciò i nostri nomi mi accorsi dell'occhiata interessata di un ragazzo più giovane, che stava seduto sulle pietre accanto al fuoco. Mi accomodai accanto ad Angela, e Mike ci offrì qualche panino e una vasta gamma di bibite tra cui scegliere. Un altro ragazzo, che sembrava il più anziano dei visitatori, ci snocciolava i nomi dei suoi sette compagni. Memorizzai soltanto che anche una delle altre ragazze si chiamava Jessica e il nome del ragazzo che si era accorto di me, Jacob.

Stare accanto ad Angela era rilassante: era una persona tranquilla, e parlare con lei non significava obbligatoriamente perdersi in chiacchiere inutili. Mentre mangiavamo mi lasciò pensare ai fatti miei, senza disturbarmi. Al centro dei miei pensieri c'era il modo scombinato con cui a Forks percepivo il tempo, spesso una serie di immagini in corsa tra cui alcune emergevano più chiare di altre. Ma c'erano anche momenti di cui ogni secondo era importantissimo, marchiato nella mia memoria. Sapevo esattamente da cosa dipendeva la differenza, e ciò mi disturbava.

Durante il pranzo le nuvole iniziarono a stringere il loro cerchio scivolando nel cielo, di tanto in tanto nascondevano il sole sfiorandolo svelte e gettavano lunghe ombre che spiccavano sulla spiaggia e rendevano scure le onde. Dopo lo spuntino, i ragazzi iniziarono a passeggiare a gruppi di due o tre. Alcuni si avvicinarono alla battigia, saltando sulle pietre di quella superficie sconnessa. Altri organizzarono un'altra spedizione verso le pozze. Mike – assieme a Jessica, che era la sua ombra – si diresse verso l'unico negozio del villaggio. Alcuni ragazzi del posto lo seguirono; altri si unirono alla passeggiata più lunga. Dopo che il gruppo si fu disperso, mi ritrovai sul tronco sola con Lauren e Tyler, alle prese con il lettore CD che qualcuno aveva pensato di portare, e a tre ragazzi della riserva, tra cui quello di nome Jacob e il più grande, che aveva fatto da portavoce.

Angela si unì alla spedizione che andava verso le pozze, e pochi minuti dopo Jacob si fece avanti e si sedette di fianco a me. Dimostrava quattordici anni, forse quindici, e aveva i capelli lunghi, neri e lucidi, stretti con un elastico alla base della nuca. La sua pelle era bellissima, vellutata e color ruggine, gli occhi scuri, incastonati sopra gli zigomi sporgenti. Solo il mento ancora un po' rotondo gli dava un'aria infantile. Nel complesso, aveva un viso molto bello. Malgrado ciò, l'opinione positiva che mi aveva suggerito a prima vista svanì non appena aprì bocca.

«Tu sei Isabella Swan, vero?».

Mi sembrava di essere tornata al primo giorno di scuola.

«Bella», sospirai.

«Io mi chiamo Jacob Black». Mi offrì la mano, con aria amichevole. «È stato mio padre a venderti il pick-up».

«Oh», dissi, sollevata, stringendogli la mano, «sei il figlio di Billy. In teoria dovrei ricordarmi di te».

«No, io sono il più giovane. Probabilmente ricordi le mie sorelle più grandi».

«Rachel e Rebecca», mi rammentai all'improvviso. Quando venivo in vacanza a Forks, Charlie e Billy ci obbligavano sempre a giocare assieme, per tenerci occupate mentre loro pescavano. Eravamo troppo timide per fare davvero amicizia. Ovviamente, finii per accumulare tanto nervosismo che all'età di undici anni posi fine alle gite al fiume.

«Ci sono anche loro?». Esaminai le ragazze sulla battigia, chiedendomi se le avrei riconosciute.

«No». Jacob scosse la testa. «Rachel ha vinto una borsa di studio per l'università, Washington State, e Rebecca ha sposato un surfista samoano, adesso vive alle Hawaii».

«Sposata. Caspita». Ero stupefatta. Le due gemelle avevano soltanto un anno e qualche mese più di me.

«Allora, ti piace il pick-up?», chiese lui.

«Lo adoro. Non perde un colpo».

«Già, peccato che sia lento», rise lui. «È stato un sollievo venderlo a Charlie. Papà non voleva che mi mettessi a costruire un'altra macchina finché avevamo ancora a disposizione un veicolo perfettamente in ordine».

«Non è così lento», obiettai.

«Hai provato a passare i cento?».

«In effetti no».

«Brava, non provarci mai». Sorrise.

Ricambiare il sorriso mi venne spontaneo. «In caso di incidente è indistruttibile», dissi, a difesa del mio automezzo.

«Probabilmente quel vecchio mostro resisterebbe anche a un carro armato», aggiunse lui, con un'altra risata.

«Hai detto che costruisci macchine?», chiesi incuriosita.

«Quando ho il tempo, e i pezzi. A proposito, sai dove potrei procurarmi un cilindro freni per una Volkswagen Golf del 1986?», aggiunse scherzando. Aveva una voce piacevole, roca.

«Mi dispiace», dissi, sorridendo, «ultimamente non me ne sono capitati tra le mani, ma terrò gli occhi aperti». Come se sapessi cos'è un cilindro freni. La conversazione con Jacob mi veniva molto facile.

Sfoderò un sorriso luminoso, rivolgendomi uno sguardo di apprezzamento che stavo imparando a riconoscere. Anche qualcun altro se ne accorse.

«Conosci Bella, Jacob?», chiese Lauren – con un tono di voce che mi sembrò insolente – dall'altra parte del falò.

«Più o meno ci conosciamo da quando sono nato», disse divertito, senza smettere di sorridere.

«Che carino». A giudicare dalla sua espressione, non ci trovava proprio niente di carino, e strinse a fessura i suoi occhi pallidi da pesce.

«Bella», insistette lei, fissandomi bene negli occhi, «stavo giusto dicendo a Tyler che è davvero un peccato che i Cullen non si siano uniti a noi. Come mai nessuno ha pensato di invitarli?». La sua espressione preoccupata non era affatto convincente.

«Vuoi dire la famiglia del dottor Carlisle Cullen?», chiese il ragazzo più grande e alto prima che potessi rispondere io, con grande irritazione di Lauren. Somigliava più a un uomo che a un ragazzo, e la sua voce era molto profonda.

«Sì. Li conosci?», chiese la smorfiosa, voltandosi parzialmente verso di lui.

«I Cullen non vengono qui», rispose lui con un tono che voleva chiudere il discorso, ignorando la domanda.

Tyler cercò di ricatturare l'attenzione di Lauren e le chiese cosa ne pensasse di un CD che teneva tra le mani. Lei si lasciò distrarre.

Ammutolita, squadrai il ragazzo dalla voce profonda, ma lui si era voltato verso la foresta scura alle nostre spalle. Aveva detto che i Cullen non venivano da quelle parti, ma la sua voce alludeva a qualcos'altro: non avevano il permesso di andarci, era un luogo vietato. Il suo modo di fare mi lasciò stranita, cercai di non badarci, ma senza successo.

Jacob interruppe la mia meditazione. «Allora, Forks ti ha già fatto impazzire?».

«"Impazzire" mi sembra riduttivo». Feci una smorfia. Lui rispose con un sorriso comprensivo.

Avevo ancora in testa quel commento fugace sui Cullen, e di colpo trovai l'ispirazione. Era un piano stupido, ma non avevo alternative. Speravo che il giovane Jacob non ci sapesse ancora fare con le ragazze e che perciò non avrebbe smascherato i miei tentativi – a dir poco pietosi – di flirtare con lui.

«Ti va una passeggiata sulla spiaggia?», chiesi, cercando di imitare il modo che aveva Edward di guardare in su di sottecchi. L'effetto non era proprio identico, ovviamente, ma Jacob non si fece pregare e scattò in piedi.

Mentre camminavamo sullo strato di pietre multicolori, diretti verso l'argine di tronchi alla deriva, le nuvole strinsero le fila e velarono il cielo; la temperatura si abbassò di colpo e il mare si fece più scuro. Sprofondai le mani nelle tasche della giacca.

«Quanti anni hai, sedici?», chiesi, cercando di non fare la figura dell'idiota mentre sbattevo le ciglia come avevo visto fare a qualche ragazza in TV.

«Ne ho appena compiuti quindici», confessò lui, lusingato.

«Davvero?». La mia espressione era piena di falsa sorpresa. «Ti facevo più grande».

«Sono alto per la mia età».

«Vieni spesso a Forks?», chiesi con malizia, come se sperassi in un sì. Mi sentivo davvero idiota. Temevo che mi avrebbe guardata con disgusto e accusata di imbrogliarlo, ma lui sembrava contento.

«Non tanto», disse serio. «Ma appena finisco la macchina potrò venirci quando mi pare, dopo aver preso la patente».

«Chi è il ragazzo che parlava con Lauren? Sembra un po' grande per frequentare quelli della nostra età». Parlavo al plurale di proposito, per chiarirgli che preferivo lui.

«Quello è Sam, ha diciannove anni».

«Cos'è che ha detto a proposito della famiglia del dottore?», chiesi con aria innocente.

«I Cullen? Oh, che non hanno il permesso di entrare nella riserva». Distolse lo sguardo e lo puntò verso James Island, dopo aver confermato i miei sospetti.

«Perché no?».

Tornò a guardarmi, mordendosi un labbro. «Ops. In teoria non potrei dirti nulla».

«Oh, non lo dico a nessuno, sono soltanto curiosa». Cercai di sorridere in modo seducente, chiedendomi se non stessi esagerando un po'.

Lui comunque ricambiò il sorriso, evidentemente stavo facendo colpo. Poi alzò un sopracciglio e la sua voce diventò ancora più roca di prima.

«Ti piacciono i racconti del terrore?», chiese con fare minaccioso.

«Li *adoro*», risposi, sforzandomi di colpirlo con il mio entusiasmo.

Jacob fece qualche passo, avvicinandosi a un tronco da cui spuntavano radici simili alle zampe sottili di un enorme ragno pallido. Si adagiò su una di quelle radici ritorte, e io mi accomodai al centro del fusto. Fissava le rocce, più in basso, con l'ombra di un sorriso agli angoli dell'ampia bocca. Stava preparando il racconto a puntino, era evidente. Mi sforzai di non pensare al mio coinvolgimento personale.

«Conosci le nostre vecchie storie, quelle sulle origini dei Quileutes?».

«Non tanto», ammisi.

«Be', ci sono un sacco di leggende, alcune sembra risalgano al Diluvio Universale. A quanto pare, gli antichi Quileutes legarono le loro canoe alla cima degli alberi più alti, per sopravvivere, come Noè e la sua arca». Sorrise, per dimostrarmi la sua scarsa fiducia in quei racconti. «Secondo un'altra leggenda, la nostra gente discende dai lupi, e i lupi sono nostri fratelli da sempre. Le leggi tribali vietano ancora oggi di ucciderli. E poi ci sono le storie che parlano dei *freddi*».

La sua voce si fece più flebile.

«I freddi?». A quel punto non riuscivo più a celare il mio interesse.

«Sì. Alcune storie che parlano dei freddi sono antiche come quella dei lupi, ma ce ne sono anche di recenti. Secondo la leggenda, il mio bisnonno aveva conosciuto dei freddi. Fu proprio lui a stipulare il patto che vietò loro di entrare nella nostra terra». Alzò gli occhi al cielo.

«Il tuo bisnonno?».

«Era uno degli anziani della tribù, come mio padre. Vedi, i freddi sono nemici naturali dei lupi… Be', non proprio dei lupi in sé, solo di quelli che si trasformano in uomini, come i nostri antenati. Quelli che chiamate licantropi».

«I licantropi hanno nemici?».

«Solo uno».

Non staccavo gli occhi da lui, sperando di spacciare la mia impazienza per ammirazione.

«Ecco perché i freddi sono nostri nemici da sempre. Ma il branco che giunse nel nostro territorio all'epoca del mio bisnonno era diverso. Non cacciavano come gli altri membri della loro specie, non erano pericolosi per la tribù. Perciò il mio avo stipulò una tregua. Se loro avessero promesso di stare lontani dalla nostra terra, noi li avremmo protetti dai visi pallidi». Mi strizzò l'occhio.

«Ma se non erano pericolosi, perché...». Cercavo di capirci qualcosa, senza lasciar trapelare quanto la sua storia fosse una faccenda seria, per me.

«È sempre un rischio per gli umani avere a che fare con i freddi, anche con quelli civilizzati come il clan di cui ti sto parlando. C'è il rischio che siano troppo affamati per resistere». Sottolineò le sue parole con una sfumatura volutamente minacciosa.

«Cosa intendi per "civilizzati"?».

«A quanto pare, non predavano esseri umani. Le loro prede erano soltanto animali».

Cercai di nascondere il turbamento. «Ma con tutto questo, cosa c'entrano i Cullen? Sono come i freddi che conosceva tuo bisnonno?».

«No». Fece una pausa enfatica. «Sono *loro*, quei freddi».

Probabilmente pensò che l'espressione di paura sul mio viso avesse a che fare soltanto con il racconto. Sorrise soddisfatto e proseguì.

«Se ne sono aggiunti altri, una femmina e un maschio nuovi, ma gli altri sono sempre gli stessi. Ai tempi del mio bisnonno, il loro capo, Carlisle, era già noto. Era giunto da queste parti e se ne era riandato ancora prima che arrivasse la *vostra* gente». Si sforzò di non sorridere.

«E cosa sono?», riuscii infine a chiedere. «*Cosa sono* i freddi?».

Sorrise beffardo.

«Bevitori di sangue», rispose, con una voce che metteva i brividi. «La tua gente li chiama "vampiri"».

Dopo quella frase rivolsi lo sguardo alla schiuma grezza delle onde, incapace di controllare la mia espressione.

«Hai la pelle d'oca», disse lui, ridacchiando.

«Sei bravo a raccontare storie». Non staccavo gli occhi dal mare.

«Storie da pazzi, eh? C'è poco da meravigliarsi se mio padre non vuole che le raccontiamo a nessuno».

Non ero ancora tanto padrona del mio volto da poterlo guardare in faccia. «Non preoccuparti, non svelerò nulla».

«Credo di avere appena violato il trattato», disse, ridendo.

«Me lo porterò nella tomba, lo prometto». Rabbrividii.

«A parte gli scherzi, non farne parola con Charlie. Ha fatto una scenata a mio padre, quando ha saputo che alcuni dei nostri si rifiutano di andare all'ospedale di Forks, da quando ci lavora il dottor Cullen».

«Tranquillo, non lo farò».

«E allora, pensi che siamo un mucchio di indiani superstiziosi o cosa?», chiese, scherzoso, ma anche vagamente preoccupato. Non avevo ancora distolto lo sguardo dall'oceano.

Mi voltai e cercai di rivolgergli il più normale dei sorrisi.

«No, penso che tu sia molto bravo a raccontare. Ho ancora la pelle d'oca, vedi?». Alzai un braccio.

«Fico». Sorrise.

A quel punto il rumore dei sassi sulla spiaggia ci avvertì che qualcuno si stava avvicinando. Alzammo la testa in contemporanea e notammo Mike e Jessica a una quarantina di metri che venivano verso di noi.

«Ah, sei lì, Bella», gridò Mike sollevato, facendo un gesto con la mano.

«È il tuo ragazzo?», chiese Jacob, allarmato dal tono di gelosia nella voce di Mike. Ero stupita che apparisse così ovvio.

«No, niente affatto», sussurrai. Ero profondamente grata a Jacob e impaziente di ricompensarlo. Gli feci l'occhiolino, attenta a non farmi notare da Mike. Lui sorrise, lusingato dal mio goffo corteggiamento.

«Perciò, appena prendo la patente...», disse.

«Potrai venire a trovarmi a Forks. Una volta o l'altra potremmo uscire». Mi sentivo in colpa, sapevo di averlo usato. Ma Jacob mi piaceva davvero. Saremmo potuti diventare amici senza difficoltà.

A quel punto Mike ci aveva raggiunti, Jessica lo seguiva a qualche passo di distanza. Lo vidi squadrare Jacob, e pareva soddisfatto di trovarsi di fronte a un ragazzino.

«Dove siete stati?», chiese, malgrado la risposta fosse sotto il suo naso.

«Jacob mi stava raccontando un po' di storie di folklore locale», mi giustificai spontaneamente. «Molto interessanti».

Feci un gran sorriso a Jacob, che ricambiò.

«Be'...», Mike tacque per un istante, valutando la situazione e la nostra complicità. «Ci stiamo preparando per andarcene, sembra che stia per piovere».

Alzammo gli occhi al cielo, sempre più cupo. Sì, era senz'altro pioggia.

«D'accordo». Scattai in piedi. «Arrivo».

«Piacere di averti *rivista*», disse Jacob, certo per stuzzicare un po' Mike.

«Piacere mio. La prossima volta che Charlie viene a trovare Billy lo accompagno», promisi.

Il suo volto si illuminò di un gran sorriso. «Sarebbe fico».

«E grazie», aggiunsi sinceramente.

Salii sul sentiero di rocce che portava al parcheggio con il cappuccio alzato. Tra i sassi comparivano le macchie scure delle prime gocce di pioggia. Quando io, Mike e Jess raggiungemmo il Suburban, gli altri stavano già caricando i bagagli. Mi infilai accanto ad Angela e Tyler, sul sedile posteriore, dichiarando che avevo già goduto del mio turno su quello del passeggero. Angela osservava l'imminente temporale fuori dal finestrino, e Lauren si divincolava, nel posto centrale, cercando di attirare l'attenzione di Tyler: perciò potei liberamente appoggiare la testa allo schienale, chiudere gli occhi e provare con tutte le mie forze a non pensare.

7

Incubo

A Charlie raccontai che dovevo fare un sacco di compiti e che non avevo fame. Era molto agitato per un'imminente partita di basket, di cui io non riuscivo a cogliere il fascino, perciò non captò nulla di strano nella mia voce o sul mio volto.

Salii in camera e chiusi la porta a chiave. Frugai tra il disordine della scrivania in cerca delle mie vecchie cuffie, che collegai al lettore CD. Scelsi un disco che Phil mi aveva regalato per Natale. Era uno dei suoi gruppi preferiti, ma c'erano troppi bassi e strilli, per i miei gusti. Lo inserii nell'apparecchio e mi lasciai cadere sul letto. Indossai le cuffie, schiacciai «play» e alzai il volume a livello spaccatimpani. Chiusi le palpebre, ma c'era ancora troppa luce: mi coprii gli occhi con un cuscino.

Mi concentrai al massimo sulla musica, cercando di capire i testi e di seguire le figure complicate della batteria. Al terzo ascolto avevo memorizzato le parole dei ritornelli. Con mia grande sorpresa scoprii che, superato il primo impatto con il rumore assordante, il gruppo mi piaceva molto. Dovevo ringraziare meglio Phil.

E funzionava. I ritmi schiacciasassi mi impedivano di pensare, esattamente come desideravo. Ascoltai il CD senza sosta, fino a cantarlo pezzo per pezzo, poi mi addormentai.

Aprii gli occhi in un luogo familiare. Un cantuccio della mia coscienza mi diceva che stavo sognando, ma a me sembrava di essere di nuovo in mezzo alla luce verde della foresta. Sentivo lo sciabordio delle onde sulla costa rocciosa. E sapevo che se fossi riuscita a trovare l'oceano, avrei rivisto il sole. Cercavo di seguire il suono dei cavalloni, ma a un tratto spuntò Jacob Black, che mi prese per mano e mi trascinò nell'angolo più buio della foresta.

«Jacob, c'è qualcosa che non va?», chiesi. Sembrava impaurito, e mi tirava verso di sé con tutte le sue forze; io non volevo entrare nell'oscurità.

«Corri, Bella, devi correre!», sussurrò, spaventatissimo.

«Da questa parte, Bella!», riconobbi la voce di Mike che mi chiamava dal cuore cupo della vegetazione, ma non riuscivo a vederlo.

«Perché?», chiesi, cercando di divincolarmi dalla presa di Jacob, smaniosa di trovare il sole.

Ma Jacob mi lasciò andare, improvvisamente iniziò a tremare e strillare, e infine si accasciò sul terreno scuro della foresta. Lo guardavo terrorizzata, era in preda agli spasimi.

«Jacob!», urlai. Ma non c'era più. Al suo posto era comparso un grosso lupo rossiccio con gli occhi neri. Il lupo si voltò verso la spiaggia, con il pelo ritto sulla schiena, e un ringhio cupo risuonava tra le sue fauci.

«Bella, corri!», gridò Mike alle mie spalle. Ma decisi di non correre. Osservavo una luce che dalla spiaggia veniva verso di me.

E poi, dalla vegetazione apparve Edward. La sua pelle irradiava una luce fioca, i suoi occhi erano neri e minacciosi. Con la mano sospesa mi invitava ad avvicinarmi. Il lupo ai miei piedi ringhiò.

Feci un passo avanti, verso Edward. Mi sorrise, i canini erano lunghi e affilati.

«Fidati di me», disse, con voce vellutata.

Feci un altro passo.

Il lupo si lanciò nello spazio tra me e il vampiro, puntando le fauci verso la giugulare di Edward.

«No!», urlai, alzandomi di scatto sul letto.

Avevo ancora le cuffie in testa e con uno strattone avevo scaraventato il lettore CD dal comodino sul pavimento.

La luce era ancora accesa, e io ero seduta sul letto, vestita, con tanto di scarpe ai piedi. Diedi un'occhiata disorientata all'orologio sulla cassettiera. Erano le cinque e mezzo del mattino.

Sbadigliai, mi stesi a pancia in giù e calciai via gli stivali. Ma stavo troppo scomoda per tentare di dormire. Rotolai a pancia in su e mi sbottonai i jeans, tentando goffamente di toglierli restando sdraiata. La treccia in cui avevo raccolto i capelli mi infastidiva, la sentivo premere come uno spuntone sulla nuca. Mi voltai su un fianco e strappai via l'elastico, districando i capelli ciocca per ciocca con le dita. Mi ricacciai il cuscino sulla faccia.

Ovviamente, non servì a nulla. Il mio subconscio riportava a galla le immagini che avevo disperatamente cercato di scacciare. Mi sarebbe toccato affrontarle di petto, ora.

Mi sedetti, e per un minuto, mentre il sangue rifluiva, mi girò la testa. Una cosa alla volta, pensai tra me e me, decisa a rimandare il più possibile. Afferrai il beauty case.

Purtroppo la doccia non durò quanto avevo sperato. Mi presi anche del tempo per asciugare bene i capelli, ma esaurii in un baleno le cose da fare in bagno. Avvolta nell'asciugamano, tornai in camera. Non capivo se Charlie fosse ancora addormentato o se fosse già uscito. Guardai fuori dalla finestra, e l'auto della polizia non c'era. Era di nuovo andato a pesca.

Mi vestii lentamente, indossai i miei pantaloni della tuta preferiti e rifeci il letto, abitudine che non avevo mai avuto. Non avevo altra maniera di ritardare. Mi accomodai alla scrivania e accesi il mio vecchio computer.

Odiavo usare Internet lì. Il modem era tristemente sorpassato, il mio abbonamento gratuito scadente: solo per connettermi mi ci volle così tanto che feci in tempo a scendere in cucina e prepararmi una tazza di cereali.

Mangiai piano, masticando con cura ogni boccone. Finito lo spuntino, lavai la tazza e il cucchiaio, li asciugai e li riposi al loro posto. Salii le scale con passo pesante. Prima di tutto sistemai il lettore CD, lo sollevai da terra e lo piazzai esattamente al centro del tavolo. Staccai le cuffie, che tornarono nel cassetto della scrivania. Poi feci partire il solito disco, abbassando il volume finché non diventò un semplice rumore di fondo.

Un altro sospiro, e tornai al computer. Ovviamente, lo schermo era pieno di pop up pubblicitari. Seduta sulla poltroncina rigida, chiusi tutte le finestre. Alla fine riuscii a raggiungere il mio motore di ricerca preferito. Chiusi un altro paio di pop up e digitai una sola parola.

Vampiro.

Al solito, l'attesa fu snervante. La lista di risultati, quando apparve, era ricchissima – dai film agli spettacoli televisivi, fino ai giochi di ruolo, gruppi metal sconosciuti e cosmetici per un trucco dark.

Trovai però un sito promettente: *Vampiri A-Z*. Aspettai con impazienza che le pagine si caricassero, chiudendo alla svelta tutte le finestre di pubblicità che apparivano. Infine, ecco la schermata completa: un semplice sfondo bianco con caratteri neri, molto accademico. Ad accogliermi sulla home page c'erano due citazioni:

In tutto il vasto e nebuloso mondo dei fantasmi e dei demoni non esiste figura più terribile, più temuta, detestata e allo stesso tempo piena di terrificante fascino del vampiro, che non è né fantasma né demone, ma partecipa dell'oscura natura e possiede le misteriose e terribili qualità di entrambi.

Rev. Montague Summers

Se mai è esistita al mondo una storia sicura e provata, è quella dei vampiri. Non manca nulla: rapporti ufficiali, testimonianze di persone di rango, medici, sacerdoti, giudici; insomma, esistono prove inconfutabili di tutti i generi. Ma detto questo, chi crede davvero nei vampiri?

Rousseau

Il resto del sito era un elenco, in ordine alfabetico, di notizie sui vampiri ricavate dalle tradizioni di tutto il mondo. Il primo link che cliccai parlava del *Danag*, un vampiro filippino, indicato come il responsabile dell'introduzione del taro sulle isole. Secondo il mito, il *Danag* lavorò per molti anni a fianco dell'uomo, ma la collaborazione cessò quando un giorno una donna si tagliò un dito e il *Danag*, succhiandoglielo, gradì il sapore del sangue talmente tanto da prosciugarla.

Studiai con cura ogni descrizione, in cerca di elementi familiari, per non dire plausibili. Sembrava che la maggior parte delle storie di vampiri riguardassero bellissime donne nella parte di demoni e bambini nei panni delle vittime: a pensarci bene, sembravano proprio teorie costruite ad arte per spiegare l'alta mortalità infantile e trovare una scusa all'infedeltà dei mariti. Molti racconti parlavano di spiriti incorporei e raccomandazioni contro le sepolture improprie. Avevano poco a che fare con i film che conoscevo, e solo pochissimi vampiri, come l'*Estrie* ebreo o l'*Upier* polacco, erano assetati di sangue umano.

Soltanto tre voci catturarono la mia attenzione: i *Varacolaci* rumeni, potenti esseri non-morti che potevano prendere le sembianze di esseri umani bellissimi dalla pelle diafana; i *Nelapsi* slovacchi, creature tanto forti e veloci da riuscire a massacrare un intero villaggio nella prima ora dopo mezzanotte; e gli *Stregoni benefici*.

La definizione relativa a questi ultimi era molto breve.

> *Stregoni benefici: vampiri italiani, che secondo la tradizione stanno dalla parte del bene e sono nemici mortali dei vampiri malvagi.*

Fu un sollievo scoprire che una breve voce dell'elenco, unica tra centinaia, accennasse all'esistenza di vampiri buoni.

Nel complesso, però, c'erano poche coincidenze con i racconti di Jacob o con le mie osservazioni. Avevo confrontato scrupolosamente con ogni mito un piccolo catalogo di elementi salienti. Velocità, forza, bellezza, colorito pallido, occhi cangianti, e poi le caratteristiche elencate da Jacob: bevitori di sangue, nemici dei licantropi, freddi e immortali. C'erano poche descrizioni che coincidessero con più di una sola caratteristica.

E c'era un altro problema, una costante dei pochi film dell'orrore che avevo visto, confermata da quelle letture: i vampiri non potevano esporsi alla luce del giorno, il sole li avrebbe inceneriti. Dormivano nelle loro bare e uscivano soltanto di notte.

Esasperata, spensi il computer direttamente dall'interruttore, senza aspettare di chiudere correttamente la sessione. Oltre che irritata, mi sentivo imbarazzata per me stessa. Che cosa stupida. Ero seduta in camera mia a fare una ricerca sui vampiri. Cosa c'era che non andava in me? Decisi che il problema stava soprattutto nella cittadina di Forks, nell'intera maledetta Penisola Olimpica, a ben vedere.

Dovevo uscire di casa, ma tutte le mete che desideravo raggiungere distavano almeno tre giorni di viaggio. Infilai comunque gli stivali, senza una destinazione chiara in testa, e scesi al piano di sotto. Mi strinsi nell'impermeabile senza nemmeno controllare che tempo facesse e uscii a grandi passi.

Il cielo era coperto, ma ancora non pioveva. Ignorai il pick-up e proseguii a piedi verso est, oltre il giardino di Charlie, diretta alla foresta sempre rigogliosa. Non mi ci volle molto per smarrire la visuale della casa e della strada e sentire soltanto il rumore della terra viscida sotto le suole e gli schiamazzi improvvisi delle ghiandaie.

All'interno della foresta c'era uno stretto lembo di terra che faceva da sentiero, senza il quale non avrei rischiato di avventurarmi così lontano. Il mio senso dell'orientamento era inesistente: in un luogo meno accogliente mi sarei persa di sicuro. La stradina si insinuava nel profondo della vegetazione, perlopiù verso est, mi pareva. Serpeggiava attorno agli abeti sitka e a quelli canadesi, ai tassi e agli aceri. Conoscevo soltanto vagamente i nomi degli alberi che mi circondavano, e tutto ciò che sapevo lo dovevo a Charlie, che me li indicava sempre durante le nostre gite, quando ero più piccola. Ce n'erano molti che non riconoscevo, e altri di cui non ero sicura, perché erano coperti da erbacce verdi.

Continuai a camminare finché la rabbia che provavo per me stessa mi diede energia. Quando iniziò a passare, rallentai. Dalla cappa protettiva del bosco filtrava qualche goccia, ma non capivo se fosse pioggia o acqua rimasta sospesa tra le foglie dal giorno prima che ritornava alla terra gocciolando piano. Un albero caduto di recente – lo capii perché non era ancora ricoperto di muschio – era appoggiato addosso al tronco di uno dei suoi fratelli e creava una piccola panchina naturale, un riparo a pochi passi dal sentiero. Attraversai i cespugli e mi sedetti con cautela, tirandomi la giacca a vento in modo che proteggesse dal fondo umido i miei vestiti, quindi appoggiai la schiena e la testa coperta dal cappuccio contro l'albero vivo.

Avevo scelto il posto sbagliato. Avrei dovuto saperlo, ma dove altro potevo andare? La foresta era verdeggiante, troppo simile all'ambientazione del sogno della notte precedente per concedermi un po' di pace. Ora che non si sentiva più il rumore dei miei passi nel fango, il silenzio era straziante. Anche gli uccelli tacevano, e la frequenza delle gocce aumentava, probabilmente aveva iniziato a piovere sul serio. Da seduta, le felci erano più alte di me, se qualcuno fosse passato lì davanti dal sentiero non mi avrebbe visto.

In mezzo agli alberi era molto più facile credere alle assurdità che in camera mia mi avevano fatta vergognare. La foresta era la stessa da migliaia di anni, e i miti e le leggende di centinaia di luoghi diversi sembravano molto più plausibili dentro quell'ombra verde che tra le quattro pareti della mia stanza.

Mi sforzai di pensare alle due domande fondamentali a cui dovevo dare risposta, senza averne voglia.

Per prima cosa, dovevo decidere se ciò che Jacob aveva detto a proposito dei Cullen fosse vero.

La risposta immediata della mia mente fu negativa, senza riserve. Credere a certe sciocchezze era un atteggiamento stupido e morboso. Ma allora? Il fatto che fossi sopravvissuta all'incidente non aveva una spiegazione razionale. Pensai di nuovo alla lista di particolari che mi ero annotata: la velocità e la forza impossibili, il colore degli occhi – prima nero, poi dorato, poi di nuovo nero –, la bellezza disumana, la pelle pallida e gelata. E poi altri particolari che si svelavano poco a poco: non li si vedeva mai mangiare, si muovevano con grazia inquietante. E la maniera in cui *lui* ogni tanto parlava, con frasi e cadenze che si addicevano più a un romanzo di fine Ottocento che a una classe del ventunesimo secolo. Aveva saltato la lezione il giorno in cui si parlava dei gruppi sanguigni. Non aveva rifiutato l'invito alla gita finché non aveva scoperto quale fosse la nostra meta. Sembrava conoscere i pensieri di chiunque gli stesse accanto... esclusa me. Si era definito cattivo, pericoloso...

I Cullen erano vampiri?

Be', senz'altro erano *qualcosa*. Qualcosa di impossibile da definire razionalmente si stava chiarendo sotto il mio sguardo incredulo. Che fossero i *freddi* di cui parlava Jacob o i supereroi della mia teoria personale, Edward Cullen non era... umano. Era qualcosa di più.

Perciò la risposta alla mia domanda, per il momento, era: forse.

Infine, il quesito più importante di tutti. Come mi sarei comportata, se quella fosse stata la verità?

Se Edward era un vampiro – facevo fatica anche solo a pensarlo –, cosa avrei dovuto fare io? Coinvolgere qualcun altro era assolutamente fuori discussione. Credevo a malapena a me stessa; per parlarne con qualcuno sarei stata costretta a prendere una posizione chiara.

Le opzioni praticabili erano soltanto due. La prima: seguire il suo consiglio, fare la brava ed evitarlo il più possibile. Cancellare i nostri progetti, tornare a ignorarlo, per quanto mi riusciva. Fingere che ci fosse un vetro spesso e impenetrabile a separarci, durante l'unica lezione che eravamo costretti a seguire assieme. Dirgli di lasciarmi stare, e seriamente stavolta.

Considerare tale possibilità significava lasciarmi stringere dalla morsa dell'agonia e della disperazione. Il mio cervello rifiutò tutto quel dolore e passò svelto alla seconda opzione.

Non avevo scelta. Dopotutto, seppure lui fosse stato qualcosa di... sinistro, non mi aveva mai fatto del male. Anzi, mi sarei trasformata in un'ammaccatura sul paraurti di Tyler, se non fosse intervenuto così prontamente. Tanto prontamente da far pensare a un riflesso involontario. Ma se per lui salvare una vita era una reazione spontanea, quanto era cattivo in fin dei conti? La mia testa girava lungo orbite di incertezza.

Di una cosa, tra tutte, ero sicura: l'Edward oscuro del sogno era un riflesso della mia paura per ciò che aveva detto Jacob, non di Edward stesso. E malgrado questo, il mio urlo di terrore all'attacco del licantropo non era per paura del lupo. Temevo che l'animale potesse fare del male a *lui*: nonostante mi chiamasse a sé con quei denti affilati, io temevo per *lui*.

E sapevo che la risposta era in quel particolare. Forse non potevo neanche permettermi di scegliere. Ci ero già troppo dentro. Ora che sapevo – *se* sapevo – del mio segreto pauroso non potevo fare niente. Perché quando pensavo a Edward, alla sua voce, al suo sguardo ipnotico, al magnetismo della sua personalità, non desideravo altro che trovarmi accanto a lui. Anche se... ma non riuscivo a pensarci. Non lì, sola nella foresta che si faceva sempre più scura. Non mentre la pioggia sotto la volta degli alberi ne confondeva i contorni nella penombra e percuoteva il terreno con un rumore che pareva di passi umani. Sentii un brivido, e mi alzai di scatto dal nascondiglio, preoccupata che l'acqua potesse cancellare il sentiero.

Per fortuna la strada era ancora lì, sicura, visibile, e le sue curve portavano fuori da quella massa verde gocciolante. La seguii in fretta, con il cappuccio ben calcato in testa, sorpresa, mentre correvo tra gli alberi, di essermi allontanata tanto. Mi venne il dubbio che, anziché uscirne, stessi seguendo il sentiero verso il confine più lontano. Fortunatamente, prima che mi prendesse il panico, vidi i contorni di una radura, al di là dei rami. Poi sentii il rumore di un'auto, ed eccomi libera, il vialetto di Charlie era di fronte a me e la casa mi invitava a tornare, con una promessa di calore e calze asciutte.

Era appena passato mezzogiorno. Salii al primo piano e mi cambiai i vestiti; per stare in casa mi bastavano un paio di jeans e una maglietta. Non mi ci volle molto per concentrarmi sul mio compito giornaliero e iniziare un saggio sul *Macbeth* da consegnare entro il mercoledì successivo. Ne abbozzai una traccia soddisfacente, e mi sentivo serena come non accadeva da... be', dal pomeriggio del giovedì precedente, a dirla tutta.

Ma per me era sempre stato così. Decidere era la parte peggiore, quella che mi faceva soffrire di più. Presa la decisione, mi bastava seguirla, rasserenata dalla certezza di aver fatto una scelta. Talvolta il sollievo era offuscato dallo sconforto, come quando avevo deciso di trasferirmi a Forks. Ma era sempre meglio che dibattersi tra le possibilità.

Convivere con quella mia ultima decisione era facile. Pericolosamente facile.

Così passò il pomeriggio, tranquillo e proficuo. Terminai il saggio prima delle otto. Charlie tornò a casa con parecchie prede, il che mi suggerì di ricordarmi di cercare un libro di ricette a base di pesce, durante il giro di compere a Seattle. I brividi che mi corsero lungo la schiena quando pensai alla gita non furono molto diversi da quelli che provavo prima, quando ancora non avevo parlato con Jacob Black. Avrebbero dovuto cambiare natura. In teoria avrei dovuto essere terrorizzata, sapevo di doverlo essere, ma non nasceva in me *quella* paura.

Quella notte dormii senza sognare, esausta per l'alzataccia mattutina e per il pessimo sonno della notte precedente. Per la seconda volta da quando ero a Forks, al mio risveglio fui colpita dalla luce abbagliante e gialla di un raggio di sole. Scattai a guardare fuori e restai attonita a vedere come in cielo non ci fosse neanche una nuvola, a parte qualche piccolo e soffice batuffolo che di certo non portava pioggia. Aprii la finestra – sorpresa che non fosse incollata, dopo chissà quanti anni che era rimasta chiusa – e respirai l'aria relativamente pulita. Faceva quasi caldo, e il vento si era calmato. Sentivo l'elettricità nelle vene.

Quando scesi in cucina Charlie stava finendo di fare colazione e si accorse immediatamente del mio umore.

«Bella giornata, eh?».

«Sì», risposi, con un sorriso.

Lui ricambiò, con lo sguardo luminoso, qualche ruga d'espressione agli angoli degli occhi marroni. Quando Charlie sorrideva era facile intuire perché lui e mia madre si fossero lanciati con troppa foga in un matrimonio precoce. Il giovane romantico che era stato in quei giorni era in gran parte svanito prima che iniziassi a conoscerlo, come i capelli castani – lo stesso castano dei miei, ma con una consistenza diversa – si erano fatti più radi e scoprivano una porzione sempre più ampia di cute chiara, sopra la fronte. Ma quando sorrideva riuscivo a vedere un po' dell'uomo con cui Renée era scappata a neanche vent'anni.

Feci colazione di buonumore, con gli occhi fissi al pulviscolo che fluttuava nell'aria, illuminato dal sole che filtrava dalla finestra sul retro. Sentii Charlie salutarmi e la volante della polizia allontanarsi. Mi trattenni per qualche istante sulla porta, con la giacca a vento tra le mani. Lasciarla a casa era come sfidare il destino. Sospirando, la presi sottobraccio e misi piede fuori, entrando in una luce brillante come non ne vedevo da mesi.

Con una buona dose di olio di gomito fui in grado di abbassare quasi completamente i finestrini del pick-up. Fui una delle prime ad arrivare a scuola: avevo avuto talmente tanta fretta di uscire, da essermi dimenticata di guardare l'orologio. Parcheggiai e mi diressi verso le panchine all'aperto, quasi mai utilizzate, sul lato sud della mensa. Erano ancora umide, perciò mi sedetti sulla giacca, felice di poterla utilizzare in quel modo. Avevo fatto i compiti – il risultato di una vita sociale che non ingranava – ma c'erano ancora alcuni problemi di trigonometria di cui non ero sicura. Libro alla mano, mi ci applicai solerte, ma a metà della revisione del primo esercizio mi ritrovai a sognare a occhi aperti, ammirando i giochi di luce del sole sulla corteccia rossa degli alberi. Scarabocchiavo distratta sui margini del quaderno. Dopo qualche minuto, mi accorsi che sulla pagina avevo disegnato cinque paia di occhi scuri che mi fissavano. Le cancellai con il bianchetto.

«Bella!», udii. Sembrava la voce di Mike. Mi guardai intorno e mi resi conto che la scuola intanto si era popolata, mentre io me ne ero rimasta lì, assente. Erano tutti in maglietta, alcuni addirittura in calzoni corti, malgrado la temperatura non superasse i quindici gradi. Mike avanzava verso di me, con un paio di bermuda cachi e una felpa da rugby a strisce, e mi salutava con la mano.

«Ehi, Mike», risposi, agitando la mano al suo saluto: non potevo essere di malumore in una mattina così.

Si sedette al mio fianco, il riflesso dorato delle punte ben curate dei suoi capelli splendeva al sole. Era talmente felice di vedermi che non potei non sentirmi gratificata.

«Non mi sono mai accorto… hai una sfumatura di rosso nei capelli», commentò, prendendo tra le dita una ciocca che svolazzava mossa dalla brezza leggera.

«Solo quando c'è il sole».

Mi sentii un po' a disagio quando mi sistemò la ciocca dietro l'orecchio.

«Gran giornata, eh?».

«La mia giornata ideale», risposi.

«Cos'hai fatto ieri?». Il suo tono di voce era un po' troppo possessivo.

«Più che altro ho lavorato al saggio». Non aggiunsi che l'avevo anche finito, non volevo mettermi troppo in mostra.

Lui si diede un colpetto sulla fronte con il palmo della mano. «Oh, già… la consegna è giovedì, vero?».

«Ehm, mercoledì, mi sembra».

«Mercoledì?». Si fece più serio. «Cattiva notizia… Tu di cosa parli?».

«Se si possa considerare misogino il trattamento shakespeariano dei personaggi femminili».

Mi guardava come se gli avessi appena parlato in lingua farfallina.

«Mi toccherà lavorarci stasera», disse demoralizzato. «Stavo per chiederti se ti andava di uscire».

«Ah». Mi aveva preso in contropiede. Perché non potevo lasciarmi andare a una conversazione piacevole con Mike senza dover provare imbarazzo?

«Be', potremmo uscire a cena o qualcosa del genere… e il saggio lo preparo dopo». Mi sorrise, speranzoso.

«Mike…». Odiavo essere messa alla corda in quel modo. «Non credo che sarebbe un'idea grandiosa».

Rimase a bocca aperta. «Perché?», chiese, guardingo. Pensai immediatamente a Edward, e forse Mike stava facendo altrettanto.

«Se osi ripetere quel che ti sto dicendo ti ammazzo, ma penso… penso che feriresti i sentimenti di Jessica».

Restò di sasso, ovviamente era l'ultima cosa a cui pensava. «Jessica?».

«Mike, stai scherzando o sei *cieco*?».

«Ah», esclamò, chiaramente sbigottito. Colsi l'occasione per sgattaiolare via.

«Iniziano le lezioni, e non posso arrivare ancora in ritardo». Raccolsi i libri e li infilai nello zaino.

Ci dirigemmo in silenzio verso l'edificio 3, Mike sembrava fra le nuvole. Di qualunque genere fossero i suoi pensieri, speravo facesse la scelta giusta.

Quando vidi Jessica, a trigonometria, non stava più nella pelle. Lei, Angela e Lauren avevano organizzato un'uscita a Port Angeles, nel tardo pomeriggio, per comprare qualche vestito per il ballo, e voleva che le seguissi, anche se a me non serviva niente. Ero indecisa. Mi avrebbe fatto piacere andare fuori città con qualche amica, ma il problema era Lauren. E chissà cos'avrei fatto quella sera... Ma non era in quella direzione che volevo lasciar correre i miei pensieri. Certo, c'era il sole che mi rendeva felice. Ma non era l'unico responsabile del mio umore euforico, proprio no.

Perciò la lasciai in forse, dicendole che prima ne avrei parlato con Charlie.

Fra trigonometria e spagnolo non fece altro che chiacchierare del ballo, e continuò senza tregua finché la lezione non terminò, cinque minuti in ritardo rispetto al solito, e venne l'ora di pranzare. Ero troppo presa dalla mia frenesia e impazienza per prestarle attenzione. L'oggetto della mia ansia pressante non era solo lui ma tutti i Cullen: vagliavo su di loro i sospetti che mi assillavano. Attraversata la soglia della mensa, sentii il primo vero fremito di paura scendermi lungo la schiena e installarsi nello stomaco. Erano capaci di leggermi nel pensiero? E poi fui scossa da un timore di altro genere: Edward mi avrebbe di nuovo invitata a sedermi accanto a lui?

Come era ormai mia abitudine, lanciai una prima occhiata verso il tavolo dei Cullen. Il panico mi riempì la pancia quando vidi che era vuoto. Con poca convinzione, passai al setaccio il resto della mensa, sperando di trovare lui, da solo, ad aspettarmi. La sala era quasi piena – eravamo in ritardo – ma non c'era segno di Edward né dei suoi fratelli. La desolazione si abbatté su di me e mi paralizzò.

Mi trascinai alle spalle di Jessica, senza più preoccuparmi di fingere che stavo a sentirla.

Gli altri erano già tutti seduti al nostro tavolo. Evitai il posto vuoto accanto a Mike, e mi sistemai vicino ad Angela. Con la coda dell'occhio mi accorsi che Mike aveva fatto accomodare Jessica con molta gentilezza e che il viso di lei si era illuminato.

Angela mi rivolse un paio di domande sul saggio shakespeariano, a cui cercai di rispondere con naturalezza mentre mi sentivo sprofondare nello sconforto. Anche lei mi invitò a partecipare all'uscita, e a quel punto accettai, dato che ormai ero alla disperata ricerca di una distrazione.

L'ultimo filo di speranza a cui mi aggrappavo svanì con l'inizio della lezione di biologia, quando vidi il suo posto vuoto e provai una nuova ondata di delusione.

Il resto della giornata trascorse lento e triste. Dedicammo l'intera lezione di ginnastica alle regole del badminton, per me l'ennesima tortura di una serie infinita. Se non altro, per una volta potei restare seduta ad ascoltare, senza inciampare qua e là sul campo da gioco. Per giunta il professore non riuscì a finire la spiegazione, il che mi concedeva un giorno di tregua in più. Poco importava che nel giro di due lezioni mi avrebbero armata di racchetta e scatenato contro il resto della classe.

Ero felice di tornare a casa, dove sarei stata libera di essere imbronciata e lagnosa, prima di uscire con Jessica e compagnia bella. Appena fui arrivata da Charlie, però, Jess mi telefonò per annullare tutti i piani. Cercai di reagire con entusiasmo alla notizia che Mike l'aveva invitata a cena fuori – era davvero un sollievo che finalmente lui iniziasse a capirci qualcosa – ma suonai falsa anche a me stessa. Lo shopping era rimandato di un giorno.

E questo mi lasciava ben poche occasioni di distrarmi. Avevo fatto marinare il pesce per la cena, e c'erano un po' di insalata e di pane avanzati dalla sera prima, perciò non avevo niente da fare. Passai una mezz'ora ben concentrata sui compiti, ma finii anche quelli. Scaricai la posta, rilessi tutti i messaggi di mia madre in ordine cronologico: più erano recenti e più mi irritavano. Feci un sospiro e iniziai a battere una breve risposta.

Mamma,
scusa, ma sono stata fuori. Sono andata in gita alla spiaggia con gli amici. E dovevo scrivere un saggio.

Come scuse suonavano piuttosto patetiche, perciò lasciai perdere.

Oggi c'è il sole – lo so, è scioccante anche per me – perciò sto uscendo, vado a fare un giro fuori, ad assorbire tutta la vitamina D *che posso. Ti voglio bene.*
Bella.

Scelsi di far passare un'altra ora leggendo qualcosa che non avesse a che fare con la scuola. A Forks avevo portato con me una piccola collezione di libri, tra i quali il più malconcio era una raccolta delle opere di Jane Austen. Scelsi quello e decisi di andare a leggerlo nel cortile sul retro. Mentre scendevo le scale pescai dalla cassettiera un vecchio tappeto logoro.

Fuori, nel piccolo giardino quadrato di Charlie, piegai il tappeto in due e lo stesi ben lontano dall'ombra degli alberi, sull'erba fitta e umida del prato che la luce calda del sole non riusciva ad asciugare. Mi sdraiai sulla pancia, con i piedi per aria, e feci scorrere i titoli dei romanzi contenuti nel volume, in cerca di quello che avrebbe impegnato più duramente la mia attenzione. I miei preferiti erano *Orgoglio e pregiudizio* e *Ragione e sentimento*. Il primo l'avevo letto da poco, perciò optai per il secondo, salvo ricordarmi, all'inizio del capitolo 3, che l'eroe della storia si chiamava Edward. Irritata, passai a *Mansfield Park*, ma il protagonista stavolta si chiamava Edmund: troppo simile. Nel diciottesimo secolo non c'erano altri nomi disponibili? Chiusi il libro di scatto, seccata, e mi voltai a pancia in su. Arrotolai le maniche fino alle spalle e chiusi gli occhi. Mi sforzai di non pensare ad altro che al calore che sentivo sulla pelle. La brezza era ancora leggera, ma mi solleticava alzandomi i capelli sul viso. Li raccolsi, schiacciandoli tra la testa e il tappeto, per concentrarmi sul calore che mi sfiorava gli occhi, le guance, le labbra, le braccia, il mento, e filtrava attraverso la mia camicia leggera...

E non mi accorsi più di nulla finché non sentii il rumore dell'auto di Charlie che avanzava sul selciato. Mi alzai, sorpresa, rendendomi conto che la luce era svanita dietro gli alberi: mi ero addormentata. Mi guardai attorno, intontita, con la sensazione di non essere sola.

«Charlie?», chiamai allora. Ma lo sentii sbattere la porta d'ingresso.

Mi alzai in un baleno, stupidamente nervosa, e raccolsi il tappeto ormai umido e il libro. Corsi in casa a mettere su il soffritto, consapevole che avremmo cenato in ritardo. Charlie aveva appeso la fondina e si stava togliendo gli stivali.

«Scusa, papà, non ho ancora iniziato a cucinare... Mi sono addormentata in giardino». Mi lasciai scappare uno sbadiglio.

«Non preoccuparti», rispose lui. «Volevo dare un'occhiata alla partita in TV».

Dopo cena guardai la televisione assieme a Charlie, tanto per fare qualcosa. Non c'era niente che mi interessasse, ma lui sapeva che non sopportavo il baseball, perciò deviò su una stupida sit-com che non piaceva a nessuno dei due. Tuttavia, sembrava contento che facessimo qualcosa assieme. E farlo felice, malgrado il mio abbattimento, mi faceva sentire meglio.

«Papà», dissi durante la pubblicità, «Jessica e Angela domani sera vanno a Port Angeles a caccia di vestiti per il ballo di sabato, e mi hanno chiesto di aiutarle a scegliere... È un problema se ci vado anch'io?».

«Jessica Stanley?», chiese.

«E Angela Weber». Sospirai, mentre fornivo i dettagli.

Non sapeva cosa rispondere. «Ma tu al ballo non ci vai, vero?».

«No, papà, aiuto *loro* a trovare i vestiti giusti: hai presente, serve una critica costruttiva». Solo gli uomini hanno bisogno di certe spiegazioni.

«Be', d'accordo». Sembrava aver capito che le faccende da ragazze non erano il suo territorio. «Dopodomani dovete andare a scuola, però».

«Usciamo subito dopo le lezioni, così torniamo presto. Per cena ti arrangi tu?».

«Bells, mi sono fatto da mangiare per diciassette anni, prima che tu arrivassi».

«Chissà come hai fatto a sopravvivere», borbottai, poi aggiunsi a voce più alta: «Ti lascio qualcosa nel frigo per prepararti dei sandwich, d'accordo? Lì in alto».

Il mattino dopo c'era ancora il sole. Mi risvegliai con rinnovate speranze, che cercai fieramente di mettere a tacere. Mi preparai alla temperatura più alta indossando una camicia blu con scollo a V, un indumento che a Phoenix sfoderavo in pieno inverno.

Avevo progettato di arrivare a scuola il più tardi possibile, in modo da non aver tempo da perdere prima dell'inizio delle lezioni. Con un vuoto nel cuore, girai per tutto il parcheggio cercando un posto libero, allo stesso tempo sperando di scorgere la Volvo argentata, che chiaramente non c'era. Parcheggiai in ultima fila e arrivai all'aula di inglese di corsa, senza fiato ma in orario, prima dello squillo della campanella.

Andò esattamente come il giorno prima: non riuscivo a impedire che qualche seme di speranza germogliasse nella mia mente, ma finii per calpestarlo con dolore, dopo una vana perlustrazione della sala mensa, quando mi sedetti, sola, al tavolo degli esperimenti di biologia.

L'uscita a Port Angeles era in programma per quella sera e mi entusiasmava molto di più perché Lauren aveva altri impegni. Non vedevo l'ora di uscire dalla città per non dovermi più guardare alle spalle nella speranza di vederlo spuntare dal nulla; come faceva sempre. Mi impegnai a restare di buonumore per tutta la sera e a non rovinare il gusto di Angela o Jessica per la caccia al vestito. Magari avrei comprato qualcosa anch'io. Mi rifiutavo di pensare che forse sarei andata a Seattle da sola, quel fine settimana. Il mio programma originale non mi attraeva più. Non avrebbe certo annullato l'appuntamento senza almeno avvertirmi.

Dopo le lezioni, Jessica mi seguì sulla sua vecchia Mercury bianca fino a casa, dove lasciai i libri e il pick-up. Mi pettinai alla svelta, animata da una leggera eccitazione all'idea di uscire fuori da Forks. Lasciai sul tavolo un biglietto per Charlie con le istruzioni per trovare la cena, cambiai il portafogli disastrato che stava nello zaino con una borsetta che usavo raramente, e corsi fuori da Jessica. Poi passammo a prendere Angela, che ci stava già aspettando. Quando uscimmo davvero dai confini di Forks la mia eccitazione schizzò alle stelle.

8

Port Angeles

Jess guidava più veloce dell'ispettore Swan, perciò raggiungemmo Port Angeles entro le quattro. Non passavo una giornata fuori con le amiche da un sacco di tempo, e quella sferzata di estrogeni mi rinvigoriva. Ascoltavamo canzoni rock piagnucolose, mentre Jessica si perdeva in chiacchiere a proposito dei ragazzi che frequentavamo. La cena con Mike era andata molto bene, e sperava di arrivare al primo bacio entro quel sabato sera. Sorrisi tra me e me, soddisfatta. Angela era passivamente felice di andare al ballo, ma Eric non le faceva né caldo né freddo. Jess cercò di costringerla a confessare chi mai fosse il suo tipo, ma dopo un po' interruppi quell'interrogatorio spostando il discorso sui vestiti, per risparmiarla. Angela mi lanciò un'occhiata piena di riconoscenza.

Port Angeles era una piccola, bellissima trappola per turisti, molto più caratteristica e raffinata di Forks. Ma Jessica e Angela la conoscevano bene, perciò non avevano in programma di sprecare tempo sul pittoresco molo al centro della baia. Jess fece rotta senza indugio verso l'unico grande magazzino della città, qualche isolato più all'interno rispetto alla facciata dedicata ai visitatori.

L'abbigliamento richiesto per il ballo era "semiformale", e non eravamo granché sicure di cosa volesse dire. Sia Jessica che Angela restarono sorprese, quasi incredule, quando confessai che a Phoenix non avevo mai partecipato a un ballo.

«Non ci sei mai andata con un ragazzo con cui stavi, o qualcosa del genere?», chiese Jess dubbiosa mentre entravamo nel grande magazzino.

«No, davvero». Volevo convincerla senza dover confessare i miei problemi con la danza. «Non ho mai avuto fidanzati, né niente di simile. Non uscivo granché».

«Perché no?», mi domandò.

«Nessuno mi invitava», fu la mia risposta, sincera.

Lei sembrava poco convinta. «Qui la gente ti invita fuori», mi fece notare, «e tu rifiuti». Eravamo arrivate nel reparto femminile, pronte a perlustrare gli scaffali in cerca di vestiti eleganti.

«Be', escluso Tyler», disse Angela a bassa voce.

«Scusa?». Deglutii. «Cos'hai detto?».

«Tyler ha detto a tutti che verrà con te al ballo di fine anno», m'informò Jessica, con uno sguardo sospettoso.

«Cos'ha detto?». Dalla voce che mi uscì sembrava che qualcuno mi stesse strangolando.

«Te l'ho detto che non era vero», mormorò Angela a Jessica.

Restai zitta, persa dentro una sorpresa che si stava rapidamente trasformando in irritazione. Ma ormai eravamo arrivate agli scaffali giusti, era ora di darsi da fare.

«Quello è il motivo per cui non piaci a Lauren», disse Jessica, ridendo, mentre frugavamo tra i vestiti.

Digrignai i denti. «Secondo voi, se lo investo con il pick-up la pianterà di sentirsi in colpa per l'incidente? Dite che smetterebbe di volersi riabilitare e finalmente si sentirebbe in pari?».

«Forse», disse Jess soffocando una risatina, «ammesso che il motivo sia davvero quello».

La gamma dei vestiti non era ampia, ma le mie amiche trovarono qualcosa da provare. Mi accomodai su una seggiola bassa proprio dentro il camerino, accanto agli specchi, cercando di controllare la mia stizza.

Jess era indecisa tra due vestiti, uno più tradizionale, lungo, nero e senza spalline, l'altro blu elettrico, appena sopra le ginocchia, con spalline sottili. Le consigliai quello blu: perché non dare una bella sferzata agli occhi? Angela scelse un abito rosa pallido, che scivolava sul suo fisico slanciato e donava al castano chiaro dei suoi capelli sfumature color miele. Mi sperticai in complimenti per entrambe e le aiutai a rimettere in ordine i capi scartati. La scelta dei vestiti era stata un'operazione molto più breve e semplice rispetto alle occasioni in cui avevo accompagnato Renée. Immaginavo che la scelta limitata avesse influito.

Passammo alle scarpe e agli accessori. Mentre loro due provavano accostamenti diversi, mi limitai a osservare e criticare: malgrado avessi bisogno di un paio di scarpe nuove, non ero dell'umore giusto per lo shopping. L'eccitazione della gita con le ragazze stava scemando, infiacchita dalla rabbia per Tyler, e cedeva il passo alla tristezza per l'imminente rientro.

«Angela?», cominciai, incerta, mentre lei stava provando un paio di scarpe rosa allacciate, vertiginose – era entusiasta di uscire con un ragazzo abbastanza alto da poter indossare i tacchi. Jessica si era allontanata verso il banco della bigiotteria, lasciandoci sole.

«Sì?». Allungò la gamba e girò la caviglia per osservare meglio la scarpa.

«Quelle mi piacciono». Rinunciai.

«Credo che le comprerò... Anche se non le abbinerò mai a nient'altro se non a questo vestito», commentò lei.

«Oh, non pensarci: sono in saldo». Sorrise al mio incoraggiamento e rimise a posto una scatola che conteneva un altro paio color avorio, dall'aria molto più pratica.

Ci riprovai: «Ehm, Angela...». Lei alzò gli occhi, incuriosita.

Parlai senza staccare gli occhi dalla sua scarpa: «È normale che i... Cullen siano assenti così a lungo?». Il mio tentativo di sembrare disinvolta fallì miseramente.

«Sì, quando c'è bel tempo partono sempre per lunghe escursioni. Anche il dottore. È gente che appena può se ne sta in mezzo alla natura», rispose lei, tranquilla. Evitò di fare anche una sola domanda, altro che le centinaia di quesiti che avrebbe posto Jessica. Angela iniziava a piacermi davvero.

«Ah». Lasciai cadere la discussione nel momento in cui Jess tornò a mostrarci i finti diamanti che avrebbe abbinato alle scarpe argentate.

Avevamo in programma di cenare in un piccolo ristorante italiano sul molo, ma lo shopping era durato meno del previsto. Jess e Angela decisero di lasciare i vestiti in macchina e di andare alla baia a piedi. Dissi loro che le avrei raggiunte nel giro di un'ora, volevo cercare una libreria. Mi avrebbero accompagnata volentieri, ma le incitai ad andare a divertirsi: non avevano idea di quanto i libri mi potessero ipnotizzare e preferivo andarci da sola. Si diressero verso l'auto chiacchierando allegramente, e io imboccai la strada che mi aveva indicato Jess.

Trovare la libreria non fu un problema, ma non era ciò che cercavo. Le finestre erano piene di cristalli, pendagli acchiappasogni e libri sulla guarigione dello spirito. Non osai nemmeno varcare la soglia. Dalla vetrina riuscii a scorgere una cinquantenne dai capelli grigi lunghi fino alla schiena, vestita con un abito uscito dagli anni Sessanta, che da dietro il bancone sorrideva e mi invitava a entrare. Non era il caso di farmi attaccare bottone. In città avrei trovato senz'altro una libreria normale.

Vagavo per le strade, già affollate dal traffico di fine giornata, e speravo di aver preso la direzione per il centro. Non stavo prestando grande attenzione alla mia meta: più che altro lottavo contro lo sconforto. Cercavo in tutti i modi di non pensare a lui, a ciò che aveva detto Angela… Soprattutto stavo cercando di ignorare le aspettative per il sabato successivo, temendo a morte di restare delusa, quando, a un certo punto, notai un certo modello di Volvo metallizzata parcheggiata lungo la strada, e l'argine che stavo costruendo mi crollò addosso. Quello stupido, inaffidabile vampiro.

A grandi passi, puntai verso sud, in direzione di una fila di vetrine che promettevano bene. Quando le raggiunsi, però, mi resi conto che si trattava soltanto di un negozio di ricambi e di un locale sfitto. Avevo ancora molto tempo a disposizione per cercare Jess e Angela, e prima di incontrarle dovevo assolutamente rimettere l'umore in carreggiata. Mi passai le dita tra i capelli un paio di volte e feci qualche respiro profondo, poi proseguii, svoltando l'angolo.

Attraversando l'ennesima strada, iniziai a temere di aver preso la direzione sbagliata. I pochi pedoni che incrociavo andavano verso nord, e le costruzioni in quella zona sembravano perlopiù capannoni. Decisi di spostarmi verso est appena possibile, proseguire per qualche isolato e tentare la fortuna cercando un percorso alternativo verso il molo.

Dall'angolo di fronte spuntò un gruppo di quattro uomini, vestiti in maniera troppo casual per essere appena usciti dall'ufficio, ma anche troppo trasandata per essere turisti. Mano a mano che si avvicinavano, mi accorsi che non dovevano essere molto più grandi di me. Si scambiavano battute e risate sguaiate e rauche, fingevano di prendersi a pugni, per scherzare. Cercai di farmi da parte per lasciarli passare e accelerai il passo, puntando lo sguardo all'angolo di strada dietro di loro.

«Ehilà», disse uno quando mi furono a fianco, e ce l'aveva con me, perché nei dintorni non c'era nessun altro. Alzai automaticamente gli occhi. Due di loro si erano fermati, gli altri rallentavano. Probabilmente, a parlare era stato il più vicino, un ragazzo poco più che ventenne, tozzo e con i capelli scuri. Indossava una camicia di flanella aperta sopra una maglietta sporca, jeans tagliati e sandali. Fece mezzo passo verso di me.

«Ciao», mormorai, per un riflesso involontario. Distolsi subito lo sguardo e mi diressi svelta verso l'angolo della via. Li sentii ridere a gran voce dietro di me.

«Ehi, aspetta!», urlò di nuovo uno di loro alle mie spalle, ma io abbassai la testa e svoltai, sospirando di sollievo. Li sentivo ancora berciare, là dietro.

Mi ritrovai su un marciapiede che correva lungo il retro di una serie di capannoni dai colori tetri, ognuno dotato di grandi porte d'accesso ai magazzini, a quell'ora ormai chiuse. Sul lato sud della strada non c'era il marciapiede, ma solo una rete con in cima del filo spinato, che impediva l'accesso a una specie di deposito di pezzi di ricambio. Mi ero allontanata parecchio dalla zona di Port Angeles a cui, da forestiera, sarebbe stato più saggio limitarmi. Le nuvole stavano tornando, si accumulavano all'orizzonte e disegnavano un tramonto prematuro nel cielo già buio. A est c'era ancora un po' di luce, ma sempre più grigia, attraversata da venature rosa e arancio. Avevo lasciato la giacca a vento in macchina, e un improvviso brivido di freddo mi costrinse a tenere le braccia strette al busto. Un furgoncino solitario mi passò davanti, e poi la strada restò deserta.

All'improvviso il cielo divenne ancora più scuro, e lanciando uno sguardo alle mie spalle per osservare la nuvola che lo copriva, fui sorpresa di vedere due uomini che camminavano in silenzio dietro di me.

Facevano parte del gruppetto che avevo incrociato poco prima, ma tra loro non c'era il moro che mi aveva parlato. Mi voltai di scatto e accelerai il passo. Sentii un altro brivido, che non aveva niente a che vedere con il freddo. Tenevo la borsa a tracolla ben stretta al corpo, come si dovrebbe fare per evitare lo scippo. Sapevo benissimo dove custodivo lo spray antiaggressione al peperoncino: nella sacca da viaggio sotto il mio letto, inutilizzato. Non avevo molti soldi con me, soltanto una banconota da venti e poche da uno, perciò pensai di lasciar cadere la borsa "accidentalmente" e di darmela a gambe. Ma una vocina impaurita, nella mia testa, mi suggeriva che quelli potessero essere molto peggio che dei ladri.

Stavo attenta ai loro passi, troppo silenziosi rispetto al chiasso esagerato che quei tizi facevano poco prima, e non mi sembrava che si stessero avvicinando né accelerando. Respira, continuavo a ripetermi. Non è detto che ti stiano seguendo. Continuai a camminare più svelta possibile senza correre, concentrandomi sulla svolta a destra distante ormai pochi metri da me. Li sentivo, restavano a distanza. Un'auto blu proveniente da sud percorse la via e passò oltre, veloce. Pensai di fermarla saltandole davanti, ma esitai perché non ero sicura che mi stessero davvero seguendo, e in un attimo fu troppo tardi.

Raggiunsi l'angolo, ma un'occhiata veloce svelò che si trattava soltanto di un vicolo cieco che dava sul retro di un altro edificio. Stavo già per imboccarlo: mi toccò correggere in fretta la traiettoria e attraversare la strada di fronte per tornare sul marciapiede. La strada finiva alla traversa successiva, in corrispondenza di un cartello di STOP. Mi concentrai sui passi silenziosi dietro di me, indecisa se mettermi a correre o no. Sembravano lontani, ma sapevo che in ogni caso mi avrebbero raggiunta. Di sicuro, se avessi accelerato sarei inciampata e finita a gambe all'aria. Eppure, li stavo distanziando. Rischiai uno sguardo veloce alle mie spalle e notai con sollievo che ormai erano a una dozzina di metri. Ma non mi levavano gli occhi di dosso.

Impiegai un'eternità per raggiungere l'ultima traversa. Procedevo a passo sostenuto, sempre più lontana dagli inseguitori. Forse si erano accorti di avermi spaventata e se n'erano dispiaciuti. Alla vista di due auto che attraversavano l'incrocio verso il quale ero diretta, tirai un sospiro di sollievo. Una volta abbandonata quella strada deserta avrei incrociato altre persone. Voltai l'angolo, finalmente libera dall'ansia.

E mi bloccai di colpo.

La via correva tra due file di muri spogli, senza porte né finestre. Soltanto a due isolati di distanza vedevo qualche lampione, auto e altri pedoni, ma erano irraggiungibili. Perché a metà strada si trovavano gli altri due membri del gruppo, che mi fissavano sorridenti ed eccitati. Rimasi paralizzata sul marciapiede. In quel momento mi resi conto che non mi avevano inseguita.

Mi avevano intrappolata.

Mi fermai per un solo secondo, ma sembrava interminabile. Poi mi voltai e attraversai la strada di corsa. Avevo il pessimo presentimento che fosse un tentativo inutile. I passi che mi seguivano si erano fatti più rumorosi.

«Eccovi!». La voce tonante del ragazzo tozzo con i capelli scuri spezzò di colpo il silenzio e mi fece sobbalzare. Sembrava avercela con qualcuno alle mie spalle, nascosto dalla luce sempre più fioca.

«Già», rispose una voce decisa dietro di me, facendomi sobbalzare di nuovo mentre tentavo di accelerare il passo. «Abbiamo preso solo una piccola deviazione».

A quel punto fui costretta a rallentare. Mi stavo avvicinando troppo in fretta ai due appoggiati al muro. Sapevo urlare forte e a lungo, perciò mi riempii i polmoni, pronta a strillare, ma temevo di avere la gola troppo secca per raggiungere un volume accettabile. Con un movimento svelto mi sfilai la borsa passandola sopra la testa, stringendo la tracolla con una mano, pronta a offrirla o a usarla come arma.

L'uomo tarchiato si allontanò dal muro, vedendomi rallentare, e si avvicinò piano.

«Stammi lontano», dissi, con un tono di voce che mi auguravo fosse forte e spavaldo. Ma quanto alla gola secca, avevo indovinato: niente volume.

«Non fare così, bellezza», disse lui, e alle mie spalle ricominciarono le risate roche.

Mi preparai allo scontro, a guardia alta, cercando di ricordare, nel panico, quel poco che sapevo di autodifesa. Base del polso in avanti, nella speranza di spaccare il naso dell'assalitore o di schiacciarglielo nel cranio. Dito nell'orbita, nel tentativo di cavargli un occhio. E ovviamente il tradizionale calcio nel basso ventre. A quel punto la voce pessimista che sentivo in testa parlò di nuovo e mi ricordò che probabilmente non avrei avuto nessuna possibilità neanche scontrandomi con uno solo di loro, che erano in quattro. Zitta! Cercai di farla tacere prima che il terrore mi immobilizzasse. Se proprio dovevo soccombere, avrei trascinato qualcuno con me. Cercai di deglutire, per poter cacciar fuori un urlo decente.

All'improvviso, da dietro l'angolo spuntarono due fari accesi, e un'auto quasi investì il tipo tarchiato, costringendolo a balzare sul marciapiede. Mi buttai in mezzo alla strada, quell'auto *doveva* fermarsi, a costo di investirmi. Ma la macchina argentata, a sorpresa, inchiodò derapando, e la portiera del passeggero si aprì a pochi centimetri da me.

«Sali», ordinò una voce, furiosa.

Fu straordinario rendermi conto che la paura soffocante era svanita all'istante, straordinario sentirmi inondare da un'immediata sensazione di sicurezza – prima ancora di montare in macchina – non appena riconobbi la sua voce. Saltai sul sedile e chiusi la portiera, sbattendola.

L'auto era buia, non si era accesa nessuna luce di cortesia, e il bagliore debole del cruscotto illuminava a malapena il suo viso. Le gomme stridettero sull'asfalto, e l'auto puntò verso nord con un violento colpo d'acceleratore, sbandando in mezzo ai teppisti sbalorditi. Mentre la macchina si raddrizzava e schizzava verso il molo, con la coda dell'occhio li vidi tuffarsi sul marciapiede.

«Allacciati la cintura», ordinò lui, e mi accorsi di essere avvinghiata al sedile. Obbedii alla svelta: nell'oscurità risuonò chiaramente lo scatto della sicura. Lui svoltò bruscamente a sinistra e iniziò ad accelerare, superando parecchi STOP senza fermarsi mai.

Eppure mi sentivo totalmente al sicuro e per il momento niente affatto preoccupata di sapere dove stessimo andando. Vidi il suo volto e provai un sollievo profondo, un sollievo che non aveva a che fare soltanto con il salvataggio improvviso. Studiai quei lineamenti perfetti alla luce fioca, aspettando che il mio respiro tornasse regolare, finché mi accorsi che la sua espressione era rabbiosa come quella di un assassino.

«Stai bene?», chiesi, sorpresa di quanto roca fosse la mia voce.

«No», fu la sua unica risposta, furibonda.

Restai in silenzio a osservarlo mentre guidava senza staccare gli occhi dalla strada, finché l'auto non si fermò all'improvviso. Mi guardai attorno, ma era troppo buio per notare alcunché, eccezion fatta per le sagome indistinte degli alberi che si addensavano ai bordi della strada. Non eravamo più in città.

«Bella?», chiese, misurando il più possibile la voce.

«Sì?». La mia era ancora roca. Cercai di schiarirmi la gola in silenzio.

«Tu stai bene?». Continuava a guardare altrove, ma la furia sul suo volto era evidente.

«Sì», mormorai io.

«Per favore, fai qualcosa per distrarmi», ordinò lui.

«Che cosa?».

Fece un breve sospiro.

«Chiacchiera di qualcosa di poco importante finché non mi calmo», chiarì, chiudendo gli occhi e pizzicandosi alla base del naso con il pollice e l'indice.

«Uhm». Iniziai a mettere sottosopra il mio cervello in cerca di qualcosa di futile. «Forse domani prima che inizino le lezioni investirò Tyler Crowley».

Teneva ancora gli occhi serrati, ma gli angoli della bocca gli si tesero in un sorriso.

«Perché?».

«Va dicendo a tutti che mi porterà al ballo di fine anno: o è impazzito, oppure sta ancora cercando di scusarsi per avermi quasi ammazzata... be', ti ricordi. E secondo lui *quel ballo* è chissà perché il modo migliore per farlo. Perciò, immagino che se metterò la sua vita a repentaglio saremo pari e non si sentirà più in dovere di risarcirmi. Non ci tengo ad avere nemiche, e probabilmente anche Lauren smetterebbe di tormentarmi se lui mi lasciasse perdere. Mi toccherà fare a pezzi la sua Sentra, credo. È un guaio, perché senza auto non potrà dare a nessuno un passaggio per il ballo di fine anno...».

«M'era giunta voce». Sembrava più tranquillo.

«Fino a *te*?», chiesi incredula, in un nuovo accesso d'ira. «Be', forse se resta paralizzato dal collo in giù non potrà nemmeno partecipare, al ballo», bofonchiai, mettendo a punto il mio piano.

Edward tirò un sospiro e finalmente aprì gli occhi.

«Va meglio?».

«Non proprio».

Attesi inutilmente che parlasse. Con la testa appoggiata al sedile, fissava il tetto dell'auto. La sua espressione era rigida.

«Cosa c'è che non va?». La mia voce fu un sussurro.

«Ogni tanto ho dei problemi di impulsività, Bella». Anche lui parlò sottovoce, e i suoi occhi, mentre guardava fuori dal finestrino, divennero due fessure. «Ma non sarebbe affatto una buona cosa fare marcia indietro e assalire quei...». Non terminò la frase, guardò altrove, sforzandosi per un istante di tenere a bada la rabbia. «Perlomeno», riprese, «è ciò di cui sto tentando di convincermi».

«Oh». Malgrado la mia non fosse certo una risposta all'altezza della situazione, non riuscii a dire niente di meglio.

Restammo di nuovo in silenzio. Diedi un'occhiata all'orologio sul cruscotto. Erano le sei e mezzo passate.

«Jessica e Angela saranno preoccupate», sussurrai. «Mi stavano aspettando».

Lui rimise in moto senza aggiungere nulla, e con una manovra sicura puntò di nuovo a tutta velocità verso il centro di Port Angeles. In un baleno rispuntò la luce dei lampioni; eravamo troppo veloci, ma scorrevamo agilmente tra le auto che percorrevano lente la strada del molo. Trovò un parcheggio parallelo al marciapiede, era angusto, mi pareva troppo stretto per la Volvo, ma Edward ci si infilò senza sforzo, al primo tentativo. Guardai fuori dal finestrino e vidi l'insegna de La Bella Italia e Jess e Angela che procedevano a passo veloce e affrettato, davanti a noi.

«Come facevi a sapere dove...», cominciai, ma poi mi limitai a scuotere la testa. Sentii la portiera che si apriva e, voltandomi, lo vidi scendere.

«Cosa fai?».

«Ti porto fuori a cena». Cercava di sorridere, ma il suo sguardo era ancora severo. Scese dall'auto sbattendo la portiera. Io mi districai dalla cintura di sicurezza e lo seguii. Mi aspettava sul marciapiede.

Parlò prima che potessi aprire bocca. «Vai a fermare Jessica e Angela, non ho intenzione di rincorrere anche loro per Port Angeles. Non credo che riuscirei a trattenermi, se dovessi imbattermi di nuovo nei tuoi amichetti».

Il tono minaccioso della sua voce mi fece venire i brividi.

«Jess! Angela!», urlai, sbracciandomi per farmi notare. Mi videro e mi corsero incontro, con un'espressione che passò dal palese sollievo alla sorpresa, quando notarono chi mi stava accanto. Si arrestarono a pochi metri.

«Dove sei stata?». Jessica sembrava diffidente.

«Mi sono persa», fui costretta ad ammettere. «E poi ho incontrato Edward». Lo indicai.

«Vi disturba se mi unisco a voi?», chiese lui, con la sua voce vellutata e irresistibile. A giudicare dai loro volti stupiti, era la prima volta che riservava quel trattamento alle mie amiche.

«Ehm... certo che no», sussurrò Jessica.

«Uhm, in realtà, Bella, abbiamo già mangiato mentre ti aspettavamo... scusaci», confessò Angela.

«Non c'è problema... non ho fame». Mi strinsi nelle spalle.

«Penso che invece dovresti mangiare qualcosa». La voce di Edward era bassa ma piena di autorità. Alzò lo sguardo verso Jessica e si fece più deciso. «Vi dispiace se accompagno io a casa Bella, stasera? Così non sarete costrette ad aspettarla mentre mangia».

«Uhm, non c'è problema, credo...», e si morse un labbro, cercando di indovinare dalla mia espressione se fossi d'accordo o no. Le feci l'occhiolino. Non desideravo altro che restare con il mio eterno salvatore. C'erano un sacco di domande con cui avrei potuto bombardarlo soltanto se fossimo rimasti soli.

«D'accordo». Angela fu più sveglia di Jessica. «Ci vediamo domani, Bella... Edward». Prese per mano Jess e la trascinò verso l'auto, che vedevo poco più in là, a poche traverse di distanza, parcheggiata lungo First Street. Non appena furono salite, Jess si voltò a salutarci, piena di curiosità. Restituii il saluto, e attesi che si fossero allontanate prima di voltarmi verso Edward.

«Sinceramente non ho fame», insistetti, alzando gli occhi per studiare la sua espressione. Era ancora illeggibile.

«Fammi questo piacere».

Si avvicinò all'entrata del ristorante e la tenne aperta con ostinazione. Ovvio, non avevo possibilità di replica. Mi rassegnai, feci un sospiro, ed entrai nel ristorante con lui.

Il locale non era affollato, a Port Angeles era bassa stagione. Il maître che ci venne incontro era una ragazza, e rivolse a Edward uno sguardo che potevo ben capire, riservandogli un'accoglienza un po' più calda del necessario. Fui sorpresa da quanto mi sentivo toccata da tutto ciò. Era una bionda molto poco naturale e molto più alta di me.

«Un tavolo per due?». La sua voce era seducente, che fosse intenzionale o meno. Vidi gli occhi della ragazza passare e soffermarsi solo un istante su di me, certo soddisfatta che fossi così normale e poco appariscente e che tra me e lui ci fosse una netta distanza di sicurezza. Ci guidò verso un tavolo per quattro, al centro della zona più affollata del locale.

Stavo per sedermi, ma Edward scosse la testa.

«Non c'è qualcosa di più appartato?», domandò impaziente alla caposala. Mi sembrò quasi che le avesse allungato una mancia senza farsi vedere. Non avevo mai visto nessuno rifiutare un tavolo, a parte in qualche vecchio film.

«Certo», rispose lei, sorpresa quanto me. Fece strada attraverso un divisorio, tra la sala e una fila di séparé – tutti vuoti. «Questo va bene?».

«Perfetto». Sfoderò il suo sorriso luccicante e per un istante l'abbagliò.

Lei sbatté le ciglia, frastornata. «La cameriera arriva subito». E si allontanò a passo incerto.

«Non dovresti trattare così le persone, non è per niente corretto».

«Trattarle come?».

«Abbacinarle in quel modo per fare colpo. Probabilmente è corsa in cucina a cercare di riprendere fiato».

Sembrava confuso.

«E dai, non dirmi che non ti rendi conto dell'effetto che fai».

Inclinò la testa di lato, il suo sguardo si fece curioso. «Faccio colpo su tutti?».

«Non te ne sei accorto? Pensi che chiunque sia capace di fare quel che desidera così facilmente?».

Ignorò la mia domanda: «Abbaglio anche *te*?».

«Spesso», confessai.

Infine giunse la nostra cameriera, che sembrava impaziente di servirci. La maître si era eclissata dietro le quinte, e quest'altra ragazza non sembrava dispiaciuta. Si sistemò una ciocca di capelli neri dietro l'orecchio e sorrise, fin troppo entusiasta.

«Ciao, mi chiamo Amber, e stasera mi occuperò di voi. Cosa porto da bere?». Parlava soltanto con lui, ovviamente.

Edward mi guardò.

«Per me una Coca». Sembrava una domanda.

«Due», soggiunse lui.

«Ve le porto subito», ribatté la ragazza con un altro sorriso superfluo. Ma lui non se ne accorse. Guardava me.

«Cosa c'è?», chiesi non appena si fu allontanata.

Non staccava gli occhi dal mio viso. «Come ti senti?».

«Bene», risposi, sorpresa dalla sua intensità.

«Non ti senti scossa, con la nausea, infreddolita?».

«Dovrei?».

Soffocò una risata, di fronte alla mia incertezza.

«Be', in realtà sto aspettando che tu entri in uno stato di shock». E sul suo volto riapparve quel perfetto sorriso ammiccante.

«Non credo che succederà», dissi, dopo aver ripreso ossigeno. «Sono sempre stata brava a reprimere gli episodi spiacevoli».

«Comunque sia, starò meglio quando avrai assunto un po' di cibo e zuccheri».

Con tempismo perfetto, la cameriera apparve con le nostre bevande e un cestino di grissini. Li servì dandomi le spalle.

«Siete pronti per ordinare?», chiese a Edward.

«Bella?», disse lui. La ragazza si voltò, suo malgrado, verso di me.

Scelsi il primo piatto che vidi sul menù: «Ehm... per me i ravioli ai funghi».

«E per te?», si rivolse a Edward con un sorriso.

«Per me niente», rispose lui. Come poteva essere altrimenti?

«Se cambi idea, fammi sapere». Il sorriso civettuolo era ancora al suo posto, ma Edward la ignorava, e lei si allontanò scontenta.

«Bevi», ordinò.

Assaggiai la bibita a piccoli sorsi, obbediente, ma poi me la gustai, sorpresa di quanto fossi assetata. Quando avvicinò il suo bicchiere mi accorsi che avevo prosciugato il mio.

«Grazie», mormorai, ancora assetata. Il freddo della bibita ghiacciata mi invase, e sentii un brivido.

«Hai freddo?».

«È la Coca», spiegai, presa da un altro fremito.

«Non hai un giubbotto?». Mi stava chiaramente rimproverando.

«Sì», mi voltai verso la sedia al mio fianco. «Oh... l'ho lasciato sulla macchina di Jessica».

Edward si sfilò il giaccone. Mi resi conto all'improvviso di non avere fatto caso al suo abbigliamento, non soltanto quella sera, ma sempre. Come se non ci fosse altro che il suo viso. Allora mi sforzai di osservarlo. Indossava una giacca di pelle beige, sopra un dolcevita bianco. Gli stava a pennello, metteva in risalto i muscoli del petto.

Quando mi offrì il giaccone, distolsi lo sguardo.

«Grazie», ripetei, infilandomelo. Era freddo... come la mia giacca a vento di mattina, dopo una notte sull'appendiabiti nell'umidità del corridoio. Rabbrividii ancora. Aveva un profumo straordinario. Lo annusai, cercando di identificare l'aroma delizioso. Non era dopobarba. Le maniche erano troppo lunghe: le arrotolai per scoprirmi le mani.

«Quel blu dona molto alla tua carnagione», disse, osservandomi. Mi sorprese, e abbassai lo sguardo, naturalmente rossa di vergogna.

Lui spinse il cesto del pane verso di me.

«Davvero, non sono in stato di shock», protestai.

«Dovresti: una persona *normale* reagirebbe così. Non sembri neanche scossa». Pareva insoddisfatto. Mi guardò negli occhi, e vidi quanto fossero chiare le sue iridi, più chiare e dorate del solito, caramellate.

«Vicino a te mi sento così sicura», confessai, di nuovo in balia del suo sguardo ipnotico.

Non approvò: la sua fronte di alabastro si aggrottò. Scosse la testa, corrucciato.

«È più complicato di quanto avessi immaginato», disse tra sé.

Presi un grissino e iniziai a sgranocchiarlo, valutando la sua espressione. Volevo capire quale fosse il momento giusto per iniziare con le domande.

«Di solito quando hai gli occhi così chiari sei di buonumore», commentai, cercando di distrarlo da ciò che lo aveva reso tanto cupo e pensieroso.

Mi guardò sbalordito. «Cosa?».

«Quando hai gli occhi neri sei sempre intrattabile, almeno così mi pare. Ho una teoria».

Socchiuse gli occhi. «Un'altra?».

«Già». Sgranocchiai ancora un po' il grissino fingendo indifferenza.

«Spero che stavolta tu sia un po' più fantasiosa... o hai preso ancora ispirazione dai fumetti?». Accennò un sorriso di scherno, ma lo sguardo era ancora tirato.

«Be' no, non ho copiato dai fumetti, ma non è neanche un'invenzione mia».

«E...?».

Ma a quel punto, da dietro il divisorio, spuntò la cameriera con il mio piatto. Quando la ragazza si avvicinò realizzai che senza volerlo ci eravamo avvicinati l'uno all'altra, perché ci raddrizzammo entrambi. Mi sistemò i ravioli di fronte – avevano un bellissimo aspetto – e si rivolse immediatamente a Edward.

«Hai cambiato idea? C'è qualcosa che desideri?». Il doppio senso poteva essere solo una mia immaginazione.

«No, grazie, soltanto altri due bicchieri di Coca». E indicò con la mano lunga e bianca i vuoti, di fronte a me.

«Certo». Portò via i bicchieri e si allontanò.

«Dicevi?», riprese Edward.

«Ti dirò tutto in macchina. Se...».

«Ci sono delle condizioni?». Alzò un sopracciglio e parlò in tono minaccioso.

«Anch'io ho qualche domanda da farti, ovviamente».

«Ovviamente».

La cameriera tornò con le nostre bibite. Le servì senza dire parola e se ne andò.

Ne presi un sorso.

«Be', vai avanti», incalzò lui, senza nascondere il nervosismo.

Esordii con la domanda meno maliziosa. Almeno, così mi sembrava. «Cosa sei venuto a fare a Port Angeles?».

Lui fissò il tavolo, e giunse le grandi mani. Mi fulminò con un'occhiata da sotto le ciglia, l'ombra di un sorriso sul suo volto.

«La prossima».

«Ma questa era la più facile».

«La prossima», ripeté.

Io abbassai gli occhi, frustrata. Tolsi le posate dal tovagliolo, afferrai la forchetta e infilzai con cura un raviolo. Masticai il boccone lentamente, a occhi bassi, e nel frattempo riflettevo. I funghi erano buoni. Ingoiai, bevvi un altro sorso di Coca, infine sollevai di nuovo gli occhi.

«D'accordo», lo inchiodai con uno sguardo e proseguii lentamente. «Diciamo – per ipotesi, certo – che... qualcuno... sia capace di leggere la mente, i pensieri altrui, ecco... con qualche eccezione».

«*Una sola* eccezione», precisò lui, «per pura ipotesi».

«Va bene, con una sola eccezione». Ero contenta che stesse al gioco, ma mi sforzai di rimanere sul vago. «Come funziona? Che limiti ci sono? Come può quel... qualcuno... trovare una persona nel posto e nel momento giusto? Come fa ad accorgersi che è in pericolo?». Mi chiedevo se le mie domande contorte avessero un chiaro significato.

«Per ipotesi?», chiese.

«Certo».

«Be', se... quel qualcuno...».

«Chiamiamolo Joe», suggerii.

Accennò un sorriso. «Vada per "Joe". Se Joe avesse fatto attenzione, non sarebbe stato necessario essere tanto tempestivi». Scosse la testa e alzò gli occhi al cielo. «Solo *tu* sei capace di cacciarti nei guai in una città così piccola. Sai, eri sul punto di rovinare un decennio intero di statistiche locali sulla criminalità».

«Stavamo parlando di una situazione ipotetica», precisai gelida.

Rise, il suo sguardo si era fatto più caldo.

«Sì, certo. La chiamiamo Jane?».

«Come facevi a saperlo?», chiesi, incapace di contenermi. Mi stavo di nuovo sporgendo verso di lui.

Sembrava vacillare, tormentato da un qualche dilemma interiore. Il suo sguardo s'incatenò al mio, e intuii che proprio in quel momento stava decidendo se raccontarmi la verità e farla finita.

«Di me ti puoi fidare, già lo sai», sussurrai. Mi feci avanti, senza pensarci, per toccare le sue mani giunte, ma lui le spostò impercettibilmente indietro, e rinunciai.

«Non so se ormai mi resta altra scelta». La sua voce era quasi un sussurro. «Mi sbagliavo, sei molto più leale di quanto ti avessi giudicata».

«Pensavo che avessi sempre ragione».

«Una volta era così». Scosse di nuovo la testa. «Mi sbagliavo anche a proposito di un'altra cosa. Non sei una calamita che attira incidenti, è una classificazione troppo limitata. Tu attiri *disgrazie*. Se c'è qualcosa di pericoloso nel raggio di dieci chilometri, puoi scommettere che ti troverà».

«Tu rientri nella categoria?».

La sua espressione si fece impassibile, neutra. «Senza alcun dubbio».

Cercai di nuovo la sua mano, incurante della reazione, e ne toccai il dorso con la punta delle dita. La pelle era fredda e dura come la pietra.

«Grazie», la mia voce tremava di gratitudine, «con questa sono due».

Si rilassò. «Facciamo in modo che non ci sia un tre, d'accordo?».

Mio malgrado, annuii. Allontanò la mano per nasconderla sotto il tavolo assieme all'altra. Poi però mi si avvicinò.

«Ti ho seguita fino a Port Angeles», confessò, parlando in fretta. «Non ho mai tentato di salvare la vita a una singola persona prima d'ora, ed è un'impresa molto più fastidiosa di quanto credessi. Ma probabilmente dipende anche da te. Le persone normali riescono a tornare a casa ogni sera senza scatenare tante catastrofi». Fece una pausa. Mi chiedevo se il pedinamento avrebbe dovuto farmi sentire a disagio; in realtà, mi sentivo stranamente lusingata. Lui mi fissava, forse non capiva perché le mie labbra si stessero curvando in un sorriso involontario.

«Hai mai pensato che forse la mia ora doveva suonare già la prima volta, con l'incidente del furgoncino, e che tu hai di fatto interferito con il destino?». Cercai di distrarmi con quella riflessione.

«Quella non era la prima volta», disse, e fu difficile riuscire a sentirlo. Lo fissai, stupita, ma lui teneva gli occhi bassi. «La tua ora è suonata quando ti ho conosciuta».

A queste parole fui assalita da un crampo di paura, e dal ricordo improvviso del suo sguardo nero e violento, il primo giorno… ma l'invincibile sensazione di sicurezza che provavo accanto a lui mise a tacere ogni timore. Quando alzò gli occhi, nei miei non vide più alcuna traccia di terrore.

«Ti ricordi?», chiese, con un velo di serietà su quel viso d'angelo.

«Sì». Ero calma.

«Eppure, eccoti seduta qui», disse alzando un sopracciglio, nella sua voce si sentiva un'ombra di incredulità.

«Sì, sono seduta qui… grazie a te». Feci una pausa. «Perché in qualche modo sapevi dove trovarmi oggi?».

Serrò le labbra e mi fissò, accigliato, di nuovo incerto se dire o no la verità. Il suo sguardo si posò per un istante sul piatto pieno, poi su di me.

«Tu mangi, io parlo», negoziò.

Infilzai subito un altro raviolo e lo inghiottii svelta.

«È più difficile di come dovrebbe essere… non perdere le tue tracce. Di solito sono in grado di individuare le persone con molta facilità, mi basta sentire la loro mente una volta sola». Mi guardò impaziente, e mi resi conto di essermi immobilizzata. Mi sforzai di ingoiare il boccone, trafissi un altro raviolo e iniziai a masticarlo.

«Tenevo d'occhio Jessica distrattamente – come ti ho detto, solo tu riesci a metterti nei guai a Port Angeles – e all'inizio non mi sono accorto che avevi proseguito da sola. Poi, quando ho capito che non eri più con lei, sono venuto a cercarti nella libreria che ho visto nei suoi pensieri. Ho intuito che non c'eri entrata, che ti eri diretta a sud… E sapevo che prima o poi avresti dovuto tornare indietro. Perciò ti stavo aspettando, cercandoti qui e là tra i pensieri dei passanti, nel caso che qualcuno ti avesse incrociata. Non c'era motivo di preoccuparmi… ma sentivo una strana ansia…». Era perso nel suo racconto, fissava il vuoto alle mie spalle: vedeva cose che non potevo immaginare.

«A quel punto ho iniziato a girare in tondo, restando… in ascolto. Fortunatamente il sole stava tramontando, così avrei potuto scendere dall'auto e seguirti a piedi. E poi…». Si arrestò, stringendo i denti all'improvviso, furioso. Si sforzò di restare calmo.

«Poi cosa?», sussurrai. Continuava a fissare il vuoto dietro la mia testa.

«Ho sentito cosa stavano pensando», ringhiò, arricciando il labbro superiore sopra i denti. «Ho visto il tuo volto nei loro pensieri». Scattò in avanti, poggiò un gomito sul tavolo, la mano sugli occhi. Il movimento fu talmente repentino da farmi sobbalzare.

«È stato molto... difficile – tu non puoi immaginare quanto – limitarmi a portare via te e risparmiare loro... la vita». La sua voce era smorzata dal braccio che aveva davanti. «Avrei potuto lasciarti rientrare assieme a Jessica e Angela, ma temevo che se fossi rimasto solo sarei tornato a cercarli», ammise, sottovoce.

Restai in silenzio, sconvolta, la testa piena di pensieri incoerenti. Tenevo le mani in grembo e mi appoggiavo a stento contro lo schienale della sedia. Lui nascondeva ancora il viso nella mano, tanto immobile da parere scolpito nella roccia a cui somigliava la sua pelle.

Alla fine alzò lo sguardo, in cerca del mio, deciso a fare le sue domande.

«Sei pronta per tornare a casa?».

«Sono pronta per andare via di qui», precisai, palesemente soddisfatta che ci restasse un'ora abbondante di viaggio, per raggiungere Forks. Non ero ancora pronta per salutarlo.

La cameriera riapparve, come se l'avessimo chiamata. O come se ci avesse tenuti d'occhio.

«Come andiamo?», chiese a Edward.

«Siamo pronti per il conto, grazie». Ora la sua voce era più debole e stanca, segnata dallo sforzo della conversazione. La cameriera ne rimase disorientata. Lui alzò lo sguardo, in attesa.

«C-certo», balbettò lei, «ecco qui». Estrasse una cartellina di cuoio dalla tasca anteriore del grembiule nero e gliela porse.

Edward aveva già preparato una banconota. La infilò nella cartellina e la restituì alla cameriera.

«Niente resto», le sorrise. Poi si alzò e io lo seguii, inciampando nei miei piedi.

Lei gli si rivolse con l'ennesimo sorriso tentatore: «Buona serata a voi».

La ringraziò senza staccarmi gli occhi di dosso. Io sorridevo sotto i baffi.

Camminò al mio fianco fino alla porta, vicinissimo eppure attento a non toccarmi. Ricordai ciò che Jessica aveva detto della sua relazione con Mike, di come fossero quasi alla fase del primo bacio. Sospirai. Probabilmente Edward mi sentì, perché mi guardò curioso. Abbassai gli occhi sul marciapiede, lieta che non fosse capace di leggermi nel pensiero, dopotutto.

Aprì la portiera e attese che salissi in auto, dopodiché la richiuse dolcemente. Lo guardai camminare di fronte alla macchina, stupefatta per l'ennesima volta di quanto fosse aggraziato. Ormai avrei dovuto esserci abituata, e tuttavia non era così. Avevo la sensazione che Edward fosse il genere di persona a cui era impossibile abituarsi.

Salito in auto, mise in moto e alzò il riscaldamento al massimo. La temperatura era scesa, probabilmente il maltempo stava tornando. Il suo giaccone mi teneva caldo, però, e quando sembrava che lui non mi notasse respiravo il suo profumo.

Edward si inserì nel flusso del traffico, quasi senza guardarsi attorno, scartando e svoltando bruscamente fino a imboccare l'autostrada.

Quando riaprì bocca, fu molto eloquente: «Adesso tocca a te».

Teoria

«Posso farti un'ultima domanda?», chiesi, mentre Edward correva a tutta velocità lungo la strada silenziosa. Concentrarsi sulla guida era l'ultimo dei suoi pensieri.

Sbuffò.

«Una sola», rispose, guardingo.

«Be'... hai detto di avere intuito che mi ero diretta a sud, anziché entrare in libreria. Mi chiedevo soltanto come avessi fatto».

Guardò altrove, ponderando la risposta.

«Pensavo che avessimo abolito gli atteggiamenti evasivi».

Accennò un sorriso.

«D'accordo. Ho seguito il tuo odore». Tacque subito, fissando la strada, e mi lasciò un po' di tempo per riprendere fiato. Non trovai nessuna risposta sensata alle sue parole, che archiviai in attesa di indagini future. Non ero pronta a lasciar cadere il discorso, ora che finalmente mi stava dando qualche spiegazione.

Cercai di guadagnare tempo. «Inoltre, non hai ancora risposto a una delle mie prime domande...».

Mi lanciò un'occhiata di rimprovero. «Quale?».

«Come funziona la faccenda della lettura del pensiero? Riesci a leggere la mente di chiunque, ovunque? Come fai? Anche i tuoi fratelli...?». Mi sentivo una stupida a chiedere delucidazioni su una cosa così irreale, assurda.

«Una domanda sola, hai detto», puntualizzò. Intrecciai le dita e rimasi a guardarlo, in attesa.

«No, è una dote soltanto mia. E non riesco a sentire tutti, ovunque. Devo essere piuttosto vicino alle persone che leggo. Ma più familiare è una "voce", maggiore è la distanza a cui la avverto. Mai più di qualche chilometro, comunque». Per un istante tacque, pensoso. «È un po' come essere in una grande sala piena di persone che parlano contemporaneamente. Una specie di rumore di fondo, il ronzio confuso delle voci. Finché non mi concentro su una voce sola e la metto a fuoco: allora sento cosa sta pensando. Il più delle volte semplicemente ignoro, escludo tutto: rischia di distrarmi troppo. Così poi è più facile sembrare *normale*», a quella parola, aggrottò le ciglia, «ed evitare di rispondere per sbaglio ai pensieri delle persone, anziché alle loro parole».

«Secondo te, perché non riesci a sentirmi?».

Mi fissò con uno sguardo enigmatico.

«Non lo so. Il mio sospetto è che la tua mente funzioni in modo diverso da tutte le altre. Come se i tuoi pensieri trasmettessero in AM e io ricevessi solo in FM». Mi sorrise, improvvisamente divertito.

«La mia mente non funziona come dovrebbe? Sono una specie di mostro?». Mi preoccupai di quell'ipotesi più del dovuto... probabilmente perché le sue supposizioni avevano fatto centro. Avevo sempre sospettato qualcosa del genere in me, e mi sentii imbarazzata di fronte a tale conferma.

«Io sento voci nella mia testa, e *tu* temi di essere il mostro?», rise. «Stai tranquilla, è solo una teoria...». Si fece serio: «Il che ci riporta a te».

Sospirai. Da dove potevo iniziare?

«Abbiamo abolito le risposte evasive, no?».

Per la prima volta staccai lo sguardo dal suo viso, per cercare le parole giuste. L'occhio mi cadde sul tachimetro.

«Santo cielo! Rallenta!».

«Cosa c'è?». Era stupito, però non decelerava.

«Stai andando a centosessanta!». Non smettevo di gridare. Lanciai un'occhiata di panico fuori dal finestrino, ma c'era troppo buio per decifrare il panorama. La strada era illuminata soltanto nella lunga striscia di luci bluastre dei fari. La foresta che la costeggiava era un muro nero, solido come una barriera d'acciaio, se fossimo usciti di strada a quella velocità.

«Rilassati, Bella». Alzò gli occhi al cielo, senza decelerare.

«Stai cercando di ucciderci?».

«Non usciremo di strada».

Cercai di modulare meglio la mia voce. «Perché tutta questa fretta?».

«Guido sempre così». Si voltò per sorridermi, ammiccante.

«Guarda davanti!».

«Non ho mai fatto incidenti, Bella. Non ho mai preso neanche una multa». Sorrise e si picchiettò la fronte. «Segnalatore radar incorporato».

«Divertente», risposi, irritata. «Charlie è un poliziotto, ricordi? Da piccola mi è stato insegnato a rispettare il codice della strada. Inoltre, se ci trasformi in una ciambella di Volvo arrotolata a un albero, l'unico in grado di uscirne senza un graffio sei tu».

«Probabile», concordò, con una risata secca e breve. «Tu invece no». Sospirò, e con mio gran sollievo la lancetta iniziò a spostarsi attorno ai cento. «Contenta?».

«Quasi».

«Odio andare piano», bofonchiò.

«Così è piano?».

«Fine dei commenti sulla mia guida. Sto ancora aspettando la tua ultima teoria».

Mi morsi un labbro. Non mi aspettavo tanta gentilezza nei suoi occhi di miele.

«Non riderò, lo prometto».

«In realtà temo piuttosto che ti arrabbierai con me».

«È una teoria così brutta?».

«Abbastanza, sì».

Restò in attesa. Mi guardavo le mani, perciò non vedevo la sua espressione.

«Prosegui». Sembrava calmo.

«Non so da dove cominciare».

«Perché non cominci dall'inizio... Hai detto che questa teoria non è tutta farina del tuo sacco».

«No».

«A cosa ti sei ispirata? Un libro? Un film?».

«No... è stato sabato, alla spiaggia». Arrischiai un'occhiata al suo viso. Sembrava interdetto. «Ho incontrato per caso un vecchio amico di famiglia, Jacob Black. Suo padre e Charlie si frequentano da quando ero bambina».

Continuava ad apparire confuso.

«Suo padre è un anziano dei Quileutes». Lo osservai con attenzione. Non batteva ciglio. «Abbiamo fatto una passeggiata...», sorvolai sul mio comportamento malizioso, «e lui mi ha raccontato vecchie leggende locali, probabilmente per spaventarmi. Me ne ha raccontata una...», mi fermai, esitando.

«Continua».

«...che parla di vampiri», bisbigliai. A quel punto, non riuscivo a guardarlo in faccia. Ma notai le sue nocche stringersi sul volante.

«E hai pensato immediatamente a me?». Manteneva la calma.

«No. Lui... ha citato la tua famiglia».

Restò zitto, con gli occhi fissi sulla strada.

All'improvviso sentii che dovevo proteggere Jacob.

«Secondo lui era solo una sciocca superstizione», aggiunsi svelta. «Non pensava che ci avrei ricamato sopra». Ma non mi sembrò abbastanza, dovevo confessare: «È stata colpa mia, l'ho costretto a raccontarmela».

«Perché?».

«Lauren ha fatto il tuo nome, così, per provocarmi. E un ragazzo più grande, della tribù, le ha risposto che la tua famiglia non entra nella riserva, ma il suo tono evidentemente nascondeva qualcosa. Perciò sono rimasta sola con Jacob e gliel'ho estorto con l'inganno», ammisi a capo chino.

Incredibilmente, iniziò a ridere. Io alzai gli occhi. Rideva, ma il suo sguardo era furente, fisso davanti a sé.

«Con l'inganno? E come?».

«Ho fatto la smorfiosa con lui, e ha funzionato meglio di quanto io stessa pensassi». Rievocando la scena, io per prima ero incredula.

«Mi sarebbe piaciuto assistere». Rise a mezza voce. «E poi mi accusi di fare colpo sulle persone... povero Jacob Black».

Arrossii e guardai il panorama notturno fuori dal finestrino.

«E allora cos'hai fatto?», chiese lui, subito dopo.

«Una breve ricerca su Internet».

«E hai trovato conferma ai tuoi dubbi?». Sembrava molto poco interessato. Ma non allentava la presa ferrea sul volante.

«No, non mi quadrava niente. Più che altro si trattava di stupidaggini. E poi...».

«Poi cosa?».

«Ho deciso che non m'importa», sussurrai.

«Non ti importa?». Il suo tono mi convinse ad alzare gli occhi: avevo finalmente fatto breccia al di là della maschera costruita con tanta cura. Era incredulo, la rabbia che temevo lo sfiorava appena.

«No», dissi sottovoce. «Non m'importa cosa sei».

Mi parlò con un filo di cattiveria, come per prendermi in giro: «Non t'importa se sono un mostro? Se non sono *umano*?».

«No».

Tacque, lo sguardo fisso sul parabrezza. La sua espressione era vuota e fredda.

«Ti ho fatto arrabbiare», dissi. «Non avrei dovuto aprire bocca».

«No», rispose, ma la voce era dura come la sua espressione. «Preferisco sapere cosa pensi... anche se ciò che pensi è assurdo».

«Quindi mi sto sbagliando di nuovo?».

«Non intendevo questo. "Non m'importa!"», ripeté le mie parole digrignando i denti.

«È così allora?».

«T'interessa?».

Respirai a fondo.

«Non proprio», attesi un istante, prima di continuare: «Ma sono curiosa». Se non altro, non avevo perso il controllo della voce.

Tutto a un tratto, mi sembrò rassegnato. «Cosa vuoi sapere?».
«Quanti anni hai?».
«Diciassette», rispose istantaneamente.
«E da quanto tempo hai diciassette anni?».
Guardava la strada, con le labbra contratte. Alla fine, si rassegnò a rispondere: «Da un po'».
«D'accordo». Sorrisi, contenta che finalmente fosse sincero. Mi scrutò come quando era preoccupato che mi venisse un attacco di panico. Continuai a sorridere per rassicurarlo, e lui si fece scuro in volto.
«Non ridere se te lo chiedo, ma... come fai a uscire di casa quando è giorno?».
Rise. «Leggenda».
«Non ti sciogli al sole?».
«Leggenda».
«Dormi dentro una bara?».
«Leggenda». Per un momento esitò, poi proseguì con un tono di voce strano: «Io non dormo».
Mi ci volle un minuto per digerire quella risposta. «Mai?».
«Mai», confermò, con un filo di voce. Si voltò verso di me, mesto. I suoi occhi dorati catturarono i miei, facendomi smarrire il filo del discorso. Sostenni il suo sguardo finché non lo volse altrove.
«Non mi hai ancora fatto la domanda più importante». Era tornato freddo e sulla difensiva.
Ero ancora imbambolata. Cercai di riprendermi. «Quale sarebbe?».
«Non sei preoccupata della mia dieta?», chiese, sarcastico.
«Ah... quella».
«Sì, quella. Non sei curiosa di sapere se mi nutro di sangue?».
Mi ritrassi appena. «Be', Jacob mi ha detto qualcosa».
«Cosa ti ha detto?», chiese, senza tradire nessuna emozione.
«Ha detto che voi non... andate a caccia di umani. Ha detto che la tua famiglia non è considerata pericolosa, perché vi cibate solo di animali».
«Ha detto che non siamo pericolosi?», sembrava profondamente scettico.

«Non esattamente. Ha detto che non vi ritengono pericolosi. Ma che per non correre rischi, i Quileutes ancora oggi non vi vogliono nel loro territorio».

Aveva lo sguardo fisso davanti a sé, ma non ero sicura che stesse osservando la strada.

«Ha detto la verità? Riguardo a voi e agli umani, dico». Cercai di risultare il più tranquilla possibile.

«I Quileutes hanno una buona memoria», sussurrò.

La presi come una conferma.

«Non fidarti troppo, però. Fanno bene a mantenere le distanze. Siamo ancora pericolosi».

«Non capisco».

«Ci proviamo», spiegò, lentamente. «Di solito riusciamo molto bene in ciò che facciamo. Ogni tanto compiamo qualche errore. Io, per esempio, non dovrei restare solo con te».

«Questo è un errore?». Mi accorsi della mia voce triste, senza capire se anche lui l'avesse notata.

«Un errore molto pericoloso», mormorò.

A quel punto tacemmo entrambi. Guardavo i fasci di luce dei fari curvarsi assieme alla strada. Erano troppo veloci, sembravano irreali, come in un videogioco. Il tempo scorreva lesto come la strada scura alle nostre spalle, e avevo il terrore che quella fosse la mia ultima occasione per restare sola con lui, così, apertamente, senza muri a separarci. Le sue parole alludevano a un'idea che non volevo prendere in considerazione. Non potevo sprecare nemmeno un istante.

«Vai avanti», chiesi, disperata, incurante di cosa avrebbe detto, solo per sentirlo parlare di nuovo.

Mi lanciò un'occhiata, stupito dal tono mutato della mia voce. «Cos'altro vuoi sapere?».

«Dimmi perché vai a caccia di animali, anziché di esseri umani», suggerii, ancora con lo sconforto nella voce. Avevo gli occhi lucidi, e mi sforzavo di combattere il senso di pena che voleva prendere il sopravvento.

«Non voglio essere un mostro». Parlò a voce bassissima.

«Ma gli animali non ti bastano?».

Fece una pausa. «Non ho verificato, ovviamente, ma immagino che sia come una dieta a base solo di tofu e latte di soia. Per scherzare, ci definiamo "vegetariani". Gli animali non placano del tutto la fame, o meglio, la sete. Ma riusciamo a mantenerci in forze. Il più delle volte». La sua voce tornò minacciosa: «Talvolta è davvero difficile».

«Anche in questo momento?».

Sospirò. «Sì».

«Però adesso non hai fame», dissi, ed era una constatazione, non una domanda.

«Cosa te lo fa pensare?».

«I tuoi occhi. Ho una teoria, te l'ho detto. Ho notato che le persone – soprattutto gli uomini – diventano indisponenti, quando hanno fame».

Si lasciò scappare una risata leggera. «Sei una brava osservatrice, eh?».

Non risposi: restai semplicemente in ascolto della sua risata, per conservarne il ricordo.

«Lo scorso weekend sei andato a caccia con Emmett?», chiesi, quando tornò il silenzio.

«Sì». Per un secondo esitò, indeciso se proseguire. «Non avrei voluto andare via, ma ne avevo bisogno. È più facile starti vicino quando non ho sete».

«Perché non volevi andarci?».

«Starti lontano... mi rende... ansioso». Il suo sguardo era dolce ma intenso, e mi sciolse. «Non scherzavo, quando ti ho chiesto di badare a non cadere nell'oceano o a non farti investire, giovedì. Per tutto il fine settimana sono rimasto in pensiero. E dopo stasera, mi sorprende che tu sia sopravvissuta al weekend senza farti un graffio». Scosse il capo e poi parve ricordarsi di qualcosa: «Be', non proprio».

«Cosa?».

«Le tue mani». Notai i graffi quasi invisibili sui miei polsi. Non perdeva un particolare.

«Sono caduta», sospirai.

«Lo immaginavo». Le labbra si incurvarono in un sorriso. «È anche vero che, per i tuoi standard, avrebbe potuto andare peggio, ed è proprio questo che mi ha tormentato, mentre ero lontano da te. Sono stati tre giorni molto lunghi. Ho rischiato di far saltare i nervi a Emmett». Mi rivolse un sorriso dolente.

«Tre giorni? Non siete tornati oggi?».

«No, siamo a casa da domenica».

«Ma allora perché nessuno di voi è venuto a scuola?». Ero frustrata, quasi infuriata, al pensiero della sofferenza che mi aveva causato non vederlo.

«Be' mi hai chiesto se il sole mi fa male e ti ho risposto di no. Però non posso espormi alla sua luce... perlomeno, non in pubblico».

«Perché?».

«Un giorno ti farò vedere, te lo prometto».

Ci pensai un istante.

«Potevi chiamarmi».

Lui restò di stucco. «Ma sapevo che eri sana e salva».

«*Io* invece non sapevo dove fossi *tu*. Io...», non riuscii a continuare e chinai lo sguardo.

«Cosa?». La sua voce era vellutata. Impossibile non arrendermi.

«Non mi ha fatto piacere non vederti. Anche a me viene l'ansia». Pronunciare quella frase ad alta voce mi fece arrossire.

Lui tacque. Alzai lo sguardo, impaziente, e vidi sul suo volto un'espressione addolorata.

«Ah», esclamò tra sé. «Così non va».

Non capii quella risposta. «Cos'ho detto?».

«Non capisci, Bella? Che io renda infelice me stesso è una cosa, ma che tu sia coinvolta è un altro paio di maniche». Rivolse lo sguardo preoccupato verso la strada, parlava troppo velocemente, quasi non lo capivo. «Non voglio più sentirti dire che provi cose del genere», disse, con un tono basso ma deciso. Le sue parole mi trafissero. «È sbagliato. È rischioso. Bella, io sono pericoloso... ti prego, renditene conto».

«No». Era molto difficile cercare di non sembrare una bambina testarda.

«Dico sul serio», ringhiò lui.

«Anch'io. Te l'ho detto, non m'importa cosa sei. È troppo tardi».

La sua voce schioccò come una frustata, sorda e secca. «Non dirlo mai».

Serrai le labbra, lieta che non si rendesse conto del mio tormento. Guardai fuori dal finestrino. Superavamo di molto il limite di velocità. Ormai eravamo quasi arrivati.

«A cosa pensi?», chiese, ancora nervoso. Scossi il capo, non mi sembrava il caso di parlare. Sentivo il suo sguardo addosso, ma non battevo ciglio.

«Piangi?». Sembrava stupito. Non mi ero accorta che i lucciconi avessero debordato. Mi strofinai in fretta la guancia. E sì, eccome se c'erano.

«No». Cercai di parlare, ma non avevo voce.

Lo vidi accennare un movimento con la mano destra, sembrava volesse toccarmi ma si bloccò, e lentamente tornò a stringere il volante.

«Scusa». La sua voce era densa di dispiacere. Sapevo che non si riferiva soltanto alle parole che mi avevano turbata.

L'oscurità e il silenzio ci avvolsero.

«Dimmi una cosa», chiese, dopo un altro minuto, sforzandosi palesemente di assumere un tono più leggero.

«Parla».

«Cosa stavi pensando stasera, poco prima che arrivassi io? Non riuscivo a leggere la tua espressione. Non sembravi impaurita, pareva che ti sforzassi di concentrarti su qualcosa».

«Cercavo di ricordare come si mette fuori combattimento un assalitore... insomma, l'autodifesa. Stavo per spappolargli il naso conficcandoglielo nel cervello». Sentii una fitta d'odio ripensando all'uomo con i capelli scuri.

«Li avresti affrontati?». Questo lo sbalordiva. «Non pensavi di scappare?».

«Quando corro inciampo a tutto spiano».

«Chiedere aiuto con un urlo?».

«Ci stavo arrivando».

Scosse la testa. «Hai ragione. Cercare di tenerti in vita vuole dire davvero lottare contro il destino».

Sospirai. Rallentavamo, stavamo entrando dentro Forks. Dopo meno di venti minuti di viaggio.

«Ci vediamo domani?», chiesi.

«Sì... Anch'io devo consegnare un saggio». Sorrise. «Ti tengo il posto, a pranzo».

Era assurdo, dopo tutto quel che avevamo passato nelle ore precedenti, che quella piccola promessa mi facesse sentire le farfalle nello stomaco, e fui incapace di aprire bocca.

Eravamo giunti di fronte a casa di Charlie. Le luci erano accese, il pick-up parcheggiato, tutto assolutamente normale. Fu come svegliarsi da un sogno. L'auto si fermò, ma non accennai a scendere.

«*Prometti* che domani ci sarai?».

«Lo prometto».

Ci pensai per qualche istante, poi annuii. Mi levai il suo giaccone, annusandolo un'ultima volta.

«Puoi tenerlo... o domani non avrai niente da mettere».

Glielo restituii. «Non mi va di dare spiegazioni a Charlie».

«D'accordo». Ammiccò.

Rimasi lì, la mano sulla portiera, desiderosa di prolungare quel momento.

«Bella?», domandò, con tutt'altra voce. Seria, ma con un tentennamento.

«Sì?». Mi voltai verso di lui fin troppo pronta.

«Mi prometti una cosa?».

«Sì». Subito, però, mi pentii della mia condiscendenza incondizionata. E se mi avesse chiesto di restargli lontana? Non avrei potuto mantenere la parola.

«Non andare nel bosco da sola».

Lo fissai confusa, stupefatta. «Perché?».

Si fece scuro in viso e rivolse uno sguardo aguzzo dietro di me, oltre il finestrino.

«Diciamo che non sono sempre io, la cosa più pericolosa in circolazione».

L'improvvisa tetraggine della sua voce mi provocò un brivido, ma poco importava. Una promessa del genere almeno era facile da rispettare. «Come vuoi».

«Ci vediamo domani», disse, con un sospiro, e capii che voleva che ci salutassimo così.

«A domani, allora». Aprii la portiera controvoglia.

«Bella?». Mi girai di nuovo e lui era lì, proteso verso di me, il suo volto magnifico e pallido a pochi centimetri dal mio. Mi si fermò il cuore.

«Sogni d'oro». Il suo respiro mi soffiò sulle guance e mi stordì. Lo stesso profumo squisito che avevo sentito sul suo giubbotto, soltanto più denso. Si allontanò, e io rimasi impalata e sbalordita, con gli occhi sbarrati.

Restai impietrita finché non sciolsi il nodo che avevo nel cervello. Poi scesi dall'auto goffamente, tanto che dovetti reggermi alla carrozzeria per non cadere. Mi sembrò di sentirlo ridere, ma il suono era troppo soffocato per esserne certa.

Attese finché non raggiunsi l'entrata, dopodiché lo sentii avviare il motore. Rimasi a guardare l'auto argentea sparire dietro l'angolo. Allora mi resi conto che faceva davvero freddo.

Meccanicamente frugai in cerca della chiave, aprii la porta ed entrai.

Dal salotto, Charlie mi chiamò: «Bella?».

«Sì, papà, sono io». Gli andai incontro. Stava guardando una partita di baseball.

«Sei in anticipo».

«Davvero?».

«Non sono nemmeno le otto. Vi siete divertite?».

«Sì, parecchio». La testa mi girava, mentre cercavo di ricostruire la serata con le ragazze come l'avevo immaginata. «Hanno trovato dei bei vestiti».

«Tu stai bene?».

«Sono un po' stanca. Ho camminato molto».

«Be', forse è il caso che ti riposi». Sembrava preoccupato. Chissà che espressione avevo.

«Prima volevo chiamare Jessica».

«Ma non eri con lei fino a un attimo fa?», chiese, sorpreso.

«Sì... ma ho lasciato il giaccone nella sua auto. Non vorrei che domani si dimenticasse di riportarmelo».

«Va bene, ma almeno aspetta che sia tornata a casa».

«Giusto».

Entrai in cucina e mi lasciai cadere su una sedia, esausta. Mi sentivo davvero scossa adesso. Forse la crisi di panico stava arrivando a scoppio ritardato. Mi sforzavo di mantenere il controllo.

Il trillo improvviso del telefono mi fece sobbalzare. Sollevai la cornetta rischiando di strapparla.

«Pronto?», risposi senza fiato.

«Bella?».

«Ehi, Jess. Stavo per chiamarti».

«Ce l'hai fatta a tornare?». Sembrava sollevata... e sorpresa.

«Sì. Ho lasciato la giacca nella tua macchina: domani me la riporti?».

«Certo. Dai, racconta com'è andata!».

«Ehm... domani a trigonometria, d'accordo?».

Capì al volo. «Oh, tuo padre è in ascolto?».

«Esatto».

«Va bene, ne parliamo domani. Ciao!». Moriva di curiosità, trapelava da ogni sillaba.

«Ciao, Jess».

Salii le scale lentamente, con la testa avvolta in una nuvoletta di intontimento. Mi preparai a dormire con gesti meccanici, inconsapevoli. Soltanto sotto il getto bollente della doccia mi resi conto del freddo che sentivo addosso. Per parecchi minuti tremai violentemente, prima di riuscire a rilassare i muscoli sotto il getto vaporoso. Troppo stanca per muovermi, restai lì fino a esaurire l'acqua calda.

Mi trascinai fuori dalla doccia stringendomi nell'asciugamano, per non far sfuggire il calore che avevo addosso e proteggermi dai brividi. Indossai in un baleno il pigiama e arrancai sotto le coperte, rannicchiata, per scaldarmi. Sentii qualche ultimo accenno di tremore.

La testa mi girava come una giostra, ero piena di immagini incomprensibili, alcune cercavo di reprimerle. A prima vista niente sembrava chiaro, ma più mi avvicinavo a uno stato di incoscienza, più emergevano nettamente alcuni punti fermi.

Di tre cose ero del tutto certa. Primo, Edward era un vampiro. Secondo, una parte di lui – chissà quale e quanto importante – aveva sete del mio sangue. Terzo, ero totalmente, incondizionatamente innamorata di lui.

10

Interrogatori

Il mattino dopo, fu davvero difficile persuadere la parte di me che credeva di avere sognato tutto. Né la logica né il buonsenso erano dalla mia parte. Cercavo un appiglio nei particolari che non potevo avere sognato: il suo profumo, ad esempio. Ero sicura che quello non potesse essere soltanto una mia invenzione.

Fuori dalla finestra il panorama era scuro e nebbioso, assolutamente perfetto. Non aveva scuse per non presentarsi a scuola. Indossai abiti pesanti, visto che – ricordai – ero rimasta senza giubbotto. Ulteriore prova che la memoria non m'ingannava.

Scesa al piano di sotto, non trovai Charlie: ero molto più in ritardo di quanto pensassi. Ingoiai una barretta di cereali in tre morsi, la innaffiai con un po' di latte, bevendolo direttamente dal cartone, e mi affrettai a uscire. Con un po' di fortuna, avrei trovato Jessica prima che iniziasse a piovere.

C'era molta più nebbia del solito; l'aria sembrava densa di fumo. La foschia aderiva ghiacciata sulla faccia e sul collo. Non vedevo l'ora di accendere il riscaldamento del pick-up. La visibilità era talmente scarsa che percorsi alcuni metri sul vialetto senza accorgermi che un'auto lo occupava: un'auto grigia, metallizzata. Il mio cuore iniziò a martellare, incespicò, e riprese raddoppiando il ritmo dei battiti.

Non capivo da dove fosse spuntato, ma di colpo eccolo lì che mi apriva lo sportello e m'invitava a salire.

«Hai bisogno di un passaggio?», chiese, divertito dalla mia espressione, consapevole che per l'ennesima volta mi aveva colta di sorpresa. Non sembrava troppo convinto della sua proposta. E non stava tentando di convincermi: ero libera di rifiutare, e forse una parte di lui sperava lo facessi. Speranza vana.

«Sì, grazie». Cercai di non tradire l'agitazione. Al caldo dell'abitacolo, notai il giaccone di pelle appeso al poggiatesta del passeggero. La mia portiera si chiuse e, prima di quanto ritenessi possibile, Edward si sedette al mio fianco e mise in moto.

«Ti ho portato questo. Non volevo che ti prendessi un raffreddore o qualcosa del genere». Stava sulla difensiva. Indossava soltanto una maglia leggera grigia a maniche lunghe, con scollo a V. Il tessuto aderiva al suo torace muscoloso e perfetto. Che io riuscissi a distogliere lo sguardo dal suo corpo era la dimostrazione della bellezza inaudita del suo viso.

«Non sono così delicata», risposi, ma accettai la giacca e la tenni in grembo, infilando le braccia nelle maniche troppo lunghe, curiosa di verificare se il profumo fosse davvero buono come lo ricordavo. Era anche meglio.

«Ah, no?», ribatté con una voce tanto bassa che non capii se volesse farsi sentire.

Percorrevamo le strade della città sature di nebbia, velocissimi come sempre, e impacciati. Io, perlomeno, lo ero. La sera prima, tutti i muri erano caduti... quasi tutti. Non sapevo se quel giorno saremmo stati altrettanto sinceri. Questo mi lasciava interdetta, incapace di parlare. Attesi che fosse lui a farlo.

Si voltò e mi rivolse un sorrisetto: «Ehi, oggi niente questionario?».

«Le mie domande ti innervosiscono?», chiesi, confortata.

«Non quanto le tue reazioni». Sembrava scherzasse, ma non ne ero sicura.

«Reagisco male?». Tornai seria.

«No, è proprio lì il problema. Sei sempre così tranquilla... È innaturale. Mi chiedo cosa ti passi per la testa».

«Ti dico sempre ciò che mi passa per la testa».

«Ma lo censuri».

«Non granché».

«Abbastanza da farmi impazzire».

«Sei tu che non vuoi sentirlo», borbottai, con un filo di voce. Un istante dopo me ne ero già pentita. Speravo non si fosse accorto del tormento nella mia voce.

Il suo silenzio mi fece temere di avergli rovinato l'umore. Mentre entravamo nel parcheggio della scuola, la sua espressione era ancora indecifrabile. In ritardo, mi accorsi di un particolare.

«Ma i tuoi fratelli dove sono?». Ero più che felice di essere sola con lui, ma ricordavo che di solito i posti della sua auto erano tutti occupati.

«Hanno preso la macchina di Rosalie». Si strinse nelle spalle, parcheggiando accanto a una cabriolet rossa fiammante con il tettuccio chiuso. «Appariscente, eh?».

«Uh, caspita», dissi in un fiato. «Se lei ha *quella*, perché si fa scarrozzare da te?».

«Come ho detto, è appariscente. Noi ci sforziamo di passare inosservati».

«Non ci riuscite». Scesi dall'auto ridendo e scuotendo la testa. Non ero più in ritardo, grazie alla sua guida da pazzo eravamo in perfetto orario. «Ma allora, perché Rosalie oggi ha preso la sua macchina, se è così vistosa?».

«Non te ne sei accorta? Sto infrangendo *tutte* le regole». Mi venne incontro e mi accompagnò all'ingresso della scuola camminando vicinissimo al mio fianco. Desideravo colmare quella poca distanza, farmi avanti e toccarlo, ma temevo che non avrebbe gradito.

«Ma perché comprate macchine del genere, se siete gelosi della vostra privacy?».

«Un capriccio», ammise, con un sorriso malizioso. «Ci piace andare veloce».

«Ovviamente», mormorai tra me.

Al riparo del portico della mensa, Jessica mi stava aspettando e aveva gli occhi fuori dalle orbite. Tra le braccia, grazie al cielo, stringeva il mio giubbotto.

«Ehi, Jessica», dissi, a pochi metri da lei. «Grazie per essertene ricordata». Mi allungò il giubbotto in silenzio.

«Buongiorno, Jessica», disse Edward, educato. Non era colpa sua, in fondo, se aveva la voce tanto irresistibile. O uno sguardo capace di ipnotizzare.

«Ehm... ciao». Lei mi lanciò un'occhiata sbalordita, mentre cercava di riordinare le idee. «Be', ci vediamo a trigonometria». Lo sguardo era stato eloquente. Cercai di non farmi prendere dal panico. Che diamine le avrei raccontato?

«D'accordo, ci vediamo dopo».

Se ne andò, ma per due volte si fermò a sbirciare verso di noi.

«Cosa le racconterai?», mormorò Edward.

«Ehi, ma allora mi leggi nel pensiero!».

«No», rispose lui, sorpreso. Poi capì, e il suo sguardo si accese. «Però riesco a leggere nel suo: ti prenderà d'assalto appena entri in classe».

Sbuffai, levandomi il suo giaccone per indossare la mia giacca a vento. Glielo restituii, e lui lo tenne piegato sottobraccio.

«Perciò, cosa le racconterai?».

«Mi dai un aiutino?», supplicai. «Cosa vuole sapere?».

Scosse il capo e sorrise, beffardo: «Non è corretto».

«No, non è corretto che tu non metta a disposizione certe informazioni».

Meditò per qualche istante, finché non giungemmo alla porta della mia classe.

«Vuole sapere se usciamo assieme di nascosto. E vuole che tu le dica ciò che provi per me», disse, infine.

«Oddio. E io cosa dovrei rispondere?». Cercavo di mantenere un'aria innocente. Probabilmente eravamo l'attrazione principale per gli studenti che entravano in aula, ma ci badavo a malapena.

«Mmm». Si fermò per catturare una ciocca ribelle che mi sfiorava il mento e rimetterla al suo posto. Il mio cuore iniziò a scoppiettare, iperattivo. «Penso che potresti rispondere di sì alla prima domanda... se non è un problema per te: è la spiegazione più facile da dare».

«Non è un problema», risposi, con un filo di voce.

«Quanto all'altra... be', anch'io sarò curioso di sentire la risposta». Da un angolo della sua bocca spuntò il sorriso sghembo che preferivo. Non feci nemmeno in tempo a prendere fiato per controbattere. Se ne stava già andando.

«Ci vediamo a pranzo», disse, voltandosi. Tre ragazzi intenti a entrare in aula si fermarono a osservarmi.

Entrai di corsa, seccata e rossa di vergogna. Che imbroglione. Adesso ero doppiamente preoccupata di ciò che avrei detto a Jessica. Occupai il mio solito posto, lasciando cadere a terra lo zaino di colpo, per l'irritazione.

«'Giorno, Bella», disse Mike, dal banco accanto al mio. Lessi sul suo volto un'espressione strana, quasi rassegnata. «Com'è andata a Port Angeles?».

«È andata...», non ero in grado di fornire un resoconto sincero. «Benone», aggiunsi, goffa. «Jessica ha comprato un vestito davvero carino».

«Ha detto qualcosa a proposito di lunedì sera?», chiese lui, illuminandosi. La piega che aveva preso la conversazione mi fece sorridere.

«Ha detto che si è divertita molto», dissi, per rassicurarlo.

«Davvero?». Era impaziente.

«Certo».

Il professor Mason riportò la classe all'ordine e ci chiese di consegnare i compiti. Inglese ed educazione civica passarono in un lampo, mentre io non pensavo ad altro che alle spiegazioni da dare a Jessica, sentendomi sulle spine per la possibilità che Edward potesse davvero ascoltare le mie parole attraverso i pensieri di Jess. Un potere come quello poteva essere davvero molesto, quando non serviva a salvarmi la vita.

Alla fine della seconda ora, la nebbia si era dissolta quasi del tutto, ma il cielo era ancora scuro, coperto di nuvole basse e opprimenti. Lo guardai e sorrisi.

Ovviamente, Edward aveva ragione. Quando entrai in classe per la lezione di trigonometria, Jessica era seduta in ultima fila, tanto agitata da rischiare di cadere dalla sedia. Mi accomodai di malavoglia accanto a lei, rassegnata e desiderosa di farla finita il più presto possibile.

«Dimmi!», ordinò, senza nemmeno aspettare che mi sedessi.
«Cosa vuoi sapere?».
«Cos'è successo ieri sera?».
«Mi ha portata a cena, poi mi ha accompagnata a casa».
Puntò uno sguardo torvo e scettico su di me. «Come hai fatto a tornare a casa così presto?».
«Guida come un pazzo. Ero terrorizzata». Speravo che lui fosse in ascolto.
«È stato una specie di appuntamento? Eravate d'accordo?».
Non ci avevo pensato. «No: sono stata *molto* sorpresa di incontrarlo».
Corrugò le labbra, delusa dalla palese onestà nella mia voce.
«Ma oggi ti ha accompagnata a scuola, no?».
«Sì... ma anche questa è stata una sorpresa. Ieri sera si è accorto che ero rimasta senza giacca».
«Perciò, uscirete ancora?».
«Si è offerto di accompagnarmi a Seattle, sabato, perché è convinto che il mio pick-up non ce la farà. Vale come un appuntamento?».
«Sì», annuì.
«Be', allora sì».
«W-o-w». Gonfiò in tre sillabe quell'esclamazione, con tutta l'enfasi possibile. «Edward Cullen».
«Lo so». "Wow" era ancora poco.
«Aspetta!». Alzò le mani come un vigile. «Ti ha baciata?».
«No», mormorai, «non è come pensi».
Sembrava delusa. Anch'io, di sicuro.
«Pensi che sabato...», e mi guardò, curiosa, inarcando le sopracciglia.
«Ne dubito fortemente». Riuscii a stento a dissimulare il malcontento.
«Di cosa avete parlato?», sussurrò, esortandomi a darle altre informazioni. La lezione era iniziata, ma il professor Varner non badava a noi, le uniche due che ancora parlavano.
«Non so, Jess, un sacco di cose», risposi sottovoce. «Abbiamo parlato del saggio di inglese per un po'». Per poco, molto, molto poco. Due parole in croce.

«Ti prego, Bella», implorò lei, «qualche particolare in più».

«Be'… d'accordo, uno solo. Avresti dovuto vedere la cameriera: gli ha fatto una corte spietata. Ma lui non se l'è filata!». E se lui stava ascoltando, fatti suoi.

«Buon segno. Era carina?».

«Molto. E avrà avuto diciannove o vent'anni».

«Meglio ancora. Vuol dire che gli piaci».

«*Penso* di sì, ma è difficile dirlo. È sempre così criptico», aggiunsi a beneficio di Edward, con un sospiro.

«Non so dove trovi il coraggio di restare sola con lui», disse Jess a mezza voce.

«Perché?». Ero sorpresa, ma lei non comprese la mia reazione.

«Mette così… in soggezione. Io non saprei cosa dirgli». Fece una faccia strana, probabilmente ripensando a quella mattina o alla sera precedente, quando Edward l'aveva investita con la forza irresistibile del suo sguardo.

«A dire la verità, anch'io ho qualche problema di lucidità quando è nei paraggi».

«Oh, be'. È bello da non crederci, non c'è dubbio». Jessica fece spallucce, come se ciò giustificasse qualsiasi altro difetto. Perlomeno, secondo i suoi parametri.

«E poi, in lui, c'è molto altro».

«Davvero? Per esempio?».

Quanto avrei voluto restare zitta. Tanto quanto desideravo che Edward avesse scherzato, a proposito del leggere nella mente di Jessica.

«Non so come spiegarlo… Ma dietro la facciata è ancora più incredibile». Il vampiro che voleva essere buono, che andava in giro a salvare la vita alle persone per non sentirsi un mostro… Puntai lo sguardo verso la cattedra.

«Davvero?», ridacchiò.

La ignorai, fingendo di stare attenta al professor Varner.

«Perciò ti piace?». Non era intenzionata a desistere.

«Sì», tagliai corto.

«Voglio dire, ti piace *davvero*?».

«Sì», ripetei, e stavolta arrossii, sperando che i suoi pensieri non registrassero quel dettaglio.

Ne aveva abbastanza dei monosillabi. «*Quanto* ti piace?».

«Troppo», bisbigliai. «Più di quanto io piaccia a lui. Ma credo proprio di non poterci fare niente». Ormai arrossivo a ogni parola che mi sfuggiva.

Poi, grazie al cielo, il professor Varner rivolse una domanda a Jessica.

Per il resto della lezione non ebbe più possibilità di riprendere il discorso, e al suono della campanella cercai un diversivo.

«Durante inglese Mike chiedeva se tu mi avessi raccontato qualcosa di lunedì sera».

«Stai scherzando! E tu?», disse quasi boccheggiando. L'avevo presa totalmente alla sprovvista.

«Gli ho risposto che ti sei divertita parecchio... sembrava compiaciuto».

«Ripetimi tutto quello che vi siete detti, parola per parola!».

Passammo il resto del tragitto verso la lezione successiva a sezionare la struttura delle frasi, e dedicammo la maggior parte di spagnolo a descrivere nei particolari le espressioni sul viso di Mike. Non mi sarei prestata a quel terzo grado, se non fosse servito a tenere il discorso ben lontano da me.

Infine la campana dell'intervallo suonò. Il balzo che feci dalla sedia, la fretta con cui ficcai i libri nello zaino e la mia espressione entusiasta insospettirono Jessica.

«Oggi non mangi assieme a noi, vero?», chiese.

«Non penso». Non ero del tutto certa che non avrei avuto l'ennesima sorpresa.

Invece, ad aspettarmi fuori dalla porta della classe, appoggiato al muro – la cosa più simile a un dio greco che avessi mai visto –, c'era Edward. Jessica lanciò un'occhiata prima a me, poi al cielo, e si allontanò.

«A dopo, Bella». Il suo tono di voce era denso di sottintesi. Probabilmente avrei dovuto spegnere la suoneria del cellulare.

«Ciao». Edward sembrava divertito e irritato al tempo stesso. Era evidente, aveva ascoltato tutto.

«Ciao».

Non riuscii ad aggiungere altro, e lui non parlò – immagino

che stesse prendendo tempo – fino alla mensa. Camminando al fianco di Edward in mezzo alla folla dell'ora di pranzo mi sembrava di tornare al primo giorno di scuola: ero al centro dell'attenzione.

Mi precedette nella coda, sempre zitto, ma senza smettere di lanciarmi occhiate pensierose. Sembrava che sul suo volto l'espressione irritata stesse cancellando quella divertita. Giocherellavo nervosamente con la zip della giacca a vento.

Si avvicinò al bancone e riempì un vassoio di cibo.

«Cosa fai? Non starai prendendo tutta quella roba per me?».

Scosse il capo e avanzò verso la cassa.

«Metà è per me, ovviamente».

Alzai un sopracciglio. Non me la dava a bere.

Lo seguii fino allo stesso tavolo a cui ci eravamo seduti la volta precedente. All'altro capo, alcuni studenti dell'ultimo anno ci squadravano stupiti. Edward non sembrava curarsene.

«Scegli pure», disse, porgendomi il vassoio.

«Sono curiosa...», dissi, prendendo una mela e rigirandomela tra le dita. «Come reagiresti se qualcuno ti sfidasse a mangiare del cibo?».

«Curiosa come al solito». Fece una smorfia e scosse il capo. Mi guardò di sottecchi, mentre prendeva un trancio di pizza dal vassoio e lo mordeva soddisfatto, masticandolo e ingoiandolo in un baleno. Io lo guardavo, incredula.

«Se qualcuno ti sfidasse a mangiare spazzatura potresti farlo, no?», chiese, con un filo di arroganza.

Mi si arricciò il naso dal ribrezzo. «Una volta è successo... una scommessa. Non era così male».

Rise. «La cosa non mi sorprende più di tanto». Fu distratto da qualcosa alle mie spalle.

«Jessica sta analizzando tutti i miei movimenti... più tardi ti farà un resoconto dettagliato». Mi offrì il resto della sua pizza. Il pensiero di Jessica riportò a galla un pizzico dell'irritazione che avevo letto sul suo viso.

Posai la mela e addentai il trancio di pizza, guardando altrove. Sapevo che stava per parlare.

«Perciò, la cameriera era carina?», chiese, ingenuamente.
«Non te ne sei accorto?».
«No, non ci ho fatto caso. Avevo altro per la testa».
«Poveretta». A quel punto potevo concedermi di essere magnanima.
«Una delle cose che hai detto a Jessica... be', mi infastidisce un po'». Rifiutava di cambiare discorso. Sembrava quasi sgarbato, da sotto le ciglia mi rivolse uno sguardo inquieto.
«Non mi sorprende che tu abbia sentito qualcosa di spiacevole. Sai quel che si dice di chi origlia...».
«Ti ho avvertita che sarei rimasto in ascolto».
«E io ti ho avvertito che non avresti gradito conoscere tutti i miei pensieri».
«In effetti, mi avevi avvertito», la sua voce non si era addolcita. «Però, non credo tu abbia ragione fino in fondo. Voglio sapere sì ciò che pensi, e tutto. Soltanto, mi piacerebbe... che non pensassi certe cose».
Lo guardai, imbronciata. «Bella differenza».
«Ma non è questo il problema, al momento».
«E quale sarebbe?». Ci stavamo entrambi sporgendo sul tavolo, l'uno di fronte all'altra. Lui teneva le grandi mani bianche sotto il mento; io mi coprivo il collo con la destra. Mi sforzai di ricordare che eravamo in una sala mensa affollata, probabilmente piena di occhi curiosi. Era troppo facile cedere alla tentazione di lasciarci avvolgere dalla nostra piccola e lucida bolla privata.
«Sei davvero convinta di piacermi meno di quanto io piaccia a te?», mormorò facendosi più vicino e inchiodandomi con i suoi occhi intensi e dorati.
La mia mente si svuotò, non ricordavo neppure come si respira. Mi tornò il fiato soltanto dopo aver posato lo sguardo altrove.
«Lo stai rifacendo», dissi fra i denti.
Sgranò gli occhi, sorpreso. «Cosa?».
«Stai cercando di incantarmi», ammisi, tornando ad ammirarlo. Dovevo restare lucida.
«Ah», rispose, accigliato.

«Non è colpa tua», sospirai. «Non ci puoi fare niente».

«Mi vuoi rispondere?».

Abbassai lo sguardo. «Sì».

«Sì mi vuoi rispondere, o sì ne sei davvero convinta?». Riecco l'irritazione.

«Sì ne sono convinta». Tenevo il capo chino verso il tavolo, gli occhi fissi sulle false venature di legno stampate sul laminato. Il silenzio iniziava a pesare. Mi rifiutavo di essere io la prima a romperlo e resistevo con tutte le forze alla tentazione di sbirciare per cogliere l'espressione sul suo volto.

Infine fu lui a parlare, a bassa voce: «Ti sbagli».

Non sembrava affatto infuriato, anzi, era gentile.

«Non puoi esserne sicuro», sussurrai. Scossi il capo, ero piena di dubbi, il mio cuore batteva a singhiozzo, e non sapevo cos'avrei dato per credere alle sue parole.

«Cosa te lo fa pensare?». Mi squadrò con il suo sguardo liquido, color topazio, probabilmente nel vano tentativo di prelevare la verità direttamente dalla mia testa.

Lo fissai a mia volta, sforzandomi di restare lucida malgrado quel viso, ansiosa di spiegarmi con le parole giuste. Lo vedevo sempre più impaziente, cominciava a diventare scuro in volto per il mio silenzio. Alzai il dito della mano destra.

«Ci devo riflettere», insistetti. Soddisfatto dalla risposta promessa, si rilassò. Posai la mano sul tavolo, la congiunsi all'altra. Intrecciavo e scioglievo le dita, ma infine parlai.

«Be', ovvietà a parte, a volte... non mi sento sicura – non sono capace di leggere nel pensiero, io – e ogni tanto ho la sensazione che mentre mi dici certe cose in realtà tu stia cercando di lasciarmi perdere». Era il riassunto migliore dell'inquietudine che talvolta le sue parole mi scatenavano dentro.

«Perspicace», sussurrò. Riecco l'angoscia, a confermare i miei timori. «Purtroppo, è proprio qui che ti sbagli», cercò di spiegarsi, ma all'improvviso strizzò le palpebre. «Cosa intendi per "ovvietà"?».

«Be', guardami», dissi, ed era superfluo, perché già mi stava guardando. «Sono una ragazza assolutamente normale... Certo, a parte difetti come gli incidenti quasi mortali e una goffaggine degna di una disabile. E guarda te». Indicai lui e la sua stupefacente perfezione.

Alzò un sopracciglio, irritato, ma si rilassò all'istante e nei suoi occhi apparve uno sguardo intelligente. «Credo che tu non abbia una buona percezione di te stessa. Devo ammettere che quanto ai difetti ci hai azzeccato», rise sarcastico, «ma tu non hai sentito cos'hanno pensato tutti gli studenti maschi di questa scuola quando ti hanno vista la prima volta».

Sgranai gli occhi, stupita. «Non ci credo...», dissi, tra me e me.

«Per una volta fidati, se ti dico che sei l'esatto contrario della normalità».

Fui molto più imbarazzata che lusingata dall'occhiata con cui accompagnò le sue parole. Cercai di riprendere il filo originale del discorso.

«Ma io non sono intenzionata a lasciarti perdere», rimarcai.

«Non capisci? È la dimostrazione che ho ragione io. Ci tengo più di te, perché se ci riuscissi», e scosse il capo, come per accettare l'idea controvoglia, «se andarmene fosse la scelta migliore, sarei disposto a danneggiare me stesso, pur di non ferirti, pur di proteggerti».

Lo guardai, torva: «E non credi che sia lo stesso per me?».

«Non è a te che spetta questa scelta».

All'improvviso, il suo umore imprevedibile cambiò per l'ennesima volta: sfoderò un sorriso beffardo, devastante. «Certo, darti protezione sta diventando un lavoro a tempo pieno che richiede la mia presenza costante».

«Oggi nessuno ha cercato di farmi fuori». Gli ero grata per avere cambiato argomento. Non volevo più parlare di abbandono. Pur di averlo accanto, sarei stata disposta a mettermi spontaneamente in pericolo... Ma cancellai quel pensiero prima che potesse leggermelo negli occhi. Sarebbe stato un bel guaio.

«Non ancora», aggiunse.

«Non ancora». Avrei anche voluto controbattere, ma a quel punto desideravo che si aspettasse un'altra catastrofe.

«Ho un'altra domanda». Mostrava un certo contegno.

«Spara».

«Hai davvero bisogno di andare a Seattle, questo sabato, o era soltanto una scusa per evitare di dire no a tutti i tuoi ammiratori?».

Il ricordo mi fece storcere la bocca. «Guarda, non ti ho ancora perdonato per la faccenda di Tyler. È colpa tua se continua a illudersi di potermi invitare al ballo di fine anno».

«Oh, avrebbe trovato l'occasione per chiedertelo anche se non ci fossi stato io: morivo soltanto dalla voglia di vedere la tua reazione», disse, sghignazzando. Mi sarei arrabbiata, se vederlo ridere non fosse stato così affascinante. «Se te l'avessi chiesto io, avresti scaricato anche me?», domandò, senza smettere di ridere.

«Probabilmente no», confessai. «Ma all'ultimo momento avrei cancellato l'invito... avrei finto una malattia o una caviglia slogata».

«E perché mai?».

Scossi il capo mesta. «Immagino che tu non mi abbia mai vista in palestra, ma pensavo che avresti capito».

«Ti riferisci al fatto che non sei in grado di camminare su una superficie piana e solida senza inciampare?».

«Ovviamente».

«Non sarebbe un problema». Sembrava molto sicuro di sé. «Dipende tutto da chi guida». Sapeva che stavo per ribattere e non me ne lasciò il tempo. «Non mi hai ancora risposto: vuoi davvero andare a Seattle, o ti andrebbe se facessimo qualcos'altro?».

Finché il soggetto della frase era "noi", avrei accettato qualsiasi alternativa.

«Sono aperta a tutte le proposte, ma devo chiederti un solo favore».

Sembrava allarmato, come sempre di fronte alle mie richieste vaghe. «Cosa?».

«Posso guidare io?».

Aggrottò le sopracciglia. «Perché?».

«Be', prima di tutto perché quando ho detto a Charlie che sarei andata a Seattle, lui mi ha chiesto se fossi da sola, e visto che così era l'ho rassicurato. Se me lo chiedesse di nuovo non potrei mentirgli, ma non credo che lo farà: lasciare il pick-up a casa, però, lo porterebbe a sollevare la questione. In secondo luogo, la tua guida mi terrorizza».

Alzò gli occhi al cielo. «Con tutto ciò che in me potrebbe terrorizzarti, ti preoccupi di come guido». Scosse il capo, disgustato, e poi tornò serio. «Non vuoi dire a tuo padre che passerai la giornata con me?». La sua domanda sottintendeva qualcosa che non riuscivo a capire.

«Con Charlie, meno si dice, meglio è». Non intendevo discuterne. «E comunque, dove andremmo?».

«Ci sarà bel tempo, perciò dovrò restare lontano da sguardi indiscreti... e se ti va, puoi venire con me». Ancora una volta, la scelta era mia.

«Mi mostrerai quel che dicevi a proposito della luce solare?», chiesi, eccitata all'idea di scoprire un altro dei suoi misteri.

«Sì». Sorrise, e tacque. «Ma anche se non vuoi restare... sola con me, preferirei che tu non te ne andassi a Seattle per conto tuo. Tremo al solo pensiero dei guai in cui potresti cacciarti in una città così grande».

Mi stizzii. «Phoenix è tre volte Seattle, e solo quanto a popolazione. Le dimensioni...».

«Ma a quanto pare», mi interruppe, «a Phoenix non era ancora giunta la tua ora. Perciò preferirei che mi stessi accanto». Mi scoccò un'altra delle sue occhiate fiammeggianti.

Non ero in grado di ribattere né a quella né alle sue ragioni, e non ne avevo comunque motivo. «Si dà il caso che restare sola con te non mi dispiaccia affatto».

«Lo so», sospirò, rassegnato. «Però dovresti dirlo a Charlie».

«E perché mai dovrei?».

Il suo sguardo si fece severo. «Così avrò un briciolo di motivazione in più per riportarti a casa».

Ero imbarazzata. Ma dopo qualche istante di riflessione ero decisa: «Penso che correrò il rischio».

Sbuffò e guardò altrove, nervoso.

«Parliamo d'altro», suggerii.

«Di cosa vuoi parlare?». Era ancora irritato.

Diedi un'occhiata attorno per controllare che nessuno ci

potesse udire. Mentre perlustravo la sala, incrociai lo sguardo di Alice, sua sorella, fermo su di me. Gli altri osservavano Edward. Tornai a lui in un baleno e gli rivolsi la prima domanda che mi passò per la testa.

«Perché sei andato a Goat Rocks, lo scorso fine settimana, a caccia? Charlie dice che ci sono gli orsi, non è un gran posto per fare trekking».

Mi fissò come se mi fosse sfuggito qualcosa di ovvio.

«Orsi?». Esitai, e lui fece un sorrisetto. «Be', non è la stagione degli orsi», aggiunsi, per nascondere il turbamento.

«Le leggi sulla caccia regolano solo quella con le armi, se vuoi controlla pure».

Mi studiava divertito, mentre digerivo lentamente le sue parole.

«Orsi?», ripetei, con una certa difficoltà.

«Emmett va matto per il grizzly». Non si era scomposto più di tanto, ma pareva attentissimo alle mie reazioni. Cercai di darmi un tono.

«Mmm», dissi, addentando un altro trancio di pizza per poter distogliere gli occhi da lui. Masticai piano e presi un lungo sorso di Coca coprendomi il viso con il bicchiere.

«Allora», dissi dopo un istante, incontrando finalmente il suo sguardo ansioso, «il tuo preferito, qual è?».

Mi guardò di sbieco, e sulle sue labbra apparve una smorfia di disapprovazione. «Il puma».

«Ah», risposi, in tono educato e disinteressato, riafferrando la mia bibita.

«Ovviamente», continuò, con un tono di voce che scimmiottava il mio, «dobbiamo stare attenti all'impatto ambientale e cacciare con un certo giudizio. Di solito ci concentriamo sulle aree sovrappopolate di predatori, a qualunque distanza si trovino. Da queste parti c'è abbondanza di alci e cervi, e tanto basta, ma dov'è il divertimento?». Sorrise, malizioso.

«Eh, già, dove?», mormorai, dando un altro morso alla pizza.

«A Emmett piace andare a caccia di orsi all'inizio della primavera: appena usciti dal letargo sono più irritabili». Sorrise ripensando a qualche loro vecchia battuta.

«Non c'è niente di più divertente di un grizzly irritato, in effetti».

Sorrise e scosse il capo. «Per favore, dimmi quel che pensi veramente».

«Sto cercando di immaginare... ma non ci riesco. Come fate a cacciare gli orsi senza armi?».

«Be', qualche arma l'abbiamo». Con un sorriso fulmineo e minaccioso mi mostrò i denti luccicanti. Mi sforzai di reprimere un brivido che potesse smascherarmi. «Non il genere di strumenti che i legislatori prendono in considerazione quando stendono i regolamenti di caccia. Se hai visto un documentario su come attaccano gli orsi, dovresti essere in grado di visualizzare Emmett».

Non riuscii a trattenere un altro brivido lungo la schiena. Sbirciai dall'altra parte della mensa, verso Emmett, lieta che non mi stesse osservando. Adesso i vigorosi fasci di muscoli che sfoggiava sul busto e sulle braccia avevano un'aria ancora più minacciosa.

Edward seguì il mio sguardo e soffocò una risata. Io lo fissai, nervosa.

«Anche tu somigli a un orso?», chiesi, a bassa voce.

«Più a un leone, così dicono», rispose piano. «Forse i nostri gusti rispecchiano il modo in cui cacciamo».

Cercai di sorridere. «Forse», gli feci eco. Avevo la testa piena di immagini inconciliabili tra loro. «Avrò mai il permesso di assistere?».

«Assolutamente no!». Il suo colorito si fece ancora più pallido del solito, e il suo sguardo divenne improvvisamente furioso. Io arretrai, stupita e – benché non volessi ammetterlo di fronte a lui – spaventata da quella reazione. Anche lui si era ritratto, incrociando le braccia.

«Troppo spaventoso per me?», chiesi, quando fui di nuovo in grado di controllare la mia voce.

«Se fosse questo, ti porterei con me stanotte», disse, con voce tagliente. «Quel che ti serve è una salutare dose di paura. Non vedo cosa potrebbe darti più beneficio».

«Ma allora, perché?», insistetti, senza badare alla sua espressione infuriata.

Per un minuto interminabile mi guardò, torvo.
«Più tardi», rispose, infine, e con un movimento leggiadro si alzò. «Siamo in ritardo».
Mi guardai attorno, sorpresa: aveva ragione, la mensa era quasi deserta. In sua compagnia, il tempo e lo spazio erano talmente sfocati da sfuggire alla mia percezione. Mi alzai di scatto dalla sedia, afferrando lo zaino che penzolava dallo schienale.
«D'accordo, più tardi». Non intendevo dimenticarmene.

Complicazioni

Entrammo insieme nel laboratorio di biologia, sotto gli sguardi di tutti. Ci accomodammo al tavolo degli esperimenti, e notai come Edward non restasse più a distanza di sicurezza, sull'orlo della seggiola. Anzi, seduto al mio fianco, quasi mi sfiorava con il gomito.

Ma ecco spuntare il professor Banner – che tempismo perfetto, quell'uomo – intento a spingere un alto trespolo di metallo che reggeva un televisore pesante e datato e un videoregistratore. Oggi, lezione con video: il sollievo collettivo della classe era tangibile.

Il professore infilò un nastro nel videoregistratore recalcitrante e andò a spegnere le luci.

In quel momento, al buio, fui sconvolta dalla consapevolezza che Edward era seduto a pochissimi centimetri da me. Ero stupita dall'elettricità imprevista che mi sentivo scorrere dentro, meravigliata di poter avvertire la sua presenza *ancora più del solito*. Fui quasi vinta dal folle impulso di cercarlo, toccarlo, accarezzare il suo viso stupendo almeno una volta, nell'oscurità. Incrociai le braccia badando a tenerle strette e strinsi i pugni. Stavo per impazzire.

I titoli di testa irradiarono nella stanza un bagliore leggero. I miei occhi, automaticamente, cercarono lui. Sorrisi come una stupida, quando mi accorsi che la sua postura era identica alla mia, i pugni stretti sotto le braccia incrociate, gli occhi che sbirciavano me. Ricambiò il sorriso, il suo sguardo riusciva a brillare anche al buio. Guardai altrove, per non rischiare di andare in iperventilazione. Era assolutamente ridicolo sentirmi tanto elettrizzata.

L'ora di lezione sembrò molto lunga. Non riuscivo a concentrarmi sul filmato, non sapevo nemmeno di cosa parlasse. Cercai di rilassarmi, ma senza risultato: la corrente elettrica che sembrava provenire da qualche parte del suo corpo rimase costante. Di tanto in tanto mi concedevo un'occhiatina verso di lui, che appariva altrettanto incapace di rilassarsi. Anche lo spropositato desiderio di toccarlo non accennava a spegnersi e mi costrinse a serrare le dita contro le costole fino a sentirle indolenzite.

Quando il professor Banner riaccese le luci in fondo alla classe, mi lasciai scappare un sospiro di sollievo e stirai le braccia, muovendo di nuovo le dita irrigidite. Edward ridacchiò.

«Be', interessante». Il suo tono di voce era cupo, lo sguardo pieno di cautela.

«Mmm», fu l'unica risposta di cui fui capace.

«Andiamo?», chiese, alzandosi con grazia.

Quasi mi feci sfuggire un grugnito. Ora di ginnastica. Mi alzai con attenzione, preoccupata che quella nuova e strana intensità avesse danneggiato il mio equilibrio.

Edward mi accompagnò in palestra senza parlare, e appena si fermò sulla soglia mi voltai per salutarlo. La sua espressione era inquietante: sembrava lacerato, quasi dolorante, di una bellezza tanto fiera da farmi sentire il desiderio di toccarlo con la stessa violenza di poco prima. Il saluto mi rimase in gola.

Sollevò la mano, indeciso, esitante, stava combattendo con se stesso; accarezzò svelto il profilo della mia guancia, con la punta delle dita. La sua pelle era ghiacciata come sempre, ma la traccia che lasciò sul mio viso era bollente, una scottatura che non provocava dolore.

Si voltò senza parlare e si allontanò a grandi passi.

Entrai in palestra con la testa vuota e le gambe molli. Fluttuai fino allo spogliatoio e infilai la tuta in trance, non del tutto consapevole delle altre persone attorno a me. Ripresi il contatto con la realtà soltanto quando qualcuno mi mise in mano una racchetta da badminton. Non era pesante, ma la maneggiavo con poca sicurezza. Alcuni miei compagni di classe mi lanciavano occhiate furtive. Il professor Clapp ci ordinò di formare le coppie.

Grazie al cielo, un po' del vecchio istinto cavalleresco di Mike era sopravvissuto: si posizionò al mio fianco.

«Ti va di stare in squadra con me?».

«Grazie, Mike... lo sai che non sei costretto, eh?», cercai di scusarmi anticipatamente.

«Non preoccuparti, ti starò lontano». Sorrise. A volte era così facile trovarlo simpatico.

Non andò affatto liscia. In qualche modo riuscii a colpire la mia stessa testa e a centrare la spalla di Mike con un movimento solo. Passai il resto dell'ora nell'angolo del campo più lontano dalla rete, con la racchetta nascosta dietro la schiena. Malgrado l'handicap, Mike giocò piuttosto bene: vinse tre partite su quattro da solo. Quando il fischietto del professore decretò la fine della lezione, il mio caro compagno di squadra mi diede anche un cinque, che non meritavo affatto.

«E allora», disse, mentre ci allontanavamo dal campo.

«Allora cosa?».

«Tu e Cullen, eh?», chiese, con un filo di irritazione. Cancellai subito la mia benevolenza per lui.

«Non è affar tuo, Mike». Tra me e me, augurai a Jessica le più crudeli e subitanee pene dell'inferno.

«Non mi piace», bofonchiò, incurante del mio commento.

«Non è che debba piacere a te», sbottai.

«Ti guarda come se fossi... qualcosa da mangiare», proseguì, senza badarmi.

Soffocai la crisi isterica che minacciava di esplodere, ma nonostante gli sforzi mi scappò un risolino acuto. Lui mi guardò in cagnesco. Lo salutai e sparii nello spogliatoio.

Mi rivestii in fretta, con lo stomaco affollato da qualcosa di più pesante delle farfalle, già lontanissima dalla discussione con Mike. Chissà se Edward mi stava aspettando o se l'avrei trovato accanto alla sua auto. E se ci fossero stati anche i suoi fratelli? Sentii un'ondata di vero terrore. Sapevano quel che sapevo io? E a me era permesso di sapere che sapevano che sapevo?

Quando uscii dalla palestra, ero intenzionata a tornare a casa a piedi, senza dare nemmeno uno sguardo al parcheggio. Tanta preoccupazione per nulla. Edward mi aspettava, appoggiato al muro della palestra, con aria disinvolta, senza l'ombra di un pensiero sul viso mozzafiato. Mi misi al suo fianco e provai una curiosa sensazione di sollievo.

«Ciao», dissi, con un sospiro e un ampio sorriso.

«Ciao». Ricambiò con un sorriso luminoso. «Com'è andata in palestra?».

Il mio entusiasmo scemò appena. «Bene», mentii.

«Davvero?». Non era convinto. I suoi occhi si socchiusero e misero a fuoco qualcosa dietro le mie spalle. Mi voltai e vidi Mike di schiena che se ne andava.

«Che c'è?», chiesi.

Tornò a fissare me, con lo stesso sguardo teso. «Newton inizia a darmi sui nervi».

«Non dirmi che ti sei rimesso ad ascoltare», inorridii. Ogni traccia del mio buonumore era svanita.

«Come va la testa?», chiese lui, innocentemente.

«Sei incredibile!». Mi voltai, accelerando il passo verso il parcheggio, malgrado in quel momento non fossi più convinta di volermene andare con lui.

Mi stava accanto senza sforzo.

«Sei stata tu a incuriosirmi: hai detto che non ti avevo mai vista in palestra». Non sembrava pentito, perciò ignorai del tutto le sue parole.

Procedemmo in silenzio – un silenzio imbarazzato e furioso, per quel che mi riguardava – fino alla sua auto. Ma a pochi passi di distanza fui costretta ad arrestarmi: la macchina era attorniata da una folla di ragazzi, tutti maschi. Poi mi resi conto che non stavano osservando la Volvo, ma la cabriolet rossa di Rosalie, mangiandosela con gli occhi. Nessuno si accorse di

Edward che si faceva spazio per aprire la portiera. M'infilai sul sedile del passeggero, passando altrettanto inosservata.

«Appariscente», bofonchiò.

«Che macchina è?».

«Una M3».

«Tradotto per i comuni mortali?».

«Una BMW». Alzò gli occhi, senza guardarmi, intento a fare retromarcia evitando di investire gli ammiratori.

Annuii, il nome non mi era nuovo.

«Sei ancora arrabbiata?», chiese, una volta conclusa attentamente la manovra.

«Assolutamente sì».

Sospirò: «Se chiedo scusa mi perdoni?».

«Forse... se sei sincero. *E in più* se prometti che non lo rifarai».

Rilanciò immediatamente, scaltro: «E se sarò sincero *e in più* ti lascerò guidare, sabato?».

Ci pensai un istante e conclusi che probabilmente era l'offerta migliore che potessi strappare: «Aggiudicato».

«Bene, mi dispiace molto di averti fatta arrabbiare». I suoi occhi arsero di sincerità per qualche istante – sgominando i battiti del mio cuore – e poi si rifecero giocosi. «E sarò sulla soglia di casa tua sabato mattina presto».

«Uhm, una misteriosa Volvo sul vialetto non ci aiuterà di certo, con Charlie».

Ora sorrideva, comprensivo. «Non ho detto che verrò in auto».

«Ma come...».

Mi interruppe: «Non preoccuparti. Ci sarò, senza macchina».

Lasciai perdere. Avevo una domanda più pressante.

«"Più tardi" è arrivato?», chiesi, con un tono eloquente.

Lui tornò serio. «Pensavo fosse più tardi».

Aspettavo, cercando di mantenere un'espressione educata.

Arrestò la macchina. Alzai lo sguardo, sorpresa: naturale, eravamo già di fronte a casa di Charlie, parcheggiati dietro il pick-up. Viaggiare con Edward era più facile se guardavo fuori solo quando tutto era finito. Tornai a osservarlo e vidi che mi studiava, come per valutarmi.

«Vuoi ancora sapere perché non ti posso portare a caccia?». Sembrava solenne, ma nei suoi occhi mi sembrava di leggere un'ombra di ironia.

«Be', più che altro mi chiedevo il perché della tua reazione».

«Ti ho spaventata?». Sì, stava scherzando.

«No», mentii, ma non ci cascò.

«Ti chiedo perdono per averti terrorizzata», insistette, abbozzando un sorriso, ma subito dopo sbarazzandosi di ogni accento ironico: «È stato soltanto il pensiero della tua presenza... durante la caccia». Si irrigidì.

«Non sarebbe il caso?».

Parlò senza smettere di digrignare: «Nemmeno per scherzo».

«Perché?».

Fece un respiro profondo e osservò, al di là del parabrezza, le nuvole dense e veloci che sembravano schiacciarci, quasi a portata di mano.

Iniziò a parlare controvoglia, lentamente: «Quando cacciamo, ci abbandoniamo ai sensi... e non è la mente a governarci. Seguiamo soprattutto l'olfatto. Se nel perdere il controllo sentissi che sei vicina...». Scosse la testa, senza staccare lo sguardo assorto dalle nuvole dense.

Cercai con tutte le forze di mantenermi calma, aspettandomi l'occhiata fulminea che avrebbe giudicato la mia reazione. La mia espressione era impenetrabile, quando arrivò.

Ma i suoi occhi non si staccarono dai miei, e il silenzio si faceva sempre più denso, e diverso. L'atmosfera si fece sovraccarica: sotto il suo sguardo ostinato, l'elettricità che avevo percepito quella mattina riprese a vibrare. Solo quando mi sentii quasi mancare, mi accorsi che stavo trattenendo il respiro. Quando ruppi il silenzio espirando in un tremito, Edward chiuse gli occhi.

«Bella, credo che a questo punto dovresti rientrare». La sua voce era bassa e roca adesso, lo sguardo di nuovo tra le nuvole.

Aprii la portiera, e il vento artico che invase l'auto mi aiutò a riprendere lucidità. Timorosa di inciampare, rintronata com'ero, poggiai il piede con attenzione e richiusi la portiera senza guardare indietro. Il ronzio del finestrino elettrico mi fece voltare.

«Ah, Bella?», mi chiamò con voce più serena. Si sporse dal finestrino aperto con la traccia di un sorriso sulle labbra.

«Sì?».

«Domani è il mio turno».

«Per cosa?».

Sfoderò un sorriso ampio e luminoso. «Per le domande».

E poi se ne andò, accelerando lungo la strada e dileguandosi dietro l'angolo, prima ancora che potessi riordinare le idee. Entrai in casa sorridendo. Se non altro, era evidente che il giorno dopo ci saremmo rivisti.

Quella sera, come al solito, Edward popolò i miei sogni. Il clima del mio inconscio, però, era cambiato. Agitata dalla stessa elettricità che aveva attraversato il pomeriggio, mi girai e rigirai nel letto senza sosta, svegliandomi spesso. Solo nelle prime ore del mattino mi lasciai andare a un sonno profondo e senza sogni.

Al risveglio ero ancora stanca e nervosa. Infilai un dolcevita marrone e gli immancabili jeans, sospirando mentre sognavo a occhi aperti canottiere e pantaloni corti. La colazione fu il solito evento tranquillo. Charlie si preparò le uova fritte, io la mia tazza di cereali. Chissà se si ricordava di ciò che avrei fatto sabato. Rispose alla mia domanda silenziosa alzandosi da tavola per sciacquare il suo piatto.

«A proposito di sabato...», esordì, attraversando la cucina e aprendo l'acqua del lavandino.

Ero già in imbarazzo. «Sì, papà?».

«Sei sempre decisa ad andare a Seattle?».

«I miei piani sarebbero quelli». Storsi il naso, il mio ultimo desiderio era di rispondergli fabbricando con scrupolo qualche mezza verità.

Spruzzò il detersivo sul piatto e lo strofinò con la spugna. «E sei sicura di non riuscire a tornare in tempo per il ballo?».

«Papà, al ballo non ci vado». Lo guardai torva.

«Nessuno ti ha invitata?». Provava a nascondere la preoccupazione concentrandosi sul piatto da lucidare.

Cercai di non entrare nel campo minato. «Gli inviti spettano alle ragazze».

«Ah». Si fece serio, mentre asciugava.

Lo capivo. Essere padre è senz'altro difficile: vivere nel timore che tua figlia incontri un ragazzo che le piace e allo stesso tempo aver paura che non lo incontri. Che cosa tremenda, pensai con un brivido, se Charlie avesse lontanamente sospettato *cosa* fosse colui che in realtà mi piaceva.

Poi mi salutò e uscì, e io salii al piano di sopra a lavarmi i denti e a prendere i libri. Dopo aver sentito il rumore dell'auto della polizia che se ne andava, mi bastò aspettare qualche secondo prima di sbirciare dalla finestra. L'auto metallizzata era già nel vialetto, al posto di quella di Charlie. Scesi le scale di corsa e mi precipitai fuori dalla porta, chiedendomi quanto a lungo avremmo continuato con quella bizzarra routine. Desideravo che non finisse mai.

Mi aspettava in macchina, apparentemente distratto mentre giravo la chiave nella toppa, senza preoccuparmi di chiudere il catenaccio. Mi avvicinai all'auto, trattenendomi un istante imbarazzata, prima di aprire la portiera e salire. Era sorridente, rilassato, e come al solito perfetto e bellissimo, da star male.

«Buongiorno». Che voce vellutata. «Oggi come stai?». I suoi occhi perlustrarono il mio viso, come se quella domanda fosse più che un semplice gesto di cortesia.

«Bene, grazie». In sua compagnia stavo sempre bene, molto, più che bene.

Si soffermò sulle mie occhiaie. «Sembri stanca».

«Non riuscivo a dormire», confessai, passandomi automaticamente i capelli sulla spalla a mo' di protezione.

«Neanch'io», disse, ironico, mentre avviava il motore. Mi stavo abituando a quelle fusa tranquille. Tornare a guidare il pick-up mi avrebbe assordata e terrorizzata.

Scoppiai a ridere. «Non c'è dubbio. Diciamo che avrò dormito poco più di te».

«Ci scommetto».

«E tu, cos'hai fatto ieri sera?».

Rise. «Alt. Oggi le domande spettano a me».

«Ah, d'accordo. Cosa vuoi sapere?». Non riuscivo a immaginare cosa trovasse di tanto interessante in me.

«Qual è il tuo colore preferito?», chiese, compassato.
Non sapevo cosa rispondere. «Cambia ogni giorno».
«Oggi qual è?». La sua aria era ancora solenne.
«Probabilmente il marrone». Di solito mi vestivo seguendo l'umore.
Dimenticò l'espressione seria e soffocò una risata. «Marrone?», chiese, scettico.
«Certo. Il marrone è caldo. Ho nostalgia del marrone. Tutto ciò che in teoria è marrone – tronchi d'albero, rocce, terra – da queste parti è coperto di roba verde e viscida».
Sembrava affascinato dalla mia breve filippica. Rimase zitto a riflettere per un istante, fissandomi negli occhi.
«Hai ragione», concluse, tornato serio, «il marrone è caldo». Si avvicinò, veloce ma in qualche modo esitante, per risistemarmi i capelli dietro le spalle.
Eravamo già a scuola. Si voltò di nuovo dal mio lato, impegnato nella manovra di parcheggio.
«Cosa c'è in questo momento nel tuo lettore CD?», chiese con tono grave come se stesse pretendendo la confessione di un'omicida.
Ricordai di non avere mai rimesso a posto il CD che mi aveva regalato Phil. Quando gli dissi il nome della band, sorrise di sbieco con una curiosa espressione. Aprì uno scompartimento alloggiato sotto il lettore CD dell'autoradio, dai trenta e più compact disc ammassati in quello spazio esiguo ne estrasse uno e me lo sventolò sotto il naso.
«Da Debussy a questo?». Alzò un sopracciglio.
Era lo stesso disco. Ne esaminai la copertina familiare, tenendo basso lo sguardo.
Continuò così per tutto il giorno. Mentre mi accompagnava alla lezione di inglese, quando mi venne a prendere dopo spagnolo, durante tutta l'ora della pausa pranzo, mi fece domande senza sosta sui dettagli più insignificanti della mia vita. Quali film mi piacevano o non sopportavo, i pochi posti che avevo visitato e i tanti che avrei desiderato vedere, e i libri soprattutto, domande senza fine sui libri.
Non ricordavo un'altra occasione in cui avessi parlato così

tanto. Spesso mi sentivo in imbarazzo, ero sicura di annoiarlo. Ma la sua espressione assorta e l'interminabile sequela di domande mi obbligavano a continuare. Si trattava perlopiù di curiosità innocenti e discrete. Solo alcune stuzzicarono la mia facilità ad arrossire. Ma ogni mio minimo rossore dava il via a un nuovo giro di domande.

Come quando mi chiese quale fosse la mia pietra preferita, e risposi «topazio» senza nemmeno pensarci. Mi stava tartassando, subissandomi con una velocità tale da farmi sentire in uno di quei test psicologici in cui si risponde con la prima parola che passa per la testa. Ero sicura che avrebbe continuato imperterrito a seguire la lista che aveva in mente, di qualunque genere fosse, se non mi avesse vista arrossire. Mi ero vergognata perché fino a poco tempo prima la mia pietra preferita era stata il granato. E guardando i suoi occhi di topazio era impossibile non ricordare perché avessi cambiato idea. Ovviamente, non si diede per vinto finché non confessai il motivo del cambiamento.

«Dimmelo», ordinò infine, dopo che i tentativi di persuasione erano falliti; e fallivano solo perché stavo ben attenta a non incrociare il suo sguardo.

«È il colore dei tuoi occhi, oggi», sospirai, senza distogliermi dalle mani che giocherellavano con una ciocca di capelli. «Dovessi chiedermelo tra due settimane ti risponderei che è l'onice». Grazie alla mia onestà involontaria avevo lasciato trapelare più informazioni del necessario, ed ero preoccupata che scatenassero la solita strana rabbia che nasceva quando, incespicando, rivelavo con troppa chiarezza la mia ossessione per lui.

Ma il suo silenzio fu molto breve.

«Quali sono i tuoi fiori preferiti?». E via con un'altra raffica.

Sospirai di sollievo e proseguii con la psicoanalisi.

L'ora di biologia fu l'ennesima complicazione. Edward continuò il suo quiz finché il professor Banner non entrò in classe, portandosi dietro il solito trabiccolo per gli audiovisivi. Mentre l'insegnante si avvicinava all'interruttore per spegnere la luce, mi accorsi che Edward allontanava impercettibilmente la sedia. Non servì a nulla. Appena si fece buio, riecco l'elettricità del giorno prima, lo stesso desiderio di cercarlo, lì accanto a me, di toccare la sua pelle fredda.

Mi allungai sul banco, appoggiando il mento alle braccia conserte e afferrai i bordi del tavolo con le dita nascoste, sforzandomi di combattere l'istinto irrazionale che mi sconvolgeva. Non osavo osservarlo, temevo che se ne avessi incrociato gli occhi sarebbe stato ancora più difficile mantenere il controllo. Provai sinceramente a guardare il filmato, ma alla fine dell'ora non ne ricordavo nemmeno un fotogramma. Di nuovo, quando il professor Banner riaccese le luci sospirai di sollievo e mi girai verso Edward: mi guardava, una luce ambigua negli occhi.

Si alzò in silenzio e si fermò ad aspettarmi, immobile. Mi accompagnò in palestra senza dire una parola, come il giorno prima. E come il giorno prima, mi accarezzò il viso, muto – ma stavolta con il dorso della mano fredda, dalla tempia al mento – prima di voltarsi e sparire.

L'ora di ginnastica passò in fretta: feci da spettatrice all'assolo di Mike durante le partite di badminton. Non mi rivolse la parola, forse per reazione alla mia espressione vuota, forse perché era ancora arrabbiato dopo il bisticcio del giorno prima. Una piccola parte del mio cervello l'aveva presa male. Ma non riuscivo a concentrarmi su di lui.

Dopo la lezione corsi a cambiarmi, in fretta e furia e un po' in ansia, conscia che prima avessi finito, prima avrei ritrovato Edward. I miei gesti erano più goffi del solito, ma alla fine riuscii ad andarmene e, quando lo vidi, provai lo stesso sollievo di sempre. Sul mio volto sbocciò automaticamente un gran sorriso. Lui contraccambiò, prima di tuffarsi nell'ennesimo interrogatorio.

Tuttavia, rispondere a quella nuova serie di domande fu più difficile. Voleva sapere cosa mi mancasse di più di Phoenix, e insisteva nel farsi descrivere i particolari di ciò che non gli era familiare. Restammo di fronte a casa di Charlie per ore, mentre il cielo si oscurava e un diluvio improvviso ci assaliva.

Cercai di descrivere cose impossibili, come l'odore di creosoto: amaro, leggermente resinoso, ma piacevole; il suono acuto e lamentoso delle cicale in luglio; gli alberi spogli, leggeri come piume; l'ampiezza del cielo, che si stendeva bianco e blu da un capo all'altro dell'orizzonte, disturbato a malapena dalle basse montagne coperte di rocce vulcaniche violacee. Il difficile era spiegare perché tutto ciò mi apparisse così bello: giustificare una bellezza che non dipendeva dalla vegetazione rada e spinosa che spesso sembrava mezzo morta, una bellezza legata più alle forme della terra spazzata dal vento, alle conche vuote delle vallate tra i profili marcati delle colline arse continuamente dal sole. Mi ritrovai a dover accompagnare le mie descrizioni con grandi gesti.

Nel suo modo tranquillo e pacato di indagare, mi fece parlare senza sosta, e alla luce fioca del temporale dimenticai qualsiasi imbarazzo per il fatto che stavo monopolizzando la conversazione. Conclusa la descrizione della mia stanza disordinata a Phoenix, lui rimase in silenzio, anziché rispondere con un'altra domanda.

«Hai finito?», chiesi, sollevata.

«Neanche per sogno… ma tra poco tornerà tuo padre».

«Charlie!», esclamai in un fiato, ricordandomi improvvisamente della sua esistenza. Guardai il cielo scuro e gonfio di pioggia, senza riuscire a leggerlo. «Quanto è tardi?», mi chiesi ad alta voce, controllando l'orologio. Ne rimasi sorpresa: Charlie sarebbe arrivato nel giro di qualche minuto.

«È il crepuscolo», mormorò Edward, lo sguardo puntato a ovest, verso un orizzonte coperto di nubi. Sembrava pensieroso, come se la sua mente vagasse chissà dove. Rimasi a osservarlo, mentre i suoi occhi si perdevano là fuori, al di là del parabrezza.

All'improvviso scivolarono di nuovo nei miei.

«Per noi è il momento più sicuro della giornata», disse, rispondendo alla domanda silenziosa del mio sguardo. «L'ora più leggera, ma in un certo senso, anche la più triste… la fine di un altro giorno, il ritorno della notte. L'oscurità è troppo prevedibile, non credi?». Sorrise malinconico.

«A me la notte piace. Se non ci fosse il buio non vedremmo le stelle. Be', non che qui si vedano granché».

Rise, e l'atmosfera si alleggerì.

«Charlie tornerà tra qualche minuto. Perciò, a meno che tu non voglia dirgli che sabato verrai con me...». Mi guardava di sottecchi.

«Grazie, ma... no, grazie». Raccolsi i libri, ritrovandomi indolenzita dalla sosta prolungata sul sedile. «Quindi, domani tocca a me?».

«Certo che no!». Si atteggiò da irritato, per scherzo. «Ti ho detto che non ho ancora finito, no?».

«E che altro manca?».

«Lo scoprirai domani». Si allungò ad aprirmi la portiera, e la sua vicinanza improvvisa mi scatenò palpitazioni frenetiche.

Ma la sua mano restò immobile.

«Cattive notizie», bofonchiò.

«Che c'è?». Notai che teneva la mascella contratta e il suo sguardo era inquieto.

Mi lanciò un'occhiata fulminea. «Un'altra complicazione», disse, cupo.

Aprì la portiera con una mossa veloce e in un istante si spostò per evitare il contatto con me.

La mia attenzione fu catturata da un paio di fari nella pioggia e da un'auto scura che procedeva sull'asfalto verso di noi.

«Charlie è dietro l'angolo», mi avvertì, osservando il veicolo sotto lo strato di pioggia che copriva il parabrezza.

Scesi dall'auto con un balzo, malgrado la confusione e la curiosità. All'aperto, la pioggia colpiva rumorosa la mia giacca a vento.

Cercai di identificare le sagome sul sedile anteriore dell'altra auto, ma era troppo buio. Vidi Edward illuminato dal fascio dei fari della macchina ferma di fronte a noi; guardava dritto di fronte a sé, con gli occhi fissi su qualcuno o qualcosa che non riuscivo a scorgere. La sua espressione era un misto di frustrazione e sfida.

Poi mise in moto, e le gomme stridettero sull'asfalto fradicio. La Volvo sparì nel giro di pochi secondi.

«Ehi, Bella», disse una voce roca, familiare, dal posto di guida della piccola auto nera.

«Jacob?». Scrutai attraverso la pioggia socchiudendo gli occhi. Proprio in quel momento la volante di Charlie svoltò l'angolo e illuminò gli occupanti del veicolo che mi stava di fronte.

Jacob era intento a scendere, il suo sorriso ampio si distingueva persino nell'oscurità. Dalla parte del passeggero era seduto un uomo molto più anziano di lui, un volto dai lineamenti marcati, difficile da dimenticare: un volto che quasi tracimava, con le guance che poggiavano sulle spalle, e la pelle bronzea attraversata da rughe simili alle increspature di una vecchia giacca di pelle. E gli occhi, neri, sorprendentemente familiari, che sembravano allo stesso tempo troppo giovani e troppo antichi per l'ampio viso che li conteneva. Era Billy Black, il padre di Jacob. Lo riconobbi all'istante, benché nei cinque anni passati dal nostro ultimo incontro mi fossi dimenticata anche del suo nome, richiamato alla memoria da Charlie soltanto il giorno del mio arrivo a Forks. Mi guardava fisso, perciò tentai un sorriso. Spalancava gli occhi e le narici, come fosse spaventato. Il mio sorriso svanì.

Un'altra complicazione, aveva detto Edward.

Billy seguitava a fissarmi con uno sguardo intenso, ansioso. Soffocai un gemito di fastidio. Era stato così facile, per Billy, riconoscere subito Edward? Credeva davvero alle leggende impossibili di cui suo figlio si era preso gioco?

La risposta nei suoi occhi era chiara: sì, ci credeva.

12

Equilibrio

«Billy!», esclamò Charlie, appena sceso dall'auto.

Mi voltai verso casa e feci un cenno a Jacob dalla veranda, sotto cui ero riparata. Sentivo Charlie salutarli a gran voce.

«Farò finta di non averti visto al volante, Jake», disse al ragazzo, rimproverandolo.

«Alla riserva la patente si prende prima», rispose Jacob, mentre aprivo la porta e accendevo la luce della veranda.

«Ah, sì, come no». Rideva.

«Dovrò pure muovermi in qualche modo, no?». Riconobbi la voce profonda di Billy all'istante, malgrado gli anni trascorsi. Sentirla mi riportò immediatamente all'infanzia.

Entrai, lasciando la porta aperta alle mie spalle, e prima di appendere il giubbotto accesi tutte le luci. Poi restai sulla soglia a osservare ansiosa Charlie e Jacob che tiravano fuori Billy dall'auto e lo facevano accomodare sulla sedia a rotelle.

Feci largo ai tre che entrarono in fretta, scrollandosi per asciugarsi dalla pioggia.

«Che sorpresa», esclamò Charlie.

«È una vita che non ci si vede», rispose Billy. «Spero che non sia un momento sbagliato». Mi inchiodò di nuovo con quegli occhi scuri e indecifrabili.

«No, va benissimo. C'è la partita, perché non rimanete?».

Jacob sorrise: «Questo era il piano: il nostro televisore si è rotto la settimana scorsa».

Billy guardò di traverso suo figlio: «E ovviamente, Jacob era impaziente di rivedere Bella». Jacob, serio, chinò la testa, mentre io cercavo di mettere a tacere il rimorso. Forse sulla spiaggia ero stata troppo convincente.

«Avete fame?», chiesi, diretta in cucina. Non vedevo l'ora di sfuggire allo sguardo indagatore di Billy.

«No, abbiamo mangiato prima di venire qui», rispose Jacob.

«E tu, Charlie?», chiesi, già da dietro l'angolo.

«Certo», rispose, e si precipitò in salotto di fronte alla TV. Sentivo il rumore della sedia a rotelle di Billy che lo seguiva.

I sandwich al formaggio erano già in padella, e mentre affettavo un pomodoro mi accorsi di una presenza accanto a me.

«E allora, come va?», chiese Jacob.

«Piuttosto bene», sorrisi. Era difficile resistere al suo entusiasmo. «E tu? Hai finito la macchina?».

«No», si rabbuiò. «Mi manca ancora qualche pezzo. Questa è in prestito». Con il pollice indicò l'auto parcheggiata nel vialetto.

«Mi dispiace. Non ho visto nessun... cos'era che stavi cercando?».

«Un cilindro freni». Sorrise. «Il pick-up ha qualche problema?», chiese subito dopo.

«No».

«Ah. Ho notato che non lo stavi guidando».

Abbassai lo sguardo sulla padella, sollevando un sandwich per controllarne il fondo. «Un amico mi ha dato un passaggio».

«Bella macchina», la voce di Jacob era piena di ammirazione. «Però non ho riconosciuto il guidatore. Pensavo di conoscere la maggior parte dei ragazzi della zona».

Annuii appena, senza staccare gli occhi dai sandwich che avevo appena girato.

«A papà sembrava di conoscerlo».

«Jacob, mi passi i piatti? Sono nella credenza, sopra il lavandino».

«Certo».

Mi allungò le stoviglie in silenzio. Speravo che il discorso morisse lì.

«Insomma, chi era?», chiese, sistemando i due piatti sul piano di cottura accanto a me.

Mi arresi, con un sospiro: «Edward Cullen».

Con mia grande sorpresa, scoppiò a ridere. Alzai lo sguardo su di lui. Sembrava vagamente imbarazzato.

«Ah, questo spiega tutto», disse. «Mi chiedevo perché mio padre avesse reagito così».

«Già», simulai un'espressione innocente. «I Cullen non gli piacciono».

«Vecchio superstizioso», mormorò Jacob, tra sé.

«Pensi che dirà qualcosa a Charlie?». Non riuscii a trattenermi, le parole mi sfuggirono, ansiose e veloci.

Per un istante Jacob mi colpì con uno sguardo indecifrabile, poi rispose: «Secondo me no: l'ultima volta Charlie gli ha fatto una testa così. Da allora non parlano granché. Quella di stasera è una specie di riconciliazione. Non credo che avrà voglia di tornare sull'argomento».

«Ah». Ostentavo indifferenza.

Portai la cena a Charlie e rimasi in salotto a fingere di guardare la partita mentre Jacob chiacchierava. In realtà badavo alla conversazione tra i due uomini, in attesa del momento in cui Billy avrebbe cercato di stanarmi, pensando alla maniera migliore di arginarlo se avesse cominciato.

Fu una serata molto lunga. Avevo un sacco di compiti da fare, ma l'idea di lasciare Billy e Charlie da soli mi spaventava. Infine la partita terminò.

«Pensi che tu e i tuoi amici tornerete presto alla spiaggia?», chiese Jacob mentre spingeva il padre sulla soglia.

«Non saprei».

«Ci siamo divertiti, Charlie», disse Billy.

«Tornate per la prossima partita», suggerì Charlie.

«Certo, certo. Ci saremo. Buonanotte». Guardò verso di me, e il suo sorriso scomparve. «E tu stai attenta, Bella», aggiunse, serio.

«Grazie», bofonchiai, guardando altrove.

Mentre Charlie ancora li salutava dalla porta, iniziai a salire le scale.

«Aspetta, Bella».

Mi arrestai dov'ero, imbarazzata. Billy aveva detto qualcosa a mio padre prima che li raggiungessi in salotto?

Eppure Charlie era rilassato, ancora sorridente per la visita inaspettata.

«Stasera non siamo riusciti a parlare. Com'è andata la giornata?».

«Bene». Esitavo, un piede ancora sul primo gradino, intenta a raccogliere i particolari che avrei potuto raccontargli. «La mia squadra di badminton ha vinto quattro partite su quattro».

«Caspita, non sapevo che giocassi a badminton».

«Be', a dire la verità non sono capace, ma il mio compagno è molto bravo».

«Chi è?». Cercava di mostrare interesse.

«Ehm... Mike Newton», risposi, di malavoglia.

«Ah, sì... mi avevi detto che il figlio dei Newton era tuo amico». Sollevò la testa. «Brava gente, la sua famiglia». Rimase qualche istante a meditare. «Perché non hai invitato lui al ballo di sabato?».

«Papà! Ha appena iniziato a uscire con la mia amica Jessica. E poi lo sai anche tu che non so ballare».

«Ah, sì», mugugnò. Poi sorrise, per scusarsi. «Perciò non è un problema se sabato sei fuori casa... Io ho organizzato una battuta di pesca con i ragazzi della centrale. Le previsioni dicono che farà davvero caldo. Ma se preferisci rimandare il viaggio finché non trovi qualcuno che ti accompagni, posso restare a casa. So bene che ti lascio un po' troppo spesso qui da sola».

«Papà, ti stai comportando benissimo». Sorrisi, sperando che non cogliesse il mio sollievo. «La solitudine non è mai stata un problema, per me... ti somiglio troppo». Strizzai l'occhio, e lui rispose con il suo sorriso increspato di piccole rughe.

Quella notte dormii meglio, ero troppo stanca per sognare. Quando mi svegliai, alla luce grigio perla del mattino, mi sentivo beata. Il nervosismo della serata con Billy e Jacob non mi toccava più: decisi di dimenticarmene del tutto. Mi sorpresi a fischiettare, mentre mi sistemavo il fermacapelli, scendendo dalle scale. Charlie se ne accorse.

«Siamo di buonumore, stamattina?», commentò a colazione.

Mi strinsi nelle spalle. «È venerdì».

Cercai di sbrigarmi, per essere pronta non appena Charlie fosse uscito. Avevo preparato lo zaino, indossato le scarpe, lavato i denti, ma malgrado mi fossi affacciata alla porta di casa nell'esatto istante in cui l'auto della polizia si allontanava, Edward era già lì: mi aveva preceduto come sempre. Mi aspettava sulla sua auto metallizzata, con i finestrini abbassati e il motore spento.

Stavolta salii sull'auto senza esitazioni, svelta, impaziente di rivederlo. Mi rivolse il suo solito sorriso sghembo, che mi fermò il respiro e il cuore. Non riuscivo a immaginare un angelo più splendido. In lui non c'erano imperfezioni da correggere.

«Dormito bene?», chiese. Chissà se si rendeva conto di quanto fosse affascinante la sua voce.

«Sì. E la tua nottata, com'è stata?».

«Piacevole». Sorrideva, divertito, come per una battuta che non potevo capire.

«Posso chiederti cosa hai fatto?».

«No». Fece un sorriso. «Oggi è ancora *mio*».

Quel giorno l'interrogatorio riguardava le persone: notizie su Renée, sui suoi hobby, su ciò che facevamo assieme nel tempo libero. E poi l'unica nonna che avevo conosciuto, le mie poche amicizie di scuola, e un momento di imbarazzo quando mi chiese dei ragazzi con cui ero uscita. Fortunatamente, non essendo mai uscita sul serio con nessuno, quella conversazione non poteva che durare ben poco. La povertà della mia vita sentimentale lo stupì, come era successo con Jessica e Angela.

«Perciò non sei mai uscita con qualcuno che ti piaceva?», chiese, tanto serio da farmi domandare a cosa stesse pensando.

Io fui sfacciatamente sincera: «Non a Phoenix».

Il suo sorriso si tese.

A quel punto della conversazione eravamo già arrivati all'ora della mensa. La giornata era trascorsa fulminea, come d'abitudine ormai. Approfittai della pausa per addentare la mia ciambella.

«Forse oggi era meglio che tu venissi da sola», disse, di punto in bianco, mentre masticavo.

«Perché?».

«Dopo pranzo vado via con Alice».

«Oh». Che sorpresa, e che delusione. «Non c'è problema, farò una passeggiata».

Mi fissò con aria torva e impaziente. «Non intendo farti tornare a casa a piedi. Andiamo a prendere il pick-up e lo portiamo qui».

«Non ho le chiavi», sospirai. «Davvero, non è un problema». Il problema era stare lontana da lui.

Scosse la testa. «Il tuo pick-up sarà qui e la chiave sarà nel quadro, a meno che tu non tema che qualcuno lo rubi». Al pensiero di un tale furto, scoppiò a ridere.

«D'accordo», risposi, a denti stretti. Ero piuttosto sicura che la chiave si trovasse nella tasca del paio di jeans che avevo indossato il mercoledì precedente, ammassati assieme ad altri vestiti in lavanderia. Anche se avesse fatto irruzione in casa mia, ammesso che ci stesse pensando, non l'avrebbe mai trovata. Prese la mia risposta come una sfida. E fece una boccaccia, sicuro di sé.

«Dove andate?», chiesi, nella maniera più disinvolta possibile.

«A caccia», rispose, torvo. «Se voglio restare solo con te domani, devo prendere tutte le precauzioni possibili». La sua espressione si fece imbronciata... e implorante. «Ricorda che puoi sempre annullare la nostra uscita».

Abbassai lo sguardo, temendo il potere di persuasione dei suoi occhi. Rifiutavo di lasciarmi convincere ad aver paura di lui, malgrado il rischio fosse reale. *Non m'importa*, ripetevo tra me.

«No», sussurrai, guardandolo, «non posso».

«Forse hai ragione», mormorò tetro. I suoi occhi si facevano sempre più scuri.

Cambiai discorso: «A che ora ci vediamo, domani?». Ero già depressa, al pensiero di doverlo salutare di lì a poco.

«Dipende. È sabato, non vuoi dormire un po' più a lungo?».

«No», risposi troppo in fretta. Lui non riuscì a trattenere un sorriso.

«Al solito orario, allora. Ci sarà Charlie?».

«No, domani va a pesca». Mi illuminai, al pensiero di tutte quelle coincidenze fortunate.

La sua voce tornò fredda. «E se non torni a casa, cosa penserà?».

«Non ho idea», risposi, senza scompormi. «Di solito il sabato faccio il bucato. Penserà che sono caduta nella lavatrice».

Mi lanciò un'occhiataccia, che ricambiai. La sua rabbia faceva molta più scena della mia.

«Di cosa vai a caccia, stanotte?», chiesi, quando fui sicura di avere perso la gara di occhiatacce.

«Quello che troviamo nel bosco. Non ci allontaneremo». Sembrava lusingato dalla mia allusione disinvolta alla sua realtà segreta.

«Perché ti fai accompagnare da Alice?».

«È l'unica che mi... incoraggia». Si rabbuiò.

«E gli altri?», chiesi timidamente. «Cosa dicono?».

Per un istante corrugò la fronte. «Perlopiù sono increduli».

Lanciai un breve sguardo dietro di me ai suoi fratelli. Erano tutti seduti al solito posto, nelle stesse posizioni in cui li avevo visti la prima volta, con lo sguardo perso nel vuoto. Però erano in quattro: il loro fratello bellissimo dai capelli di bronzo era seduto di fronte a me e mi guardava, inquieto.

«Non gli piaccio», commentai.

«Non è questo il problema», rispose, ma il suo sguardo fu troppo innocente. «Non capiscono perché mi intestardisca con te».

Feci una smorfia. «Nemmeno io, se è per questo».

Edward scosse la testa lentamente, e alzò gli occhi al cielo, prima di incrociare i miei. «Te l'ho detto: tu hai un'idea completamente sbagliata di te stessa. Sei diversa da chiunque altra abbia conosciuto. Mi affascini».

Spalancai gli occhi, sicura che stesse scherzando.

Sorrise, cercando di decifrare la mia espressione. «Grazie a certe mie qualità», mormorò, toccandosi con grazia la fronte, «ho una comprensione della natura umana superiore alla media. Le persone sono prevedibili. Ma tu... tu non fai mai ciò che mi aspetto. Mi cogli sempre di sorpresa».

Tornai a osservare i suoi fratelli, imbarazzata e delusa. Evidentemente per lui ero una sorta di esperimento scientifico. Mi sentivo ridicola per avere sperato che potesse essere diverso.

«E fin qui, spiegare è molto facile», proseguì. Sentivo i suoi occhi addosso, ma non avevo il coraggio di guardare, perché temevo che avrebbe letto il tormento nei miei. «Ma c'è di più... e non è facile da dire a parole...».

Mentre parlava, continuavo a fissare i Cullen. All'improvviso, Rosalie, la bionda mozzafiato, si voltò a guardarmi. No, non a guardarmi... a incenerirmi, con un'occhiata cupa e minacciosa. Avrei voluto distogliere lo sguardo, ma rimasi ipnotizzata finché Edward non si interruppe per emettere un ringhio rabbioso e soffocato. Sembrava il sibilo di un serpente.

Rosalie si voltò e mi liberò dalla sua presa. Cercai conforto in Edward: avevo gli occhi sbarrati, per la confusione e la paura che sapevo lui vi avrebbe letto.

Cercò di spiegare, nervoso: «Mi dispiace. È soltanto preoccupata... Non sarebbe pericoloso soltanto per me, se dopo aver passato così tanto tempo assieme sotto gli occhi di tutti...», abbassò lo sguardo.

«Se?».

«Se dovesse finire... male». Si prese la testa fra le mani, come quella sera a Port Angeles. Soffriva, era chiaro; avrei voluto consolarlo, ma non sapevo come. Ero tentata di afferrare la sua mano, stesi la mia fino a lui ma rinunciai, temendo di peggiorare le cose. Lentamente mi resi conto che le sue parole avrebbero dovuto farmi paura. Aspettai che tale paura arrivasse, ma non sentivo altro che la pena per il suo tormento. E la frustrazione, una frustrazione per essere stata interrotta da Rosalie mentre lui stava per dire chissà cosa. Non sapevo come riprendere il discorso. Si teneva ancora il capo tra le mani.

Cercai di parlare senza scompormi. «È ora di andare?».

«Sì». Mostrò il viso, prima serio, poi sorridente. «Probabilmente è meglio così. Ci restano ancora quindici minuti di quel maledetto filmato da vedere durante l'ora di biologia e non penso che li sopporterei».

Accanto a lui, a sorpresa, spuntò Alice, con i suoi capelli neri corvini, corti e disordinati sopra il viso squisito da elfo. Era sottile come un giunco, aggraziata anche quando restava ferma.

La salutò senza staccare gli occhi da me: «Alice».

«Edward», rispose lei, con una voce acuta da soprano, fascinosa quasi come quella del fratello.

«Alice, Bella... Bella, Alice». Ci presentò con un gesto disinvolto della mano e un sorriso obliquo.

«Ciao, Bella». Il suo sguardo acceso di ossidiana era indecifrabile, ma il sorriso sembrava amichevole. «Piacere di conoscerti, finalmente».

Edward la fulminò con uno sguardo.

«Ciao, Alice», mormorai, timida.

«Sei pronto?», chiese lei al fratello.

Lui rispose con un certo distacco: «Quasi. Ci vediamo alla macchina».

Lei se ne andò senza aggiungere altro. Provai un crampo acuto di gelosia per quella camminata così fluida e sinuosa.

«Devo augurarvi "buon divertimento", o è l'emozione sbagliata?», chiesi, rivolgendomi a Edward.

«No, "divertitevi" può andar bene». Sorrise.

«Allora divertitevi». Mi sforzavo di essere entusiasta. Ma non ero credibile, ovviamente.

«Ci proverò. E tu, per favore, cerca di sopravvivere».

«Sopravvivere a Forks... che sfida».

«Per te lo è». Si fece serio: «Promettilo».

«Prometto che cercherò di sopravvivere. Stasera faccio il bucato, una missione piena di incognite».

«Non cadere nella lavatrice».

«Farò del mio meglio».

Ci alzammo entrambi.

«Ci vediamo domani», sospirai.

«Per te è un'eternità, vero?».

Annuii, seria.
«A domattina», promise, con il suo sorriso sghembo. Si sporse per accarezzarmi ancora la guancia. Poi si voltò e se ne andò. Rimasi a guardarlo finché non sparì.
Ero tentata di saltare il resto delle lezioni, perlomeno quella di ginnastica, ma l'istinto mi avvertì che era meglio cambiare idea. Sapevo che se fossi scomparsa proprio allora, Mike e gli altri avrebbero dedotto che ero assieme a Edward. Ed Edward si preoccupava di non dare a vedere quanto tempo passava con me... nel caso fosse andata male. Ma all'eventualità non volevo nemmeno pensare; piuttosto, dovevo concentrarmi sul modo migliore di evitargli complicazioni.
Il mio intuito mi diceva che quel sabato sarebbe stato decisivo, e percepivo che anche per Edward fosse così. La nostra relazione non poteva continuare in quel modo, in equilibrio sulla punta di un coltello. Prima o poi saremmo caduti, da una parte o dall'altra della lama, e ciò dipendeva esclusivamente dalle sue scelte, o dai suoi istinti. Io avevo preso una decisione prima ancora di rendermene conto razionalmente ed ero pronta a rispettarla fino in fondo. Perché niente era per me più terrificante, più straziante, del pensiero di allontanarmi da lui. Era impossibile.
Tornai in classe, ligia al dovere. La lezione di biologia passò senza lasciare traccia: ero troppo occupata a pensare al giorno dopo. Durante l'ora di ginnastica, Mike ricominciò a parlarmi, e mi augurò di passare una buona giornata a Seattle. Gli spiegai scrupolosamente che ero preoccupata per il pick-up e che avevo cancellato la gita.
«Vieni al ballo con Cullen?», chiese allora rabbuiandosi.
«No, non verrò affatto al ballo».
«E cosa fai?», chiese, con fin troppa curiosità.
Un impulso naturale mi spingeva a dirgli di togliersi dalle scatole. Invece, mentii spudoratamente.
«Il bucato, dopodiché studierò per il test di trigo, che ho paura di non passare».
«E Cullen ti aiuterà a studiare?».
«*Edward*», sottolineai per bene il nome, «non mi aiuterà a

studiare. Trascorre il fine settimana da qualche parte fuori città». Notai con sorpresa che le bugie uscivano con più naturalezza del solito.

«Ah». Alzò lo sguardo. «Be', potresti venire lo stesso al ballo assieme a noi. Sarebbe fico... balleremmo tutti con te».

Immaginarmi l'espressione di Jessica mi rese più velenosa di quanto fosse lecito.

«*Non* verrò al ballo, Mike, okay?».

«Va bene». Tornò al suo broncio. «Era solo una proposta».

Quando finalmente le lezioni terminarono, uscii nel parcheggio senza entusiasmo. Non avevo granché voglia di tornare a casa a piedi, ma non vedevo come Edward avrebbe potuto recuperare il pick-up. D'altro canto, iniziavo a credere che per lui niente fosse impossibile. E tale intuizione si dimostrò fondata: trovai il pick-up proprio nello spiazzo in cui Edward aveva parcheggiato la Volvo quel mattino. Scossi il capo, incredula, spalancai la portiera e vidi la chiave nel quadro.

Sul sedile c'era un biglietto piegato. Salii, richiusi la portiera e lo aprii. Erano soltanto due parole, vergate dalla sua grafia elegante.

Stai attenta.

Il rombo del pick-up che riprendeva vita mi spaventò. Risi di me stessa.

Giunta a casa, trovai la serratura della porta chiusa e il catenaccio aperto, come l'avevo lasciato. Entrai e corsi subito in lavanderia. Anche quella sembrava inviolata. Cercai i jeans nel mucchio, li trovai e controllai le tasche. Vuote. Forse, in fin dei conti, avevo appeso la chiave al suo posto.

Assecondando lo stesso istinto che aveva scatenato le bugie dette a Mike, telefonai a Jessica con la falsa scusa di augurarle buona fortuna per il ballo. Quando ricambiò per la mia giornata con Edward, risposi che avevo annullato la gita. Fu molto più dispiaciuta di quanto un'osservatrice esterna avrebbe dovuto essere. La salutai poco dopo.

A cena, Charlie era distratto, forse era preoccupato per questioni di lavoro o per una partita di basket; in fin dei conti, forse si stava soltanto godendo le lasagne; con Charlie non si poteva mai dire.

«Sai, papà...», dissi, interrompendo il suo sogno a occhi aperti.

«Che c'è, Bell?».

«Penso che abbia ragione tu, riguardo a Seattle. Aspetterò che Jessica o qualcun'altra venga con me».

Fu sorpreso: «Ah, d'accordo. Vuoi che resti a casa con te, allora?».

«No, papà, non cambiare i piani. Ho un milione di cose da fare... i compiti, il bucato... devo andare in biblioteca e a comprare le verdure. Andrò avanti e indietro tutto il giorno... Tu vai e divertiti».

«Sicura?».

«Sicura, papà. E poi, il livello di pesce nel freezer si sta abbassando paurosamente: abbiamo scorte solo per due, massimo tre anni».

«Vivere con te è una pacchia, Bella». Sorrise.

«Posso dire lo stesso di te», risposi, con una risata forzata alla quale, per fortuna, non diede peso. Mi sentivo tanto in colpa per quell'inganno da avere quasi la tentazione di seguire il consiglio di Edward e confessare tutto a Charlie. Quasi.

Dopo cena, piegai i vestiti e preparai un altro carico per l'asciugatrice. Purtroppo, era il genere di mansione che mi teneva occupate soltanto le mani. La mia mente aveva decisamente troppo tempo libero e ne stavo perdendo il controllo. Fluttuavo tra un'impazienza così intensa da farmi quasi male, e una paura fastidiosa che punzecchiava la mia determinazione. Ormai avevo scelto, dovevo prenderne atto, e non sarei tornata sui miei passi. Leggevo e rileggevo il biglietto, per assorbire le due semplici parole scritte da Edward. Vuole che io stia al sicuro, mi ripetevo senza sosta. Mi dovevo aggrappare alla convinzione che, alla fine, quel desiderio avrebbe prevalso sugli altri. E poi qual era l'alternativa... eliminarlo dalla mia vita? Intollerabile. Per giunta, da quando vivevo a Forks, sembrava davvero che la mia vita riguardasse soltanto lui.

Ma la vocina nella mia testa era preoccupata e si chiedeva *quanto* avrei sofferto... se fosse finita male.

Andare a letto fu un sollievo. Sapevo di essere troppo stressata per dormire, perciò feci un gesto mai azzardato prima: presi volontariamente un sonnifero di quelli che mi mettevano fuori combattimento per otto ore buone. In una situazione normale non mi sarei perdonata una simile debolezza, ma non era proprio il caso di aggiungere l'intontimento di una notte in bianco a una giornata che già di per sé si presentava complicata. In attesa che il narcotico agisse, mi asciugai i capelli appena lavati fino a stirarli perfettamente, e mi scervellai per scegliere i vestiti da indossare il giorno dopo.

Terminati i preparativi, mi infilai sotto le coperte. Mi sentivo ipertesa; non smettevo di rigirarmi. Mi alzai a frugare nella scatola di scarpe in cui tenevo i CD, finché non trovai una collezione dei *Notturni* di Chopin. L'ascoltai a volume basso e poi tornai a letto, concentrandomi per rilassare una parte del corpo alla volta. Chissà quando, nel bel mezzo dell'esercizio, le pillole fecero effetto e la tanto desiderata perdita di coscienza arrivò.

Mi svegliai presto, dopo un sonno profondo e senza sogni grazie all'intervento aggiuntivo del sonnifero. Malgrado avessi riposato bene, tornai subito nervosa e irrequieta come la sera prima. Mi vestii in un lampo, stirando con cura il colletto della camicia, e tormentai la felpa marrone chiaro per farla cadere bene sui jeans. Con una lesta occhiata alla finestra mi accertai che Charlie fosse già uscito. Il cielo era velato da uno strato di nuvole sottile e vaporoso, destinato a dissolversi sotto il sole.

Ingurgitai la colazione e sparecchiai in un baleno. Diedi un'altra occhiata fuori dalla finestra, ma non era cambiato niente. Mi lavai i denti, scesi qualche scalino, e il rumore delicato di qualcuno che bussava alla porta mi mandò in fibrillazione.

Volai all'ingresso: la serratura semplicissima mi creò qualche difficoltà, ma infine riuscii a spalancare la porta, ed ecco apparire Edward. Un semplice sguardo al suo splendido viso cancellò l'agitazione e mi riempì di pace. Sospirai di sollievo: le paure del giorno prima, con lui accanto, sembravano bazzecole.

Da tenebroso che era, si rasserenò. Mi guardò e sorrise.

«Buongiorno». Rideva sotto i baffi.

«Cosa c'è che non va?». Mi guardai per assicurarmi di non avere dimenticato niente di importante, come le scarpe o i pantaloni.

«Stessa divisa». E rise di nuovo. In effetti, anche lui indossava una larga felpa marrone chiaro, da cui spuntava un colletto bianco, e un paio di blue jeans. Risi con lui, nascondendo un filo di invidia: perché lui sembrava un fotomodello e io no?

Chiusi la porta, mentre si avvicinava al pick-up. Mi aspettava dalla parte del passeggero con un'espressione da martire che la diceva lunga.

«Gli accordi sono accordi», precisai, compiaciuta, accomodandomi al posto di guida, e mi allungai per aprirgli la portiera.

«Dove andiamo?», chiesi.

«Allaccia la cintura: sono già nervoso».

Obbedii e gli lanciai un'occhiataccia.

«Dove?», ribadii sospirando.

«Prendi la centouno, verso nord».

Era sorprendentemente difficile concentrarmi sulla guida, con il suo sguardo addosso. Cercai di rimediare usando molta più attenzione del solito nell'attraversare la città ancora addormentata.

«Pensi di farcela, a uscire da Forks prima di sera?».

«Questo pick-up potrebbe essere il nonno della tua auto, abbi un po' di rispetto».

Poco dopo raggiungemmo la periferia, malgrado il pessimismo di Edward. I prati e le case presto lasciarono il posto al sottobosco e ai tronchi velati di verde.

«Svolta a destra verso la centodieci», disse lui, anticipando la mia domanda. Obbedii in silenzio.

«Adesso prosegui finché non trovi lo sterrato».

Sentivo una nota gioiosa nella sua voce, ma avevo troppa paura di uscire di strada e confermare i suoi timori sul mio stile di guida per voltarmi a controllare.

«E quando arriva lo sterrato, cosa c'è?».
«Un sentiero».
«Trekking?». Grazie al cielo mi ero messa le scarpe da ginnastica.
«È un problema?». Sembrava che avesse previsto tutto.
«No». Cercai di mentire senza darlo a vedere. Ma se pensava che il pick-up fosse lento...
«Non preoccuparti, sono solo sette o otto chilometri, e non abbiamo fretta».
Otto chilometri. Non risposi, per non tradire il panico. Otto chilometri di radici minacciose e sassi sparsi, decisi a slogarmi una caviglia o a menomarmi in qualsiasi altra maniera. Sentivo l'umiliazione in agguato.
Per un po', mentre contemplavo l'orrore imminente, restammo in silenzio.
«A cosa pensi?», chiese lui impaziente.
Mentii di nuovo: «A dove stiamo andando».
«In un posto in cui mi piace stare quando c'è bel tempo». Entrambi guardammo le nuvole sempre più sottili, fuori dai finestrini.
«Charlie diceva che sarebbe stata una giornata calda».
«E tu gli hai raccontato quali erano i tuoi piani?».
«No».
«Ma Jessica crede che stiamo andando a Seattle assieme?». L'idea sembrava rallegrarlo.
«No, le ho detto che hai annullato la gita... il che è vero».
«Nessuno sa che sei con me?». Si stava inquietando.
«Dipende... immagino che tu l'abbia detto ad Alice».
«Questo sì che mi è d'aiuto», disse sarcastico.
Finsi di non sentire.
«Forks ti deprime così tanto da farti contemplare il suicidio?», chiese, reclamando la mia attenzione.
«Sei stato tu a dire che per te poteva essere un problema... farci vedere troppo assieme».
«Così saresti preoccupata dei guai che potrei passare *io*... se *tu* non torni a casa?». Era ancora irritato, e il suo sarcasmo era velenoso.

Annuii, senza staccare gli occhi dalla strada.

Borbottò qualcosa a mezza voce, tanto rapidamente che non riuscii a decifrarlo.

Per il resto del viaggio in auto non volò una mosca. Sentivo le ondate di furia e rimprovero, e non riuscivo a spiccicare parola.

Infine, la strada terminò e si trasformò in un sentiero stretto, indicato soltanto da un piccolo ceppo. Parcheggiai nel poco spazio disponibile a lato della strada, timorosa perché Edward era in collera e io non avevo più la scusa della guida per distrarmi. La temperatura si era alzata, dal giorno del mio arrivo a Forks non avevo mai sentito quel caldo quasi afoso, sotto la coltre di nubi. Levai la felpa e me la annodai ai fianchi: era una fortuna che avessi indossato una camicia leggera, senza maniche, soprattutto perché mi aspettava una camminata di otto chilometri.

Sentii la sua portiera sbattere, e mi voltai: anche lui si era tolto la felpa e mi dava le spalle, rivolto verso la folta vegetazione al di là del pick-up.

«Da questa parte», disse, con un'occhiata ancora nervosa. Fece strada, dentro la foresta fitta e ombrosa.

«E il sentiero?». Girai attorno al pick-up di corsa con la voce piena di panico.

«Ho detto che alla fine della strada avremmo incontrato un sentiero, non che lo avremmo percorso».

«Niente sentiero?», chiesi, disperata.

«Non ci perderemo, fidati». Poi si voltò, sorridendomi beffardo, e mi tolse il fiato. Anche lui indossava una camicia senza maniche, sbottonata, e la pelle bianca e liscia del collo scendeva tesa sul profilo marmoreo del petto; la muscolatura non più nascosta dai vestiti spiccava in tutta la sua perfezione. Una simile bellezza era troppo perfetta, mi resi conto con una fitta acuta di disperazione. Non era possibile che questa creatura divina fosse stata inviata proprio a me.

Mi fissò, stupito dalla mia espressione straziata.

«Vuoi tornare a casa?», disse piano, con una velo di tormento, diverso da quello che provavo io.

«No». Mi avvicinai accelerando il passo, desiderosa di non sprecare nemmeno un istante del tempo che avevamo a disposizione.

«Cosa c'è che non va?», chiese, delicato.

«Il trekking non è il mio forte, purtroppo. Ti toccherà essere paziente».

«So essere molto paziente... se mi sforzo». Sorrise, sostenendo il mio sguardo e cercando di alleggerire quel mio improvviso e inspiegabile avvilimento.

Cercai di rispondere al sorriso, ma senza convinzione. Mi studiò in viso.

«Ti porterò a casa». Non capii se si trattava di una promessa indefinita o alludesse a una partenza immediata. Di sicuro pensava che avessi paura, e per l'ennesima volta ringraziai il cielo che non riuscisse a leggermi nel pensiero.

«Se vuoi che io riesca a percorrere otto chilometri nella giungla prima che il sole tramonti, è il caso che tu faccia strada da subito», dissi acida. Mi guardò, serio, sforzandosi di leggere la mia espressione e il mio tono di voce.

Non fu difficile come temevo. Il terreno era più o meno regolare, ed Edward toglieva di mezzo le felci umide e i grovigli di muschio. Quando ci imbattevamo, lungo il nostro percorso dritto, in alberi caduti o massi, mi aiutava, sostenendomi per il braccio e lasciandomi andare appena superato l'ostacolo. Ogni contatto della sua pelle fredda con la mia era un batticuore assicurato. Per due volte capii dal suo sguardo che se n'era accorto.

Cercai di non lasciarmi distrarre da tanta perfezione, ma spesso cedevo. E, ogni volta, ammirare la sua bellezza mi intristiva.

Perlopiù, camminammo in silenzio. Di tanto in tanto buttava lì una domanda dimenticata durante i due giorni di interrogatorio. Mi chiese dei miei compleanni, dei miei professori, dei miei animali domestici, e fui costretta ad ammettere di averci rinunciato del tutto, dopo avere ucciso tre pesci rossi uno dopo l'altro. Ciò lo fece ridere più fragorosamente del solito, e nel bosco deserto risuonò attorno a noi come un'eco di campane.

La camminata occupò quasi tutta la mattina, ma lui non diede alcun segno di impazienza. La foresta si spandeva in un labirinto sconfinato di alberi secolari, e iniziavo a temere che non avremmo più ritrovato la strada di casa. Lui era perfettamente a suo agio, nel verde della vegetazione, e non mostrava alcuna esitazione, neppure il minimo problema di orientamento.

Dopo molte ore, la luce che filtrava dal tetto di foglie cambiò, da un tono oliva scuro a un giada luminoso. Era uscito il sole, come Edward aveva previsto. Per la prima volta da quando eravamo entrati nel bosco, sentii un'agitazione che presto divenne impazienza.

«Non siamo ancora arrivati?», lo stuzzicai, fingendo di lamentarmi.

«Quasi». Sorrise del mio cambiamento di umore. «Vedi che laggiù c'è più luce?».

Osservai la vegetazione fitta. «Ehm, dovrei?».

Ridacchiò. «In effetti, forse è un po' presto, per *i tuoi* occhi».

«Mi ci vuole una visita dall'oculista», mormorai. La sua risatina divenne un ghigno.

Eppure, dopo un altro centinaio di metri, anch'io notai tra gli alberi un chiarore, una chiazza di luce gialla, anziché verde. Accelerai, sempre più agitata. In silenzio, lasciò che lo precedessi.

Raggiunsi i confini della chiazza di luce e, oltrepassate le ultime felci, entrai nel posto più grazioso che avessi mai visto. Era una radura, piccola, perfettamente circolare, piena di fiori di campo viola, gialli e bianchi. Si sentiva anche la musica scrosciante di un ruscello, nei dintorni. Il sole era alto e riempiva lo spiazzo di luce morbida. Camminavo lentamente, a bocca aperta, tra l'erba soffice e i fiori che dondolavano, sfiorati dall'aria calda e dorata. Mi voltai appena, desiderosa di condividere quella visione con Edward, ma lui non era più alle mie spalle. Mi guardai attorno, allarmata, cercandolo. Infine lo notai, ai margini del prato, nascosto nel fitto della foresta; mi guardava con aria circospetta. Solo in quell'istante ricordai ciò che la bellezza di quel posto aveva momentaneamente cancellato: l'enigma della luce solare che Edward aveva promesso di svelarmi.

Feci un passo verso di lui, gli occhi accesi di curiosità. Sembrava incerto, riluttante. Gli rivolsi un sorriso di incoraggiamento, facendogli segno di avanzare, e mi avvicinai ancora. A un suo cenno, mi arrestai dov'ero, i piedi ben piantati per terra.

Fece quel che mi sembrò un respiro profondo, poi uscì, nella luce abbagliante del sole di mezzogiorno.

13

Confessioni

Alla luce del sole Edward era sconvolgente. Non riuscii ad abituarmici; eppure non gli tolsi gli occhi di dosso per tutto il pomeriggio. La sua pelle, bianca nonostante il debole colorito acquistato dopo la battuta di caccia del giorno precedente, era scintillante, come ricoperta di piccoli diamanti. Se ne stava perfettamente immobile nell'erba, con la camicia aperta sul petto iridescente e scolpito, le braccia nude e sfavillanti. Le palpebre, pallide e luminose, erano chiuse, ma ovviamente non dormiva. Una statua perfetta, sbozzata in una pietra sconosciuta, liscia come il marmo, lucente come il cristallo.

Di tanto in tanto le sue labbra si muovevano incredibilmente veloci, quasi tremassero. Quando glielo feci notare, mi disse che canticchiava tra sé, a voce troppo bassa perché io lo sentissi.

Anch'io mi godevo il sole, malgrado l'aria fosse troppo umida per i miei gusti. Mi sarebbe piaciuto sdraiarmi come lui e scaldarmi il viso. Invece rimasi rannicchiata con il mento sulle ginocchia, incapace di levargli gli occhi di dosso. Il vento era delicato, mi spettinava e scompigliava l'erba attorno alla sua sagoma immobile.

Il prato, che prima mi era sembrato così spettacolare, impallidiva di fronte a tanta magnificenza.

Esitai, presa anche allora dalla paura che lui si dissolvesse come un miraggio, troppo bello per essere vero... Ed esitando tesi un dito fino ad accarezzare il dorso della sua mano sfavillante, immobile a pochi centimetri da me. Quella trama perfetta, soffice come la seta, fredda come la pietra, non smetteva di meravigliarmi. Alzai lo sguardo e trovai i suoi occhi, aperti: quel giorno erano color miele, più chiari e caldi dopo la caccia. Agli angoli della sua bocca spuntò un sorriso.

«Non ti faccio paura?», chiese scherzoso, benché la sua voce morbida tradisse una curiosità sincera.

«Non più del solito».

Il sorriso si allargò: i suoi denti brillavano al sole.

Mi feci più vicina, e con la punta delle dita seguii il profilo del suo avambraccio. Mi accorsi che mi tremava la mano, e sapevo che non gli sarebbe sfuggito.

«Ti dà fastidio?», chiesi, poiché aveva richiuso gli occhi.

«No», disse, senza riaprirli. «Non hai idea di come mi senta».

Con la mano, delicatamente, seguii il profilo dei muscoli perfetti del braccio, lungo la debole traccia bluastra delle vene, vicino alla piega del gomito. Con l'altra mano cercai la sua. Lui intuì la mia mossa e mi offrì il palmo con uno di quei suoi movimenti invisibili, incredibilmente veloci. Mi spaventò, e per un istante le mie dita si arrestarono sul suo braccio.

«Scusa», mormorò. Alzai lo sguardo appena in tempo per osservarlo richiudere gli occhi. «È troppo facile essere me stesso, assieme a te».

Sollevai la sua mano, rigirandola e ammirando i riflessi del sole. L'avvicinai agli occhi per scoprirne le misteriose sfaccettature.

«Dimmi cosa pensi», disse in un sussurro. Incrociai il suo sguardo, improvvisamente concentrato su di me. «Mi sembra ancora così strano, non riuscire a capirlo».

«Noi comuni mortali ci sentiamo sempre così, sai?».

«Che vita dura». Mi stavo solo immaginando la sfumatura malinconica nella sua voce? «Non hai risposto».

«Mi chiedevo cosa stessi pensando tu...», poi esitai.

«E?».

«E desideravo poter credere che tu fossi vero. E mi auguravo di non avere paura».

«Non voglio che tu abbia paura». La sua voce era un sussurro esile. Sentii ciò che non poteva sostenere con certezza: che non c'era bisogno di avere paura, che non c'era niente da temere.

«Be', non è esattamente quella la paura che intendevo, malgrado sia un aspetto da non trascurare».

Si mise a sedere di scatto, facendo leva sul braccio destro con un movimento fulmineo, non percepibile, lasciando l'altra mano tra le mie. Il suo viso d'angelo fu a pochi centimetri dal mio. Certo avrei potuto – avrei *dovuto* – arretrare, di fronte a quell'intimità imprevista, ma non riuscii a muovermi. Ero ipnotizzata dai suoi occhi dorati.

«E allora, di cosa hai paura?», sussurrò, serio.

Non trovavo le parole. Come mi era accaduto una volta soltanto, sentivo il suo respiro fresco sul viso. Dolce, delizioso, il suo profumo mi metteva l'acquolina in bocca. Era diverso da qualsiasi altro odore. Istintivamente, senza pensarci, mi avvicinai ad annusarlo.

E lui sparì, sfuggendo alla mia presa. Nell'istante che mi occorse per mettere a fuoco la scena, si era già allontanato di una decina di metri, ai bordi del prato, sotto l'ombra lunga di un grosso abete. Mi fissava, gli occhi cupi nel buio, sul viso un'espressione indecifrabile.

Non riuscii a trattenere uno sguardo addolorato e sorpreso. Le mani, vuote, mi bruciavano.

«Mi... dispiace... Edward», sussurrai. Sapevo che riusciva a sentirmi.

«Dammi solo un momento», disse, con un tono appena sufficiente per le mie orecchie meno sensibili. Restai immobile.

Dopo dieci secondi incredibilmente lunghi tornò indietro, più lentamente del suo solito. Si fermò a pochi metri da me e si lasciò cadere con grazia sul prato, sedendosi a gambe incrociate. I suoi occhi non mollarono i miei neanche per un istante. Fece due respiri profondi e sorrise per farsi perdonare.

«Mi dispiace tanto. Capiresti cosa intendo se ti dicessi che la carne è debole?».

Annuii, incapace di sorridere della battuta. Più mi rendevo

conto del pericolo, più sentivo scorrere l'adrenalina. Ne sentiva l'odore fin da dov'era seduto. La sua espressione divenne un sorriso sarcastico.

«Sono il miglior predatore del mondo, no? Tutto, di me, ti attrae: la voce, il viso, persino l'odore. Come se ce ne fosse bisogno!». A sorpresa, scattò in piedi e schizzò via, scomparendo in un istante dalla visuale, per riapparire sotto lo stesso albero di poco prima, dopo aver percorso il perimetro della radura in mezzo secondo.

«Come se tu potessi fuggire», rise, maligno.

Afferrò un ramo dalla circonferenza di mezzo metro e lo divelse senza sforzo dal tronco di un abete rosso. Lo tenne in mano, in equilibrio per un momento, e poi lo lanciò a velocità impressionante verso un altro albero, contro cui si sbriciolò, scuotendolo.

Poi, rieccolo di fronte a me, a pochi centimetri, immobile come una pietra.

«Come se potessi combattere ad armi pari», disse, delicato.

Restai seduta senza muovermi, non avevo mai avuto così paura di lui. Non avevo mai visto ciò che nascondeva dietro quella facciata così ben costruita. Non era mai stato meno umano di così... né più bello. Sedevo lì, il viso cinereo e gli occhi sbarrati, un uccellino ipnotizzato dallo sguardo di un serpente.

I suoi begli occhi sembravano accesi dall'eccitazione. Poi, con il passare dei secondi, si spensero. La sua espressione, piano piano, si trasformò in una maschera di antica tristezza.

«Non avere paura», sussurrò, con voce vellutata e, suo malgrado, seducente. «Prometto... *giuro* che non ti farò del male». Sembrava più intento ad autoconvincersi che a convincere me.

«Non avere paura», mormorò di nuovo, avvicinandosi a me con lentezza esagerata. Si sedette con un movimento sinuoso e deliberatamente posato, fino ad avvicinare il suo viso al mio, a pochi centimetri di distanza.

«Per favore, perdonami», disse, con aria formale. «*Sono capace* di controllarmi. Mi hai preso in contropiede. Ma adesso sarò impeccabile».

Attese la mia risposta, ma ero paralizzata.

«Sul serio, oggi non ho così tanta sete». Mi strizzò l'occhio.

Non gli rifiutati una risata, benché debole e forzata.

«Stai bene?», chiese, con dolcezza, avvicinandosi per offrirmi di nuovo la mano marmorea.

Osservai la pelle liscia e fredda, poi lo guardai negli occhi. Erano dolci, contriti. Tornai alla sua mano, e ripresi a seguirne i contorni con la punta delle dita. Alzai lo sguardo e azzardai un sorriso timido.

Ricambiò, illuminandosi tanto da farmi perdere la testa.

«Cosa stavamo dicendo, prima che mi comportassi in maniera così sgarbata?», chiese, con la cadenza gentile di un altro secolo.

«Sinceramente non ricordo».

Sorrise, ma nei suoi occhi c'era un filo di imbarazzo: «Credo che stessimo parlando di ciò che ti mette paura, a parte le ragioni più ovvie».

«Ah, sì».

«Allora?».

Tornai a osservare la sua mano, disegnando ghirigori immaginari sul palmo liscio e luccicante. I secondi passavano.

«Com'è facile vanificare i miei sforzi», sospirò. Lo guardai negli occhi, e all'improvviso capii che la situazione in cui ci trovavamo era nuova per lui quanto per me. Malgrado gli innumerevoli anni di esperienza che probabilmente aveva, era in difficoltà. Questo pensiero mi diede coraggio.

«Avevo paura perché... per, ecco, ovvi motivi, non posso *stare* con te. Ma d'altro canto vorrei stare con te molto, molto più del lecito». Non staccavo gli occhi dalle sue mani. Era difficile dire certe cose ad alta voce.

«Sì». Parlò lentamente: «Non c'è dubbio, è una paura legittima, voler stare con me. È tutto fuorché una scelta vantaggiosa».

Lo guardai, accigliata.

«Avrei dovuto lasciarti perdere tempo fa», sospirò. «Dovrei lasciarti, adesso. Ma non so se ci riuscirei».

«Non voglio che tu mi lasci», mormorai accorata, abbassando lo sguardo per l'ennesima volta.

«Il che è precisamente la migliore ragione per andarmene. Ma non preoccuparti, sono una creatura essenzialmente egoista. Desidero troppo la tua compagnia per comportarmi come dovrei».

«Ne sono lieta».

«Non esserlo!». Ritrasse la mano, più dolcemente di prima; il suo tono di voce era più aspro del solito, ma restava più meraviglioso di qualsiasi voce umana. Era difficile seguire i suoi sbalzi di umore, restavo sempre indietro, stupita.

«Non è solo la tua compagnia che amo! Non dimenticarlo *mai*. Non dimenticare mai che sono più pericoloso per te che per chiunque altro». Osservava un punto indefinito della foresta.

Per qualche istante meditai in silenzio.

«Non credo di avere capito cosa intendi, specialmente l'ultima frase», dissi.

Tornò a fissarmi e sorrise, dopo l'ennesimo cambiamento di umore.

«Come faccio a spiegartelo senza metterti di nuovo paura... vediamo». Sovrappensiero mi offrì di nuovo la mano. La strinsi forte fra le mie, e il suo sguardo le contemplò.

«È straordinariamente piacevole il calore», sospirò.

Un momento dopo, riordinò le idee.

«Hai presente, i gusti delle persone? Ad alcune piace il gelato al cioccolato, ad altre la fragola?».

Annuii.

«Scusa l'analogia con il cibo, non trovo una metafora migliore».

Al mio sorriso seguì subito il suo, con un filo di imbarazzo.

«Vedi, ogni persona ha un suo odore, un'essenza particolare. Se chiudessi un alcolizzato in una stanza piena di lattine di birra sgasata, le berrebbe senza badarci. Se invece fosse un alcolista pentito, se decidesse di non berle, potrebbe riuscirci facilmente. Ora, se poniamo nella stanza un solo bicchiere di liquore invecchiato cento anni, il cognac migliore, il più raro di tutti, che diffonde ovunque il suo profumo... come credi che si comporterebbe il nostro alcolizzato?».

Restammo zitti, guardandoci negli occhi, cercando di leggerci nel pensiero a vicenda.

Fu lui a riprendere il discorso.

«Forse non è la metafora migliore. Forse rifiutare il cognac sarebbe facile. Forse dovrei trasformare il nostro alcolista in un eroinomane».

«Cioè, vorresti dirmi che sono la tua qualità preferita di eroina?», dissi, nel tentativo di alleggerire l'atmosfera.

Sorrise all'istante, sembrava apprezzare lo sforzo. «Ecco, tu sei esattamente la mia qualità preferita di eroina».

«Succede spesso?», chiesi.

Alzò lo sguardo sopra le cime degli alberi, pensando a una risposta.

«Ne ho parlato con i miei fratelli». Non staccava gli occhi dall'orizzonte. «Secondo Jasper, siete tutti uguali. È stato l'ultimo a unirsi alla nostra famiglia e l'astinenza lo fa soffrire ancora molto. Non ha ancora imparato a distinguere tra i diversi odori e sapori». Mi lanciò un'occhiata timida.

«Scusa», disse.

«Non importa. Ti prego, non preoccuparti di offendermi, di spaventarmi o di qualsiasi altra cosa. È il tuo modo di ragionare. Riesco a capire, o perlomeno posso provarci. Però, ti prego, spiegami tutto come puoi».

Fece un respiro profondo e tornò a guardare il cielo.

«Perciò, Jasper non ha saputo dirmi con certezza se gli sia mai capitato di conoscere qualcuna che fosse...», esitò, in cerca della parola giusta, «*attraente* come tu sei per me. Il che mi fa ritenere che non l'abbia mai conosciuta. Emmett è dei nostri da più tempo, per così dire, e ha capito cosa intendevo. A lui è capitato due volte, una più forte dell'altra».

«E a te?».

«Mai».

Per un istante quella parola restò a mezz'aria, nella brezza calda.

«Come si è comportato Emmett?», chiesi, per spezzare il silenzio.

Era la domanda sbagliata. Il suo volto si fece scuro, la sua mano si strinse in un pugno. Guardò altrove. Restai in attesa di una risposta che non arrivò.

«Credo di aver capito», conclusi.

Alzò gli occhi: la sua espressione era malinconica, implorante. «Anche i più forti di noi possono smarrire la strada, no?».

«Cosa stai chiedendo? Il mio permesso?». Fui più pungente di quanto intendessi essere. Cercai di proseguire con maggiore gentilezza; immaginavo quanto potesse costargli tutta quella sincerità. «Voglio dire, non c'è proprio speranza, allora?». Con quanta calma discutevo della mia morte!

«No, no!». Si pentì subito di ciò che aveva detto. «Certo che c'è speranza! Voglio dire, è ovvio, non...», ma non terminò la frase. Il suo sguardo bruciava dentro il mio. «Per noi è diverso. Emmett... quelle erano sconosciute, incontrate per caso. È accaduto tanto tempo fa, e lui non era... allenato e attento come ora».

Rimase zitto a osservarmi, mentre meditavo sulle sue parole.

«Perciò, se ci fossimo incrociati... in un vicolo buio, o qualcosa del genere...». La mia voce si affievolì.

«Mi c'è voluta tutta la forza che avevo per non assalirti durante la prima lezione, in mezzo agli altri ragazzi, e...», rimase in silenzio, distogliendo lo sguardo. «Quando mi sei passata accanto, ho rischiato di rovinare in un istante tutto ciò che Carlisle ha costruito per noi. Se non avessi messo a tacere così a lungo la mia sete negli ultimi, be', troppi anni, non sarei riuscito a trattenermi». Rivolse il suo sguardo inquieto agli alberi.

Poi mi guardò torvo, rievocando, come me, la scena. «Avrai creduto che fossi posseduto dal demonio».

«Non riuscivo a capire come potessi odiarmi così, e perché poi, dal primo istante...».

«Ai miei occhi eri una specie di demone, sorto dal mio inferno privato per distruggermi. L'odore soave della tua pelle... Quel primo giorno ho temuto di perdere definitivamente la testa. In quella singola ora ho pensato a cento maniere diverse di portarti via dall'aula, di isolarti. E mi sono opposto a tutte, temendo le conseguenze che avrebbero colpito la mia famiglia. Dovevo scappare, andarmene prima di pronunciare le parole che ti avrebbero obbligata a seguirmi...».

Alzò gli occhi sul mio viso sconcertato, mentre cercavo di

mettere a fuoco quei suoi ricordi amari. Nascosti dalle ciglia, i suoi occhi dorati bruciavano, ipnotici e mortali.

«Mi avresti seguita, te lo garantisco».

Cercai di rispondere con calma: «Senza dubbio».

Tornò alle mie mani torvo, liberandomi dal suo sguardo magnetico. «E poi, proprio mentre cercavo inutilmente di cambiare l'orario settimanale per poterti evitare, rieccoti. In quella stanzetta calda il tuo profumo mi faceva impazzire, in quel momento sono stato lì lì per prenderti. C'era soltanto quell'altra fragile umana, me ne sarei sbarazzato senza difficoltà».

Malgrado il sole caldo, sentii un brivido: rivedendo i miei ricordi attraverso i suoi occhi mi rendevo finalmente conto del pericolo corso. Povera signorina Cope: il pensiero di quanto fossi stata vicina a causarne la morte mi provocò un altro brivido.

«Ma ho resistito, non so come. Mi sono imposto di *non* aspettarti fuori da scuola, di *non* seguirti. All'esterno la tua scia era più debole, perciò sono riuscito a pensare lucidamente, a prendere la decisione giusta. Ho accompagnato gli altri a casa – mi vergognavo troppo di raccontare ciò che mi stava succedendo, avevano soltanto intuito che qualcosa non andava – e sono corso da Carlisle, all'ospedale, ad annunciargli che me ne sarei andato di casa».

Rimasi a guardarlo, sorpresa.

«Ho scambiato la mia auto con la sua: aveva appena fatto il pieno, e non volevo fermarmi. Non ho osato tornare a casa ad affrontare Esme. Lei non mi avrebbe lasciato andare, non senza prima farmi una scenata. Avrebbe cercato di convincermi che non ce n'era bisogno...».

«Il mattino dopo ero in Alaska». Sembrava si vergognasse di qualcosa che sentiva come una codardia. «Ci sono rimasto per due giorni, da alcune vecchie conoscenze... ma avevo nostalgia di casa. Ero tormentato dal pensiero di avere sconvolto Esme e il resto della mia famiglia adottiva. In mezzo all'aria pura di montagna era difficile credere che tu fossi così irresistibile. Mi sono convinto che la fuga fosse una scelta da debole. Avevo già lottato contro la tentazione, in precedenza, ma anche se non era mai stata così grande, così violenta, sapevo di essere forte. Chi eri tu, piccola e insignificante ragazza», e fece un ghigno, «per scacciarmi dal posto in cui desideravo vivere? Perciò sono tornato...». Il suo sguardo si perse all'orizzonte.

Ero senza parole.

«Ho preso tutte le precauzioni possibili, sono andato a caccia, mi sono nutrito più del solito, prima di tornare a incontrarti. Ero sicuro di essere tanto forte da poterti trattare come un qualsiasi essere umano. Sono stato molto arrogante.

Un'altra grossa complicazione, in tutto questo, è stata la mia incapacità di leggerti nel pensiero, il non poter conoscere le tue reazioni. Non ero abituato a dover ricorrere a certi sotterfugi, come leggere le tue parole nel pensiero di Jessica... non è una persona granché originale, e non sai che noia dovermici adattare. Per giunta, non capivo se le tue parole fossero sincere. Tutto ciò è stato tremendamente irritante». Quel ricordo lo rese ancora più serio.

«Desideravo farti dimenticare il mio comportamento del primo giorno, se possibile, perciò ho tentato di parlare con te come facevo con chiunque altro. A dire la verità, morivo dalla voglia di decifrare qualche tuo pensiero. Ma eri troppo interessante, e mi sono perso nel tuo modo di fare... Poi di tanto in tanto facevi un gesto con la mano, o ti sistemavi i capelli, e l'odore tornava a colpirmi...

È stato a quel punto che hai rischiato di morire schiacciata nell'incidente, proprio sotto i miei occhi. Poco dopo, ho architettato un alibi perfetto per giustificare a me stesso il mio comportamento: se non ti avessi salvata, di fronte al tuo sangue non sarei riuscito a nascondere la mia vera natura. Ma questo l'ho pensato dopo. In quel momento, l'unica cosa che avevo in mente era: "Non lei"».

Chiuse gli occhi, perso nello sforzo della confessione. Lo avevo ascoltato con più curiosità che razionalità. Il buon senso mi diceva che avrei dovuto esserne terrorizzata. Riuscire a comprenderlo fu un sollievo. E un'ondata di compassione per la sua sofferenza mi pervase, anche mentre ammetteva di aver desiderato la mia vita.

Infine, riuscii a spiccicare parola, malgrado la mia voce fosse un sussurro: «E in ospedale?».

M'inchiodò con lo sguardo. «Ero scioccato. Non riuscivo a credere di avere corso quel rischio, di averlo fatto correre a tutti i miei, per proteggere proprio te. Come se ci fosse bisogno di un motivo in più per ucciderti». Nell'istante in cui questa parola gli uscì di bocca, scattammo entrambi. «Ma l'effetto è stato il contrario», aggiunse immediatamente. «Ho litigato con Rosalie, Emmett e Jasper, che sostenevano fosse il momento giusto... il peggior litigio da quando viviamo assieme. Carlisle e Alice erano dalla mia parte». Sorrise, nominando la sorella. Non riuscivo a immaginare perché. «Secondo Esme dovevo fare tutto il possibile per rimanere». Scosse il capo, benevolo.

«Il giorno dopo ho origliato le menti di tutte le persone con cui avevi parlato, stupito che avessi mantenuto la parola. Non ti avevo affatto capita. Ma sapevo che non potevo lasciarmi coinvolgere ulteriormente da te. Ho fatto del mio meglio per starti lontano. E ogni giorno il profumo della tua pelle, del tuo respiro, dei tuoi capelli... mi colpiva forte, come la prima volta».

Incrociò il mio sguardo, sembrava sorprendentemente tenero.

«E la cosa più assurda è che mi sarei curato meno di rovinarci tutti il primo giorno, piuttosto che farti del male qui, ora, senza testimoni, senza nessuno in grado di fermarmi».

Fui abbastanza comprensiva da doverglielo chiedere: «Perché?».

«Isabella». Pronunciò il mio nome completo con attenzione; poi, con la mano libera, giocò con i miei capelli, scompigliandoli. Quel contatto così casuale mi scatenò una tempesta dentro. «Bella, arriverei a odiare me stesso, se dovessi farti del male. Non hai idea di che tormento sia stato», abbassò gli occhi, intimorito, «il pensiero di te immobile, bianca, fredda... di non vederti più avvampare di rossore, di non poter più cogliere la scintilla nel tuo sguardo quando capisci che ti sto prendendo in giro... non sarei in grado di sopportarlo». Mi fissò con i suoi occhi meravigliosi e angosciati. «Ora sei la cosa più importante per me. La cosa più importante di tutta la mia vita».

Il rapido cambio di direzione nella conversazione mi fece girare la testa. Eravamo passati dalla spensierata constatazione della mia imminente scomparsa alle dichiarazioni ufficiali. Aspettava una risposta, e malgrado non levassi lo sguardo dalle nostre mani intrecciate, sentivo i suoi occhi dorati addosso.

«Sai già cosa provo, ovviamente», risposi, infine. «Sono qui, il che, in due parole, significa che preferirei morire, piuttosto che rinunciare a te». Abbassai lo sguardo. «Sono un'idiota».

«Certo che lo sei», ribadì lui, con una risata. Lo fissai negli occhi, e anch'io iniziai a ridere. Ridevamo di quel momento così folle e totalmente imprevedibile.

«Così, il leone si innamorò dell'agnello...», mormorò. Guardai altrove nascondendogli i miei occhi, elettrizzata da quelle parole.

«Che agnello stupido», sospirai.

«Che leone pazzo e masochista». Per un istante interminabile scrutò le ombre della foresta, preso da chissà quali pensieri.

«Perché...?». Tentai di parlare ma non ero sicura di come proseguire.

Mi guardò e sorrise: il suo viso, i suoi denti, sfavillavano al sole.

«Sì?».

«Dimmi perché prima sei fuggito in un lampo da me».

Il suo sorriso si spense. «Lo sai, il perché».

«No, voglio dire, cos'ho fatto *di preciso*? È meglio che stia in guardia, per imparare cosa non posso fare. Questo, per esempio», gli accarezzai il dorso della mano, «non crea problemi».

Sorrise di nuovo. «Non hai fatto niente di male, Bella. È stata colpa mia».

«Ma se posso, voglio aiutarti, voglio renderti la vita meno difficile».

«Be'...», meditò, per un istante. «È stata una questione di vicinanza. Gli esseri umani sono per la maggior parte naturalmente timidi con noi, la nostra alterità li allontana... Non mi aspettavo che ti avvicinassi così tanto. E poi, il profumo del tuo *collo*». Non aggiunse altro, cercava di capire se mi avesse turbata.

«D'accordo», risposi decisa, desiderosa di alleggerire l'atmosfera improvvisamente plumbea. Alzai il colletto fino al mento. «Niente collo scoperto».

Funzionò: lo feci ridere. «No, davvero, più che altro è stata la sorpresa».

Alzò la mano libera e la posò dolcemente sul mio collo. Ero immobile, il suo tocco ghiacciato agiva come un allarme naturale – un allarme che mi avvertiva di farmi prendere dal terrore – ma non sentivo un briciolo di paura. Dentro di me c'erano ben altre sensazioni...

«Vedi? Nessun problema».

Il cuore mi batteva all'impazzata, non so cos'avrei dato per rallentarlo, conscia che il suo pulsare così potente nelle vene avrebbe creato qualche problema. Di sicuro riusciva a sentirlo.

«Resta ferma», sussurrò, come se non fossi già impietrita.

Lentamente, senza staccare gli occhi da me, si avvicinò. Poi, all'improvviso, ma con grande delicatezza, posò la guancia fredda nell'incavo del mio mento, sulla gola. Anche se avessi desiderato muovermi, non ci sarei riuscita. Ascoltai il rumore del suo respiro regolare, guardando il sole e il vento giocare con quei capelli di bronzo, il più umano dei suoi tratti.

Con lentezza calcolata, fece scivolare le mani lungo il mio collo. Sentii un brivido e mi accorsi che tratteneva il respiro. Ma non si fermava, scorreva morbidamente sulle spalle, poi si arrestò.

Spostò il viso di lato, sfiorandomi la clavicola con il naso. Infine, si accucciò con il volto appoggiato dolcemente al mio petto.

Ascoltava il mio cuore.

Gli sfuggì un sospiro.

Non so per quanto tempo restammo immobili in quella posizione. Ore intere, per quel che mi sembrava. Alla fine, il ritmo del mio cuore rallentò, ma lui non disse una parola e continuò a stringermi a sé. Sapevo che avrebbe potuto perdere il controllo in qualsiasi momento e la mia vita sarebbe finita lì, tanto in fretta da non accorgermene neanche. Eppure, non riuscivo a provare paura. Sentivo il contatto con lui e non pensavo ad altro.

Infine, troppo presto, mollò la presa.
Il suo sguardo era quieto.
«Non sarà più così difficile», disse, soddisfatto.
«È stata dura?».
«Non terribile come immaginavo. E per te?».
«No, niente affatto terribile... per me».
Sorrise al mio tono. «Hai capito cosa intendo».
Sorrisi.
«Vieni qui». Mi prese la mano e se la avvicinò alla guancia. «Senti?».
La sua pelle, di solito ghiacciata, era quasi calda. Me ne accorsi però a malapena, perché stavo sfiorando il suo viso, un gesto che desideravo fare dal primo giorno.
«Resta lì», sussurrai.
Nessuno era capace di restare immobile come Edward. Chiuse gli occhi e rimase fermo come una pietra, una scultura in mano mia.
Mi muovevo ancora più lentamente di lui, evitando gesti improvvisi. Gli carezzai la guancia, sfiorai delicatamente le palpebre e l'ombra violacea dell'incavo attorno all'occhio. Seguii il profilo del suo naso perfetto, e poi, con la massima delicatezza, delle labbra impeccabili. Al contatto con la mia mano si dischiusero, e sentii il suo respiro freddo sulla punta delle dita. Desideravo avvicinarmi, annusare il suo profumo. Perciò levai la mano e mi scostai un poco: non volevo esagerare.
Aprì gli occhi, e il suo sguardo affamato scatenò in me un'ondata di paura, però mi chiuse la bocca dello stomaco e mandò di nuovo il mio cuore a mille.
La sua voce era un sussurro: «Vorrei... vorrei sentissi la complessità... la confusione... che provo. Vorrei che potessi comprendere».
Mi sfiorò i capelli e me li strofinò sul viso, con delicatezza.
«Spiegamelo».
«Non credo che ci riuscirei. Te l'ho detto, da una parte sento fame di te, anzi sete, da creatura deplorabile quale sono. E questo lo puoi capire, in un certo senso». Abbozzò un sorriso. «Anche se, dal momento che non sei dipendente da nessuna sostan-

za illegale, probabilmente non te ne rendi conto fino in fondo».

Mi sfiorò le labbra, allora, e avvertii l'ennesimo brivido. «Ma... ci sono altri tipi di fame. E quelli non riesco a interpretarli, mi sono del tutto estranei».

«Forse riesco a capire *questo* più di quanto ti aspetti».

«Non sono abituato a sentirmi tanto umano. Funziona sempre così?».

«Per me? No, mai. Mai prima di oggi».

Prese le mie mani tra le sue; sembravano tanto fragili, in quella stretta d'acciaio.

«Non so come fare a starti accanto in questo modo», ammise. «Non sono sicuro di esserne capace».

Mi avvicinai molto lentamente, tranquillizzandolo con lo sguardo. Posai la guancia sul suo petto marmoreo. Non sentivo che il suo respiro.

«Così va bene», sospirai, chiudendo gli occhi.

Con un gesto molto umano, mi abbracciò e avvicinò il viso ai miei capelli.

«Sei molto più bravo di quanto tu voglia credere».

«Possiedo ancora istinti umani. Sono sepolti da qualche parte, ma ci sono».

Restammo in quella posizione per un altro momento eterno; chissà se anche lui, come me, desiderava che non finisse mai. Purtroppo la luce stava calando, le ombre della foresta si avvicinavano. Mi lasciai sfuggire un sospiro.

«Devi andare».

«Pensavo non fossi capace di leggermi nel pensiero».

«Comincio a vederci qualcosa». Lo sentii sorridere.

Lo guardai in faccia, le sue mani mi tenevano per le spalle.

«Posso mostrarti una cosa?», chiese, lo sguardo acceso da un entusiasmo improvviso.

«Cosa?».

«Il modo in cui *io* mi sposto nella foresta». Notò subito la mia espressione allibita. «Non preoccuparti, non c'è pericolo e torneremo al pick-up molto più velocemente». Con le labbra disegnò quel suo sorriso sghembo, così magnifico da fermarmi il cuore.

«Ti trasformi in un pipistrello?», chiesi, intimorita.

Rise, più forte che mai. «Come se non l'avessi già sentita!».
«Già, immagino che te lo dicano tutti».
«E dai, fifona, salta in spalla».
Aspettai un istante, per capire se stesse scherzando, ma evidentemente faceva sul serio. Sorrise della mia incertezza e aprì le braccia per incoraggiarmi. Il mio cuore reagì; malgrado non potesse leggermi nel pensiero, il battito accelerato mi tradiva. Mi prese per mano e mi aiutò ad aggrapparmi a lui, senza troppo sforzo. Mi avvinghiai con una presa tanto stretta di braccia e gambe da poter soffocare un comune mortale. Era come aggrapparsi a una roccia.
«Sono un po' più pesante di un normale zaino».
«Figuriamoci!», sbottò. Di certo stava alzando gli occhi al cielo. Non l'avevo mai visto tanto di buonumore.
Mi sorprese quando all'improvviso afferrò la mia mano, se la premette contro il naso e inspirò forte.
«Sempre più facile», mormorò.
E poi iniziò a correre.
La paura di morire che avevo sentito poco prima era stata niente, a confronto di come mi sentii in quel momento.
Sfrecciava tra le piante del sottobosco denso e scuro come un proiettile, come un fantasma. In assoluto silenzio, come se i suoi piedi restassero sempre sollevati da terra. Respirava regolarmente, senza sforzo. Ma gli alberi ci passavano davanti a velocità mortale, mancandoci ogni volta di pochi centimetri.
Ero troppo terrorizzata per chiudere gli occhi, malgrado l'aria fredda della foresta frustasse violenta il mio viso. Era come aprire ingenuamente il finestrino di un aereo in volo. Per la prima volta in vita mia, sentii la fiacchezza e le vertigini tipiche della nausea da movimento.
Tutto finì in un attimo. Quel mattino avevamo camminato per ore per raggiungere il prato di Edward, e adesso, in pochi minuti, rieccoci al pick-up.
«Elettrizzante, eh?». Era entusiasta, su di giri.
Restò immobile, in attesa che scendessi. Ci provai, ma i muscoli non rispondevano. Tenevo braccia e gambe intrecciate a lui, e la testa mi girava fastidiosamente.

«Bella?», chiese, con una certa ansia.

«Credo di dovermi sdraiare», dissi ansimando.

«Oh, scusa». Attese inutilmente che mi muovessi.

«Ho bisogno di aiuto, credo».

Rise sotto i baffi, e con delicatezza sciolse la mia presa strangolatrice. Non c'era modo di resistere alla forza delle sue mani d'acciaio. Mi prese e mi fece scivolare di lato, cullandomi come una bambina. Mi trattenne per un istante, poi mi posò dolcemente sulle foglie elastiche delle felci.

«Come va?».

Non riuscivo a capirlo neanch'io, con la testa che girava in quella maniera. «Credo di avere un po' di nausea».

«Tieni la testa tra le ginocchia».

Ci provai, e funzionava. Respiravo lentamente, con la testa immobilizzata. Sentivo Edward seduto al mio fianco. Dopo qualche minuto, riuscii a sollevare il capo. Un sibilo vuoto mi ronzava nelle orecchie.

«Forse non è stata una grande idea».

Cercai di non demoralizzarlo, ma avevo perso la voce. «No, è stato parecchio interessante».

«Ma dai! Sei pallida come un fantasma... anzi, sei pallida come me!».

«Forse avrei dovuto chiudere gli occhi».

«La prossima volta ricordatelo».

«Ma quale prossima volta?!».

Rise, non aveva perso il buonumore.

«Spaccone», bofonchiai.

«Apri gli occhi, Bella», disse, sottovoce.

E il suo viso era lì accanto a pochi centimetri dal mio. La sua bellezza non smetteva di sconvolgermi: era troppo, un eccesso a cui non riuscivo ad abituarmi.

«Mentre correvo, pensavo...».

«A non centrare gli alberi, spero».

«Sciocca», sghignazzò. «Correre per me è un gesto automatico, non è qualcosa a cui devo stare attento».

«Spaccone».

Sorrise.

«Dicevo... Pensavo a una cosa che vorrei provare». Di nuovo prese il mio viso tra le mani.

Mi tolse il fiato.

Sembrava esitare, ma non in maniera normale.

Non come un uomo che sta per baciare una donna, incerto della reazione e della risposta di lei, che volesse prolungare quell'istante, il momento perfetto dell'attesa impaziente che spesso è meglio del bacio stesso.

Edward esitava per mettersi alla prova, per non correre rischi ed essere certo di saper controllare i propri desideri.

Poi posò le sue labbra di marmo freddo sulle mie.

Ciò che nessuno di noi prevedeva fu la mia reazione.

Mi sentii ribollire il sangue e bruciare le labbra. Il mio respiro si trasformò in un affanno incontrollabile. Intrecciai le dita ai suoi capelli, stringendolo a me. Dischiusi le labbra per respirarne il profumo inebriante.

Immediatamente lo sentii trasformarsi in pietra insensibile. Con le mani, delicatamente ma senza che potessi oppormi, allontanò il mio viso dal suo. Aprii gli occhi e lo vidi, guardingo.

«Ops».

«"Ops" è troppo poco».

I suoi occhi ardevano, stringeva i denti sforzandosi di resistere all'istinto, eppure non perse un briciolo di contegno. Tratteneva il mio viso a pochi centimetri dal suo, inchiodandomi con uno sguardo ipnotico.

«Devo...?», e cercai di liberarmi dalla presa per lasciargli un po' di spazio.

Non mi permise di muovermi di un millimetro.

«No, è sopportabile. Per favore, aspetta un attimo». Il suo tono di voce era aggraziato, controllato.

Osservai l'eccitazione nei suoi occhi attenuarsi e ammorbidirsi.

Poi, a sorpresa, sfoderò un sorriso malizioso.

«Ecco», disse, palesemente soddisfatto di se stesso.

«Sopportabile?».

Liberò una risata fragorosa. «Sono più forte di quanto pensassi. È una bella notizia».

«Mi piacerebbe poter pensare altrettanto di me».

«E dai, dopotutto sei soltanto un essere umano».

«Tante grazie», risposi acida.

Con uno dei suoi movimenti leggiadri e istantanei scattò in piedi. Mi tese una mano con un gesto inaspettato. Ero abituata all'assenza di contatto tra noi. Afferrai il suo palmo ghiacciato, avevo più bisogno di sostegno di quanto immaginassi. Non avevo ancora ritrovato l'equilibrio.

«Ti senti ancora indebolita dalla corsa? O è stato il mio bacio da maestro?». Scoppiò a ridere, spensierato e umano come non mai, senza un'ombra di inquietudine sul volto serafico. Era un Edward diverso da quello che avevo conosciuto. E ciò aumentava la mia infatuazione. A quel punto, separarmi da lui sarebbe stato un dolore fisico.

«Non so, mi sento ancora imbambolata», riuscii a rispondere. «L'uno e l'altro, penso».

«Forse è meglio che guidi io».

«Sei pazzo?».

«Sono un pilota migliore di te nella tua forma più smagliante. Hai i riflessi molto più lenti dei miei».

«Certo, ma non credo che i miei nervi o il mio pick-up possano farcela a sostenerti».

«E dai, Bella, un po' di fiducia».

Stringevo forte la chiave del pick-up nella tasca dei pantaloni. Serrai le labbra e scossi la testa sorridendo.

«No. Nemmeno per sogno».

Mi guardò incredulo.

Allora mi avvicinai al posto di guida, cercando di scansare Edward. Forse mi avrebbe lasciata passare, se non avessi barcollato in quel modo. O forse no. Le sue braccia attorno alla vita furono una trappola a cui non riuscii a sfuggire.

«Bella, fino a questo momento il mio sforzo personale nel tentativo di salvarti la vita è stato enorme. Non permetterò certo che tu ti metta al volante nel momento in cui non riesci nemmeno a camminare in linea retta. Oltretutto, gli amici non lasciano guidare chi ha bevuto, lo sai». Sorrise della sua battuta. Sentivo l'aroma dolce e irresistibile irradiato dal suo petto.

«Pensi che sia ubriaca?».

«Sei intossicata dalla mia presenza». Riecco quel ghigno malizioso.

«Non ti posso dare torto». Non avevo scelta: era inutile girarci intorno e ostinarmi a resistergli. Lasciai oscillare la chiave e la mollai all'improvviso; sotto i miei occhi la sua mano schizzò e la prese al volo, silenzioso e veloce come un lampo. «Vacci piano», lo avvertii, «il pick-up è un pensionato».

«Molto ragionevole», disse con approvazione.

«E tu, non sei nemmeno scalfito dalla mia presenza?», chiesi maliziosa.

Ancora una volta la sua espressione si trasformò e i suoi tratti si fecero dolci, caldi. Anziché rispondere, avvicinò il viso al mio, inclinandolo leggermente, e prese a sfiorarmi lento con le labbra, dall'orecchio al mento, avanti e indietro. Tremavo.

«E in ogni caso», mormorò, «i miei riflessi sono più pronti dei tuoi».

Ragione e istinto

In effetti, finché restava sotto i limiti di velocità, sapeva essere un bravo pilota. Non sembrava costargli alcuno sforzo: un'altra delle sue tante doti naturali. Teneva a malapena gli occhi sulla strada, ma le ruote non deviavano di un centimetro dal centro della corsia. Stringeva il volante con una mano sola, e con l'altra la mia sul sedile. Talvolta guardava il sole all'orizzonte, talvolta me, il mio viso, i miei capelli scompigliati dal finestrino aperto, le nostre mani intrecciate.

Aveva acceso l'autoradio, sintonizzata su una stazione di vecchi successi, e cantava una canzone che non avevo mai sentito. La conosceva a memoria.

«Ti piace la musica dei Cinquanta?», gli chiesi.

«La musica degli anni Cinquanta era buona. Di gran lunga meglio che nei Sessanta o nei Settanta! Roba da brividi. Gli anni Ottanta erano sopportabili».

«Conoscerò mai la tua vera età?», azzardai, badando a non rovinare il suo ottimo umore.

«Importa qualcosa?». Con mio gran sollievo, continuò a sorridere.

«No, ma me lo chiedo spesso... Sai, non c'è niente di meglio che un bel mistero irrisolto per trascorrere una notte insonne».

«Chissà se ne rimarresti sconvolta...», disse tra sé. Il suo sguardo si perse nel sole. I minuti passavano.

«Mettimi alla prova».

Sospirò e mi studiò, frugandomi negli occhi, dimentico quasi del tutto della strada. Non so cosa vide, ma prese coraggio. Tornò a osservare il sole – la luce del globo infuocato al tramonto accendeva sulla sua pelle uno sfavillio color rubino – e parlò.

«Sono nato a Chicago nel 1901». In silenzio, mi guardò con la coda dell'occhio. Mi curai di non mostrare nessuna sorpresa, attendendo pazientemente il resto della storia. Accennò un sorriso e proseguì. «Carlisle mi trovò in un ospedale nell'estate del 1918. Avevo diciassette anni e stavo morendo di spagnola».

Si accorse del mio sussulto, benché fosse appena percepibile. Tornò a fissarmi negli occhi.

«Ho qualche ricordo vago... è stato tantissimo tempo fa, e la memoria umana tende a svanire». Si perse nei suoi pensieri per qualche istante. «Però ricordo bene quello che provai quando Carlisle mi salvò. Non è una cosa facile; è impossibile da dimenticare».

«E i tuoi genitori?».

«Erano già stati uccisi dal morbo. Ero rimasto solo. Perciò Carlisle scelse me. Nel caos dell'epidemia, nessuno si sarebbe accorto della mia scomparsa».

«Come... ha fatto a salvarti?».

Attese qualche secondo. Stava cercando le parole giuste.

«Fu difficile. Pochi di noi possiedono l'autocontrollo necessario a un atto del genere. Ma Carlisle è sempre stato il più umano, il più compassionevole di noi tutti... Non credo abbia eguali nella storia. Quanto a me... fu qualcosa di semplicemente doloroso, molto doloroso».

Le sue labbra increspate rivelavano che non si sarebbe dilungato. Soffocai la curiosità, tutt'altro che soddisfatta. C'erano troppe cose su cui dovevo riflettere, al riguardo, questioni che iniziavano a balenarmi davanti solo in quel momento. Senza dubbio, la mente brillante di Edward aveva già compreso tutto quello che a me sfuggiva.

La sua voce vellutata interruppe i miei pensieri: «Fu la solitudine a spingerlo. Dietro scelte del genere c'è sempre un motivo simile. Fui il primo a entrare nella famiglia di Carlisle, anche se poco dopo trovò Esme. Era caduta da uno scoglio. La portarono direttamente all'obitorio dell'ospedale, benché, chissà come, il suo cuore battesse ancora».

«Perciò bisogna essere in punto di morte, per diventare...». Non avevamo mai detto apertamente quella parola, e nemmeno in quel momento riuscii a pronunciarla.

«No, è una scelta di Carlisle. Lo fa solo con chi non ha più speranze, con chi non ha altre possibilità». Ogni volta che nominava quella figura paterna, nella sua voce si sentiva un profondo rispetto. «Inoltre, secondo lui, quando il sangue è debole è più facile». Guardò la strada ormai scura, e sospettai di nuovo che stesse per chiudere l'argomento.

«E Rosalie ed Emmett?».

«Rosalie fu la terza a unirsi alla nostra famiglia. Carlisle sperava che sarebbe diventata per me ciò che Esme era per lui – ha sempre avuto un'attenzione particolare per me e chi avessi accanto, ma questo lo capii soltanto molto tempo dopo. Ma non è mai stata più che una sorella. Fu lei, due anni dopo, a trovare Emmett. Era a caccia – all'epoca vivevamo sugli Appalachi – e lo vide in balia di un orso, mezzo sbranato. Lo portò a Carlisle, a centinaia di chilometri di distanza, perché temeva di non essere capace di fare ciò che voleva da sola. Adesso comincio a immaginare quanto fu difficile quel viaggio». Lanciò un'occhiata ammiccante verso di me, sollevò la mano ancora intrecciata alla mia e con il dorso mi carezzò una guancia.

«Eppure, ci riuscì», suggerii, distogliendo lo sguardo dalla bellezza insopportabile dei suoi occhi.

«Sì», mormorò, «qualcosa nel viso di Emmett le diede la forza necessaria. Stanno assieme da quel giorno. Di tanto in tanto vivono isolati dal nostro gruppo, come una coppia di sposi. Ma più giovani fingiamo di essere, più a lungo riusciamo a stabilirci nello stesso luogo. Forks sembrava perfetta, perciò ci siamo iscritti tutti alla scuola superiore». Rise. «Credo che tra qualche anno dovremo presenziare al loro matrimonio, l'ennesimo».

«Alice e Jasper?».

«Alice e Jasper sono due creature molto rare. Hanno entrambi sviluppato una "coscienza", come la chiamiamo noi, senza influenze esterne. Jasper faceva parte di un'altra... famiglia, *molto* diversa dalla nostra. Cadde in depressione, se ne distaccò e iniziò a vagare solitario. Fu scoperto da Alice. Come me, lei possiede alcune qualità fuori della norma anche per la nostra razza».

«Davvero?». Ero curiosa e affascinata. «Hai detto però di essere l'unico capace di leggere nel pensiero».

«È così. Lei è capace di altro: lei può *vedere*. Vede le possibilità e gli eventi del futuro prossimo. Ma è molto soggettivo. Il futuro non è inciso nella pietra. Tutto cambia».

A quelle parole si rabbuiò, il suo sguardo saettò sul mio viso, poi di nuovo davanti a sé, a velocità irreale. O forse era stata solo la mia immaginazione.

«Che genere di cose vede?».

«Vide Jasper, e sapeva che la stava cercando ancora prima che lui se ne rendesse conto. Vide Carlisle e la nostra famiglia, e ci raggiunse assieme a Jasper. È la più sensibile alla presenza di non-umani. Per esempio, percepisce l'arrivo di altri gruppi della nostra specie. E capisce se rappresentano un pericolo o no».

«Sono in tanti, quelli... come voi?». Ero sbalordita. Quanti di loro vivevano indisturbati tra la gente normale?

«No, siamo in pochi. E per giunta, è difficile che viviamo a lungo nello stesso luogo. Solo quelli come noi, che hanno rinunciato a cacciare gli umani», e lanciò un'altra occhiata verso di me, «riescono a convivere con voi. L'unica famiglia simile alla nostra che conosciamo è in Alaska. Per un certo periodo abbiamo vissuto assieme a loro, ma eravamo in troppi, davamo nell'occhio. Quelli di noi che vivono... diversamente tendono a stabilire un legame tra loro».

«E gli altri?».

«Perlopiù sono nomadi. Di tanto in tanto lo siamo stati anche noi. Come tutte le cose, a un certo punto annoia. Ma a volte incrociamo qualche nostro simile, dato che la maggior parte di noi predilige il Nord».

«E perché?».

Eravamo appena giunti di fronte a casa mia e aveva spento il pick-up. Tutto era silenzioso e buio, la luna non c'era. La luce in veranda era spenta, segno che mio padre non era ancora rientrato.

«Avevi gli occhi aperti, questo pomeriggio?», mi provocò. «Pensi che potrei passeggiare indisturbato nel sole pomeridiano senza causare incidenti stradali? Ci siamo stabiliti nella Penisola di Olympia perché è uno dei posti meno assolati del mondo. È bello poter uscire di giorno. Non puoi credere quanto diventi pesante vivere di notte per ottant'anni e più».

«È da lì che nascono le leggende?».

«Probabilmente».

«Anche Alice veniva da un'altra famiglia, come Jasper?».

«No, e questo è un mistero, anche per noi. Alice non ricorda niente della sua vita da umana. Non sa chi l'abbia creata. Si è svegliata, ed era sola. Chiunque le abbia ridato vita è sparito, e nessuno di noi riesce a capire come e perché. Se non fosse stata provvista di quel senso in più, se non avesse visto Jasper e Carlisle e capito che sarebbe diventata una di noi, probabilmente si sarebbe trasformata in una selvaggia fatta e finita».

Avevo parecchio a cui pensare, e molte domande ancora in serbo. Ma, con mio grave imbarazzo, il mio stomaco brontolò. Ero così frastornata da non aver neanche pensato a mangiare. E a quel punto realizzai che stavo morendo di fame.

«Scusami, ti ho trattenuta; immagino che tu debba cenare».

«No, non c'è problema, davvero».

«Non ho mai passato molto tempo in compagnia di qualcuno che si nutre di cibo. Me ne stavo dimenticando».

«Voglio restare qui con te». Dirlo nell'oscurità era più facile, sapevo che la mia voce avrebbe tradito me e la mia dipendenza irrimediabile da lui.

«Posso entrare?», mi domandò.

«Ti andrebbe?». Non riuscivo nemmeno a immaginare quella creatura paradisiaca seduta nella cucina malconcia di mio padre.

«Sì, se non è un problema». Sentii il rumore della portiera dalla sua parte che si chiudeva piano, e quasi simultaneamente lui apparve al mio finestrino, per aprire la mia.

«Molto umano, direi», mi complimentai per il gesto.

«Sento che certe cose stanno tornando a galla».

Camminava al mio fianco nella notte, tanto silenzioso che sbirciavo di continuo per accertarmi che non fosse sparito. Al buio sembrava molto più normale. Sempre pallido, sempre bello come un sogno, ma non più la stessa fantastica creatura scintillante del nostro pomeriggio assolato.

Mi precedette sulla porta e l'aprì. Rimasi impietrita sulla soglia.

«Era aperta?».

«No, ho preso la chiave da sotto lo zerbino».

Entrai, accesi la luce della veranda e mi voltai a guardarlo, sbalordita. Ero sicura di non avere mai usato quella chiave in sua presenza.

«Ero curioso… di te».

«Mi hai spiata?». Mi sforzavo di imprimere alla mia voce un tono indignato ma, non so come, non ci riuscivo. Anzi, mi sentivo lusingata.

Lui non fece una piega. «Cos'altro c'è da fare, di notte?».

Lasciai correre ed entrai in cucina. Mi precedette senza bisogno che gli facessi strada. Si sedette proprio dove avevo provato a immaginarlo. La cucina risplendeva della sua bellezza. Distogliere lo sguardo da lui era un'impresa.

Mi concentrai sulla cena, presi le lasagne della sera prima dal frigorifero, ne tagliai un quadrato che posai su un piatto e lo misi a scaldare nel microonde. Le lasagne iniziarono a girare e a riempire la stanza del profumo di pomodoro e origano. Parlai senza staccare gli occhi dal forno.

«Quante volte?», chiesi, disinvolta.

«Come?». Sembrava l'avessi distolto da chissà quale catena di pensieri.

Non mi voltai. «Quante volte sei venuto qui?».

«Vengo a trovarti quasi tutte le notti».

Mi voltai di scatto, stupita: «Perché?».

«Sei interessante quando dormi». Lo diceva come se niente fosse. «Parli nel sonno».

«No!», sbottai, rossa di vergogna fino ai capelli. Mi appoggiai al piano di cottura per sostenermi. Certo che sapevo di parlare nel sonno: mia madre mi aveva sempre preso in giro per questo. Però non avrei mai pensato di dovermene preoccupare anche lì.

Era dispiaciuto, glielo leggevo negli occhi. «Sei tanto arrabbiata con me?».

«Dipende!». Mi sentii – e parlai – come se qualcuno mi avesse rubato l'aria.

Aspettò che chiarissi.

«Da...», mi sollecitò dopo un po'.

«Da quel che hai sentito!», strillai.

All'istante, in silenzio, si materializzò al mio fianco e mi prese le mani con delicatezza.

«Non esserne così sconvolta!». Si chinò su di me e da pochi centimetri di distanza mi fissò negli occhi. Ero imbarazzata, e cercai di distogliere lo sguardo.

«Ti manca tua madre», sussurrò. «Sei preoccupata per lei. E il rumore della pioggia ti innervosisce. All'inizio parlavi molto di casa tua, ora lo fai più raramente. Una volta hai detto: "È troppo verde"». Rise piano, nella speranza – lo vedevo bene – di non offendermi ulteriormente.

«E che altro?».

Sapeva dove volevo arrivare. «Hai pronunciato il mio nome», ammise.

Sospirai, rassegnata: «Tante volte?».

«Quante sarebbero precisamente "tante"?».

«Oh, no!», chinai la testa.

Cercò di consolarmi, stringendomi al petto dolcemente, con naturalezza.

«Non prendertela con te stessa», mi sussurrò in un orecchio. «Se fossi capace di sognare, sognerei te. E non me ne vergogno».

Poi sentimmo entrambi il rumore di pneumatici sui sassi del vialetto, e due fari illuminarono le finestre di fronte che davano sull'ingresso. Mi irrigidii di colpo.

«È il caso che tuo padre sappia che sono qui?».

«Non saprei...», cercai di riflettere alla svelta.

«La prossima volta, allora...».

E mi lasciò sola.

«Edward!», dissi in un soffio.

Sentii il fantasma di una risatina, e poi nient'altro.

Mio padre fece scattare la serratura dell'ingresso.

«Bella?». Di solito mi innervosiva quando chiamava così: chi pensava di trovare? Tuttavia, stavolta non sembrò tanto fuori luogo.

«Sono qua». Sperai che il tono isterico della mia voce non fosse troppo evidente. Tolsi la cena dal microonde e mi accomodai a tavola, mentre lui entrava in cucina. Dopo una giornata assieme a Edward, il rumore dei suoi passi mi risultava fastidioso.

«Me ne dai un po'? Sono a pezzi». Si levò gli stivali coi piedi, sfilandoli dal tallone mentre si reggeva alla sedia di Edward.

Mi alzai, presi il piatto e lo portai dietro, ingozzandomi con un boccone mentre preparavo la cena a Charlie. Mi scottai la lingua. Nel riscaldare la sua porzione riempii due bicchieri di latte e trangugiai il mio per spegnere il fuoco. Posando il bicchiere sul tavolo mi accorsi che mi tremava la mano. Charlie si era seduto su quella stessa sedia, il contrasto tra lui e chi lo aveva preceduto era comico.

Gli porsi il piatto e mi ringraziò.

«Com'è andata oggi?», gli chiesi. Le parole mi uscirono frettolose; morivo dalla voglia di scappare in camera mia.

«Bene. Pesci a frotte... E tu? Hai fatto tutto quello che dovevi?».

«Non proprio, con questa bella giornata non avevo voglia di chiudermi in casa». Addentai un'altra forchettata di lasagne.

«Sì, è stata una bella giornata».

Come minimo, pensai tra me e me.

Terminato l'ultimo boccone, svuotai in un sorso ciò che restava del mio bicchiere di latte.

L'acume di Charlie mi sorprese: «Di fretta?».

«Sì, sono stanca. Vado a letto presto».

«Sembri piuttosto su di giri», commentò. Perché, perché aveva deciso di essere così attento proprio quella sera?

«Davvero?». Non riuscii a formulare una risposta migliore. Lavai i piatti alla svelta e li misi ad asciugare.

«È sabato», osservò.
Rimasi in silenzio.
«Non hai programmi per stasera?», chiese all'improvviso.
«No, papà, voglio soltanto dormire un po'».
«Non hai trovato il tuo tipo in questa città, eh?». Era diffidente, ma cercava di spacciarsi per indifferente.
«No, non ho notato ancora nessun ragazzo interessante». Cercai di non mettere troppa enfasi nella parola "ragazzo", nel mio tentativo di essere onesta con Charlie.
«Pensavo che Mike Newton... me ne avevi parlato».
«Papà, è soltanto un amico».
«Be', tu sei di un altro livello. Aspetta l'università, prima di iniziare la ricerca». Ogni padre sogna che sua figlia se ne vada di casa prima di sentire il richiamo degli ormoni.
«Mi sembra una buona idea», conclusi, dirigendomi verso le scale.
«'Notte, cara». Ero certa che sarebbe stato con le orecchie tese per tutta la sera, in attesa di quando mi avrebbe sentita scappare.
«Ci vediamo domattina, papà». Ci vediamo a mezzanotte, quando ti intrufolerai nella mia stanza per controllarmi.
Feci del mio meglio per salire le scale con un finto passo stanco e trascinato. Chiusi la porta della stanza con forza affinché Charlie la sentisse bene, e poi, in punta di piedi, corsi alla finestra. L'aprii e mi sporsi, nell'oscurità della sera, a scrutare le ombre impenetrabili degli alberi.
«Edward?», lo chiamai sottovoce. Mi sentivo un'idiota totale.
La risposta, una risatina smorzata, giunse alle mie spalle: «Sì?».
Mi voltai di scatto, coprendomi la bocca per la sorpresa.
Era sdraiato sul mio letto, con un gran sorriso sulle labbra, le mani dietro la testa, i piedi penzoloni: l'immagine del relax.
Mi sentivo vacillare, e mi lasciai cadere in ginocchio sul pavimento.
«Scusa». Si sforzava di non ridermi in faccia.
«Dammi solo un minuto per rimettere in moto il cuore».
Allora si tirò su a sedere, con lentezza, per non spaventarmi.

Poi si avvicinò e mi sollevò con le sue lunghe braccia, afferrandomi appena sotto le spalle, come fossi una poppante. Mi poggiò sul letto accanto a lui.

«Vieni a sederti qui», suggerì, sfiorandomi la mano con la sua, gelida. «Come va il cuore?».

«Dimmelo tu. Di sicuro lo senti meglio di me».

La sua risata soffocata fece tremare il letto.

Restammo in silenzio, in attesa che le mie pulsazioni rallentassero. Iniziavo a rendermi conto che mio padre era in casa ed Edward in camera mia.

«Posso essere umana per un minuto?».

«Senz'altro». Con un gesto m'indicò che potevo procedere.

«Resta lì», dissi, sforzandomi di suonare severa.

«Sissignora». E finse di diventare una statua, seduta sul bordo del mio letto.

Mi alzai, raccolsi il pigiama dal pavimento e il beauty case dalla scrivania. Spensi la luce e sgattaiolai via, chiudendo la porta.

Dalle scale arrivava il vociare del televisore al piano di sotto. Chiusi la porta del bagno sbattendola forte, per evitare che Charlie salisse a ficcare il naso.

Volevo sbrigarmi. Mi lavai i denti con energia, scrupolo e velocità, per rimuovere ogni traccia delle lasagne. Ma non potevo mettere fretta all'acqua calda della doccia. Mi sciolse la schiena e mi rilassò. Il profumo familiare dello shampoo mi fece sentire come se fossi ancora la stessa persona che quel mattino era uscita di casa. Cercai di non pensare che Edward mi stava aspettando in camera mia, per non dover ricominciare da capo tutto il processo di rilassamento. Finita la doccia, non avevo più scuse per prendere tempo. Mi asciugai in fretta e furia. Infilai una maglietta bucherellata e i pantaloni grigi della tuta. Era troppo tardi per rimpiangere di non aver messo in valigia il pigiama di seta di Victoria's Secret che mia madre mi aveva regalato un paio di compleanni prima, dimenticato in un qualche cassetto di Phoenix con le etichette ancora attaccate.

Mi strofinai i capelli con l'asciugamano e li pettinai alla bell'e meglio. Gettai l'asciugamano umido nella cesta, riposi spazzolino e dentifricio nel beauty. Poi di corsa scesi le scale, affinché Charlie notasse che ero in pigiama con i capelli bagnati.

«'Notte, papà».

«'Notte, Bella». Sembrò sorpreso di vedermi comparire così. Forse si sarebbe risparmiato il controllo notturno.

Salii gli scalini due alla volta, sforzandomi di non fare rumore, e schizzai in camera chiudendo la porta con cura.

Edward non si era mosso di un millimetro, era una statua di Adone appollaiato sulla mia coperta sbiadita. Di fronte al mio sorriso, le sue labbra sussultarono e la statua riprese vita.

Mi squadrò dalla testa ai piedi, per osservare i capelli umidi e la maglietta sbrindellata. Alzò un sopracciglio. «Carina».

Non mi convinceva.

«No, sul serio, stai bene».

«Grazie», sussurrai. Mi sistemai come prima, al suo fianco, sedendo sul letto a gambe incrociate.

«A che pro tutta questa preparazione e il resto?», chiese, vedendomi assorta sulle venature del pavimento.

«Charlie ha il sospetto che me ne possa sgattaiolare via di nascosto».

«Ah... E perché?». Come se non fosse capace di leggere chiaramente nella mente di Charlie tutto ciò che io potevo soltanto sospettare.

«A quanto pare, sono un po' troppo su di giri».

Mi guardò bene in faccia, sollevandomi il mento.

«Ti trovo accaldata, in effetti».

Avvicinò lentamente il suo viso al mio, sfiorandomi con la guancia gelata. Restai assolutamente immobile.

«Mmm...», gemette con un respiro profondo.

Con lui che mi toccava, così vicino, era molto difficile formulare una domanda coerente. Mi ci volle un minuto buono per riuscire ad aprire bocca di nuovo.

«Mi sembra che ora starmi vicino sia... molto più facile, per te».

«Ti sembra?», mormorò, sfiorandomi l'incavo del collo con la punta del naso. Sentii la sua mano, più leggera delle ali di una farfalla, ravviare all'indietro i miei capelli bagnati per scoprire la pelle dietro l'orecchio, posarvi le labbra.

«Molto, molto più facile», dissi, senza che mi uscisse il fiato.
«Mmm».
«Perciò, mi chiedevo...», cercai di ricominciare, ma persi il filo del discorso perché le sue dita avevano preso a seguire il profilo del mio collo, fino alle spalle.
«Sì?», mi alitò.
«Secondo te», la voce mi tremò, con mio imbarazzo, «qual è il motivo?».
Sentii la sua risata vibrarmi sul collo. «La ragione domina sugli istinti».
Mi allontanai ritraendomi; lui rimase impietrito – non lo sentivo più nemmeno respirare.
Incrociammo i nostri sguardi attenti. La sua espressione si fece più rilassata, ma allo stesso tempo perplessa.
«Ho fatto qualcosa di male?».
«No... al contrario. Mi stai facendo impazzire».
Meditò qualche istante, e quando aprì bocca sembrava compiaciuto: «Davvero?». Il suo viso si andò illuminando di un sorriso trionfante.
«Ti aspetti che parta un applauso?».
Fece una risatina.
«È solo che sono rimasto positivamente sorpreso. Nell'ultimo... centinaio di anni non ho mai immaginato che potesse succedermi qualcosa del genere. Non credevo che avrei desiderato stare con qualcuno... che non fosse come fratello o sorella. E poi, scoprire che malgrado sia totalmente nuovo per me, sono bravo... a stare con te...».
«Tu sei bravo in tutto».
Fece spallucce, come per darmene atto, ed entrambi ridemmo sottovoce.
«Ma com'è possibile che adesso sia così facile? Oggi pomeriggio...».
«Non è *facile*», sospirò, «ma oggi pomeriggio, ero ancora... indeciso. Mi dispiace, è stato un comportamento imperdonabile».
«No, non imperdonabile».
«Grazie». Sorrise, poi abbassò lo sguardo. «Vedi, non ero

sicuro di essere abbastanza forte...». Mi prese la mano e se la premette piano contro la guancia. «E finché sentivo come ancora possibile che venissi... sopraffatto», respirò il profumo tra le mie dita, «ero... vulnerabile. Poi mi sono convinto che *sono* abbastanza forte, che non ci sarebbe stato nessun rischio di... di poter...».

Non l'avevo mai visto così in difficoltà con le parole. Era davvero... umano.

«Perciò, ora non corro più rischi?».

«La ragione domina gli istinti», ripeté, e sfoderò il suo sorriso, brillante anche nell'oscurità.

«Be', è stato facile».

Gettò indietro la testa e rise, sottovoce ma con gusto.

«Facile per te!». E mi sfiorò il naso con la punta del dito.

L'istante dopo tornò serio.

«Ci sto provando», sussurrò, un filo di dolore nella sua voce. «Se dovesse diventare... troppo, sono convinto che riuscirei ad andarmene».

Che tristezza. Non mi piaceva mai quando parlava di andarsene.

«E domani sarà più difficile. Ora sono assuefatto alla presenza costante del tuo odore. Se ti resto lontano troppo a lungo mi toccherà ricominciare da capo. Non proprio da zero, però».

«Allora non andartene», risposi, incapace di nascondere il desiderio.

«Sono d'accordo», rispose, rivolgendomi un sorriso gentile e sereno. «Pronto per le manette: sono tuo prigioniero». Ma, mentre parlava, furono le sue mani a stringere i miei polsi. Rideva di un riso sommesso e musicale. Era più ilare quella sera di quanto lo fosse stato in tutto il tempo trascorso assieme prima di allora.

«Sembri più... ottimista del solito. Non ti ho mai visto così di buonumore».

«Non dovrebbe essere così?». Sorrise. «La gloria del primo amore, e tutto il resto. È incredibile quanta differenza passi tra apprendere le cose dai libri, dai film, e viverle in prima persona nella realtà, vero?».

«Senza dubbio è tutto molto più intenso di quanto avessi immaginato».

Poi riprese di slancio, parlò a raffica e dovetti concentrarmi per cogliere tutto: «Per esempio, il sentimento della gelosia. Ne avrò letto migliaia di volte, l'ho visto interpretare in migliaia di drammi e film. Pensavo di comprenderlo perfettamente. Ma sono rimasto stupito... Ricordi quando Mike ti ha invitata al ballo?». Mi fissò negli occhi.

Annuii, benché ricordassi quel giorno per un altro motivo: «È stato quando hai ricominciato a parlarmi».

«Sono rimasto sorpreso dall'ondata di irritazione, quasi di furia, che ho sentito. Sulle prime non ho riconosciuto cosa fosse. A innervosirmi più del lecito, poi, c'era che non riuscivo a leggerti nel pensiero, non riuscivo a capire perché rifiutassi l'invito. Soltanto per non dare un dispiacere alla tua amica? C'era qualcun altro? In ogni caso, sapevo che non erano fatti miei, non dovevo badarci. *Ho cercato* di non badarci. E poi la fila si è allungata». Ridacchiò. Io rimasi zitta e seria, nell'oscurità.

«Restai in ascolto, pieno di irrazionale nervosismo, ansioso di sentire che risposta avresti dato loro, di leggere le espressioni sul tuo viso. Non nascondo che nel vedere il fastidio che ti suscitavano provavo sollievo. Ma non mi sentivo rassicurato.

Così ho iniziato a venire qui, proprio quella sera. Ho passato tutta la notte combattuto, mentre ti guardavo dormire, diviso tra ciò che ritenevo giusto, morale, etico, e ciò che desideravo. Sapevo che se avessi continuato a ignorarti, come avrei dovuto, o se fossi sparito per qualche anno fino alla tua partenza da Forks, avresti finito per dire di sì a Mike o a uno come lui. Che rabbia.

E poi... nel sonno ti ho sentita pronunciare il mio nome. Tanto chiaramente da farmi pensare che ti fossi svegliata. Ti sei rigirata nel letto, hai mormorato di nuovo il mio nome e sospirato. Quel momento mi ha sbalordito, e segnato. Ho capito che non avrei più potuto ignorarti». Restò in silenzio per qualche istante, probabilmente in ascolto dei battiti aritmici del mio cuore.

«La gelosia... che cosa strana. Molto più potente di quanto

mi aspettassi. È irrazionale! Anche poco fa, quando Charlie ti ha chiesto di quel vile di Mike Newton...», scosse la testa, arrabbiato.

«Ecco, stavi ascoltando, avrei dovuto immaginarlo».

«Certo che sì».

«Ti ha fatto ingelosire, eh?».

«Per me è una novità. Stai resuscitando l'essere umano che è in me, e tutto ciò che sento è più forte, perché nuovo».

«Ma, sinceramente, come fai a preoccuparti tu, dopo essermi venuto a dire che Rosalie – Rosalie, l'incarnazione della pura bellezza! – doveva essere la tua compagna? Emmett o non Emmett, come faccio a competere?».

«Non c'è confronto». I suoi denti brillavano nel buio. Guidò le mie mani attorno alla sua schiena, stringendomi a sé. Cercai di restare immobile, dosando anche il minimo respiro.

«Lo so bene che non c'è confronto», sussurrai contro la sua pelle fredda. «Questo è il problema».

«Certo che Rosalie è bellissima, a suo modo, ma anche se non fosse come una sorella, anche se Emmett non ci vivesse insieme, lei non riuscirebbe a scatenare in me un decimo dell'attrazione che mi lega a te». Si era fatto serio e pensieroso. «Per quasi novant'anni ho vissuto tra quelli della mia specie, e della tua... sempre certo di bastare a me stesso, senza sapere ciò che stavo cercando. E senza trovare nulla, perché non eri ancora nata».

«Non mi sembra affatto giusto», sussurrai, con la testa sul suo petto, seguendo il ritmo del suo respiro. «Io non ho dovuto aspettare nemmeno un secondo. Perché dovrebbe andarmi così liscia?».

«Hai ragione», rispose, divertito. «Dovrei proprio rendertela più difficile. Una volta per tutte». Mi strinse i polsi, nella presa delicata di una sola mano. Accarezzò dolcemente i miei capelli umidi, dalla testa alle spalle. «Dopotutto sei soltanto costretta a rischiare la vita ogni secondo che passi assieme a me, e non è granché. Ti tocca soltanto voltare le spalle alla natura, all'umanità... cosa vuoi che sia?».

«Pochissimo. Non mi sembra di dover sopportare una gran rinuncia».

«Non ancora». All'improvviso la sua voce si riempì di un antico dolore.

Cercai di scostarmi per poterlo guardare in faccia, ma la stretta della sua mano attorno ai polsi era ferrea.

«Cosa...», cominciai a domandargli, ma lui si irrigidì immediatamente. Restai impietrita, lui lasciò le mie mani all'improvviso e sparì. Per poco non cadevo in avanti.

«Sdraiati!», sibilò. Non riuscivo a capire in quale parte dell'oscurità si fosse nascosto.

Mi avvolsi nella coperta, rannicchiandomi sul fianco come dormivo di solito. Sentii la porta aprirsi, era Charlie che sbirciava in camera per controllare che fossi dove dovevo essere. Respiravo regolare e pesante, accentuando il movimento delle spalle a ogni respiro.

Passò un minuto interminabile. Restai in ascolto, non ero sicura di aver udito la porta chiudersi. Poi sentii il braccio di Edward attorno a me, sotto le coperte, e le sue labbra accanto all'orecchio.

«Sei una pessima attrice... secondo me non farai mai carriera».

«Accidenti». Il cuore mi batteva all'impazzata.

Lui prese a canticchiare una melodia che non riconobbi, sembrava una ninna nanna.

«Devo cantarti qualcosa per farti addormentare?», chiese interrompendosi.

«Ah, certo. Come se potessi dormire con te accanto al letto!».

«Lo fai sempre».

«Ma prima non sapevo che fossi qui», risposi seccamente.

«Be', se non vuoi dormire...», suggerì, ignorando il tono della mia voce. Sospesi il respiro.

«Se non voglio dormire...».

Fece una risatina. «Cosa preferisci fare?».

Non potei rispondere subito.

«Non saprei», dissi infine.

«Quando avrai deciso, dimmelo».

Sentivo il suo fiato freddo sul collo e il naso che mi sfiorava il mento e respirava il mio profumo.

«Pensavo ti ci fossi abituato».

«Il fatto che io resista al vino non significa che non ne possa apprezzare il bouquet», sussurrò. «Il tuo odore è molto floreale, sai di lavanda... o di fresia. È dissetante».

«Sì, è proprio una giornataccia, se nessuno mi dice quanto sono mangiabile».

Ridacchiò e tirò un sospiro.

«Ho deciso», decretai, «voglio sapere qualcos'altro di te».

«Chiedi pure».

Scelsi la più importante tra le mie domande. «Perché lo fai? Ancora non capisco perché ti sforzi così tanto di resistere a ciò che... sei. Ti prego, non fraintendermi, è ovvio che ne sono contenta. Ma non capisco quale sia la causa scatenante».

Indugiò, prima di rispondere: «È una bella domanda, e non è la prima volta che la sento. Anche gli altri – la maggior parte dei nostri simili, quelli che non rinnegano la propria natura – si chiedono come facciamo a vivere così. Ma vedi, il fatto che ci sia... toccata in sorte una certa condizione... non significa che non possiamo scegliere di innalzarci, di superare i confini di un destino che non abbiamo scelto noi. Cercando di conservare il più possibile l'essenza di un'umanità».

Ero impietrita, immobile, in un silenzio reverenziale.

«Ti sei addormentata?», bisbigliò, dopo qualche minuto.

«No».

«È soltanto questo che volevi sapere?».

Alzai gli occhi al cielo. «No davvero!».

«Cos'altro?».

«Perché sei capace di leggere nel pensiero? Perché soltanto tu? E Alice... com'è possibile che veda il futuro?».

Lo sentii stringersi nelle spalle. «Neanche noi lo sappiamo con precisione. Carlisle ha una teoria... secondo lui ognuno di noi porta con sé, nella sua nuova vita, una parte amplificata delle proprie caratteristiche umane. Io, per esempio, probabilmente ero una persona molto sensibile all'umore di chi mi stava attorno. E così Alice, ovunque fosse, forse aveva capacità precognitive».

«Lui e gli altri cos'hanno portato di sé nella nuova vita?».

«Carlisle la compassione. Esme la capacità di amare appassionatamente. Emmett la forza, Rosalie la... tenacia. Ma puoi chiamarla anche testardaggine», ridacchiò. «Jasper è molto interessante. Nella sua prima vita era molto carismatico, capace di convincere gli altri delle sue opinioni. Adesso riesce a manipolare le emozioni di chi lo circonda: calmare una folla inferocita, per esempio, o al contrario suscitare entusiasmo in un pubblico apatico. È un dono molto sottile».

Mi sforzai di considerare le cose che raccontava senza pensare che fossero assurdità. Attese pazientemente che finissi di riflettere.

«Ma dov'è iniziato tutto? Voglio dire, a cambiare te è stato Carlisle, ma qualcuno deve aver cambiato lui, e così via...».

«Be', tu da dove vieni? Evoluzione? Creazione? Non potremmo esserci evoluti come le altre specie, predatori e prede? Oppure, se non credi che questo mondo sia nato da sé, cosa che io stesso fatico ad accettare, è così difficile pensare che la stessa forza che ha creato il pesce angelo e lo squalo, il cucciolo di foca e l'orca assassina, abbia creato la tua specie e la mia?».

«Fammi capire bene: io sarei il cucciolo di foca, vero?».

«Esatto», rise, e qualcosa mi toccò i capelli. Le sue labbra?

Avrei voluto voltarmi dalla sua parte per verificare che fossero davvero le sue labbra. Ma era meglio restare buona: non volevo rendergli la vita più difficile di quanto non fosse già.

«Sei pronta per addormentarti?», chiese, spezzando quel breve silenzio. «O hai altre domande?».

«Soltanto un milione o due».

«Ci sono ancora domani, e dopodomani, e il giorno dopo...», mi fece presente. Sorrisi, euforica.

«Mi prometti che non svanirai con l'arrivo del giorno?». Volevo esserne sicura. «Dopotutto, sei una creatura leggendaria».

«Non ti lascerò». Suonò come una promessa solenne.

«Ancora una, allora, per stasera...», arrossii. Che fosse buio mi aiutava poco: di sicuro Edward si accorse dell'improvviso calore sulla mia pelle.

«Quale?».

«No, lasciamo perdere. Ho cambiato idea».
«Bella, puoi chiedermi qualsiasi cosa».
Non risposi, e lui sbuffò: «Continuo a pensare che non poterti leggere nel pensiero col tempo sarà meno frustrante. Invece è sempre peggio».
«Sono felice che tu non sia capace di leggermi nel pensiero. Già è grave che origli quando parlo nel sonno».
«Per favore». La sua voce diventò così convincente, così irresistibile.
Feci segno di no.
«Se non me lo dici, darò per scontato che sia qualcosa di molto peggio di ciò che è», minacciò cupo. «Per favore». Riecco il tono implorante.
«Be'...», azzardai, e per fortuna non riusciva a vedermi in faccia.
«Sì?».
«Hai detto che Rosalie ed Emmett si sposeranno presto... Il loro matrimonio è uguale a... quelli umani?».
Capì cosa intendevo e scoppiò a ridere: «È lì che vuoi arrivare?».
Cincischiavo, incapace di rispondere.
«Sì, immagino che sia più o meno la stessa cosa», continuò. «Te l'ho detto, molti degli istinti umani sopravvivono, sono solo nascosti dietro altri e più potenti desideri».
«Ah».
«Che scopo aveva questa domanda?».
«Be', mi chiedevo, in effetti, se... io e te... un giorno...».
Si fece subito serio. Lo sentivo nell'immobilità del suo corpo. Anch'io restai impietrita, automaticamente.
«Non penso che... che... per noi sarebbe possibile».
«Perché sarebbe troppo difficile per te, sentirmi così... vicina?».
«Quello sarebbe senz'altro un problema. Ma ora pensavo ad altro. Il fatto è che sei così tenera, così fragile. Quando mi sei accanto devo badare a ogni mio gesto, per non farti del male. Potrei ucciderti senza sforzo, Bella, anche per sbaglio». La sua voce era diventata un debole sussurro. Avvicinò una

mano e ne posò il palmo freddo sulla mia guancia. «Se avessi fretta... se per un secondo non facessi attenzione, potrei sfondarti il cranio con una carezza. Non ti rendi conto di quanto tu sia *friabile*. Non posso mai, mai permettermi di perdere il controllo, se ci sei tu. In nessun senso, mai».

Attese una risposta, sempre più ansioso di fronte al mio silenzio. «Sei spaventata?».

Aspettai un altro minuto, per sembrare sincera: «No. Tutto bene».

Per un momento sembrò perso in una riflessione. «Adesso, però, sono curioso io», disse, rasserenandosi. «Hai mai...». Lasciò la domanda in sospeso, in maniera teatrale.

«Certo che no». Arrossii. «Te l'ho già detto, nessuno mi ha mai fatto sentire così, nemmeno lontanamente».

«Lo so. Però conosco i pensieri delle altre persone. E so che sentimento e sensualità non vanno sempre di pari passo».

«Per me sì. Perlomeno adesso che li sento nascere», sospirai.

«Bene. Se non altro, una cosa in comune l'abbiamo». Sembrava soddisfatto.

«I tuoi istinti umani...», m'interruppi, e lui attese che completassi la frase. «Be', mi trovi minimamente attraente anche in *quel* senso?».

Rise e mi arruffò i capelli quasi asciutti.

«Non sarò un essere umano, ma un uomo sì».

Senza volerlo, sbadigliai.

«Ho risposto alle tue domande, ora è meglio che tu dorma».

«Non so se ci riuscirò».

«Vuoi che me ne vada?».

«No!», dissi, a voce troppo alta.

Rise, e iniziò a sussurrare la stessa ninna nanna sconosciuta di prima: la voce di un arcangelo che mi accarezzava l'orecchio.

Più stanca di quanto pensassi, esausta come non mai, dopo una lunga giornata e uno stress mentale ed emotivo quale non avevo mai vissuto, mi abbandonai al sonno tra le sue braccia fredde.

I Cullen

Mi risvegliai alla luce smorzata dell'ennesimo giorno di cielo coperto. Ero sdraiata, con un braccio a nascondermi il viso, intontita. Qualcosa, un sogno che chiedeva di essere ricordato, si faceva largo nella mia coscienza. Sbadigliai e mi girai sul fianco, sperando di riaddormentarmi. E di colpo la mia mente fu inondata dalla consapevolezza del giorno prima.

«Ah!». Mi alzai tanto in fretta da avere le vertigini.

«Il tuoi capelli sembrano una balla di fieno... ma mi piacciono». La sua voce serena giungeva dalla sedia a dondolo, nell'angolo.

«Edward! Sei rimasto qui!». Ero felicissima, e mi buttai immediatamente, senza pensarci un istante, in braccio a lui. Nell'attimo in cui mi resi conto del mio gesto, rimasi impietrita, sbalordita dal mio stesso entusiasmo incontrollato. Alzai lo sguardo, temendo di avere fatto un passo di troppo.

Ma lui rideva.

«Certo». Era stupito, ma apparentemente lieto della mia reazione. Mi accarezzava la schiena.

Posai la testa sulla sua spalla, con delicatezza, per respirare il profumo della sua pelle.

«Ero convinta di averti sognato».

«Non sei tanto creativa».

«Charlie!», mi ricordai all'improvviso, saltando su d'istinto e scattando verso la porta.

«È uscito un'ora fa... dopo aver ricollegato la batteria del pick-up, se proprio vuoi saperlo. Devo ammettere che un po' mi ha deluso. Basterebbe così poco per bloccarti, se fossi decisa a fuggire?».

Mi fermai a riflettere, però senza spostarmi. Desideravo tornare in braccio a Edward ma temevo di avere l'alito pesante.

«Di solito, la mattina non sei così confusa», mi fece notare lui. Aspettava il mio ritorno a braccia aperte. Un invito quasi irresistibile.

«Ho bisogno di un altro minuto umano».

«Ti aspetto».

Filai in bagno, scombussolata. Non riuscivo a decifrare le mie emozioni, non mi riconoscevo più. Il volto riflesso nello specchio era quello di un'estranea: occhi troppo lucidi, guance colorite, chiazzate di rosso. Dopo essermi spazzolata i denti, mi adoperai per sciogliere il caos di nodi che avevo tra i capelli. Mi lavai la faccia con l'acqua fredda e cercai, senza risultati apprezzabili, di respirare normalmente. Tornai in camera mia quasi di corsa.

Ritrovarlo lì, ancora a braccia aperte, era una specie di miracolo. Mi venne incontro, e il mio cuore impazzì.

«Bentornata», mormorò, abbracciandomi.

Per un po' mi cullò in silenzio, finché non mi accorsi che i vestiti erano diversi e i capelli più ordinati.

«Te ne sei andato?», lo accusai, indicando il colletto della camicia appena indossata.

«Non potevo certo uscire di qui con gli stessi abiti che avevo quando sono entrato... Cosa avrebbero pensato i vicini?».

Lo guardai, imbronciata.

«Stavi dormendo sodo; non mi sono perso niente». Il suo sguardo si accese. «I discorsi li avevi già fatti».

«Cos'hai sentito?», mi uscì con un tono lamentoso.

I suoi occhi dorati mi sfiorarono con uno sguardo dolce. «Hai detto che mi amavi».

«Lo sapevi già», dissi, chinando la testa.

«Però è stato bello sentirlo».

Affondai la faccia nella sua spalla.

«Ti amo», sussurrai.

«Tu sei la mia vita, adesso».

Non ci restava più nulla da dire. Mi cullò, avanti e indietro, fino a quando la luce del giorno non invase la stanza.

«È ora di fare colazione», disse infine, disinvolto, per dimostrare – ne ero certa – di avere sempre presenti le mie debolezze umane.

Allora portai le mani al collo e spalancai gli occhi fissandolo con terrore. La sua espressione tradì che era sciocccato.

«Scherzetto!», ridacchiai. «E poi dici che non sono capace di recitare!».

Fece una smorfia di disapprovazione. «Non è stato divertente».

«Invece sì, tanto, e lo sai anche tu». Esaminai i suoi occhi dorati per accertarmi che mi avesse perdonato. Apparentemente, sì.

«Posso riformulare la frase?», chiese. «È ora di fare colazione, per gli umani».

«Ah, d'accordo».

Mi prese in spalla, con gentilezza, ma anche con una velocità che mi lasciò senza fiato. Le sue spalle erano una roccia. Cercai inutilmente di protestare, mentre mi portava giù per le scale senza sforzo. Riuscì a scaricarmi direttamente su una sedia.

La cucina era luminosa, allegra, quasi uno specchio del mio umore.

«Cosa c'è per colazione?», chiesi con tono amabile.

La domanda lo lasciò interdetto qualche istante.

«Ehm, non saprei. Cosa ti piacerebbe mangiare?». Le sue sopracciglia marmoree erano corrugate.

Sorrisi e mi alzai di scatto.

«Benissimo, posso cavarmela da sola senza problemi. Osservami mentre caccio».

Trovai una tazza e una scatola di cereali. Sentivo i suoi occhi su di me, mentre versavo il latte e afferravo un cucchiaio. Disposi il cibo sul tavolo, in silenzio.

«Vuoi che procacci qualcosa anche per te?», chiesi, per non essere scortese.

Alzò gli occhi al cielo. «Mangia e basta, Bella».

Mi accomodai al tavolo, masticando la prima cucchiaiata senza staccargli gli occhi di dosso. Studiava ogni mio movimento. E la cosa mi metteva a disagio. Mi schiarii la gola per parlare, e distrarlo.

«Cos'abbiamo in programma oggi?».

«Mmm...». Lo osservai cercare la risposta. «Che ne dici di venire a conoscere la mia famiglia?».

Restai senza parole.

«Hai paura, adesso?». Sembrava speranzoso.

«In effetti, sì». Non potevo negarlo: me lo leggeva negli occhi.

«Non preoccuparti. Ti proteggerò io», mi rassicurò con un sorrisetto.

«Non ho paura di *loro*. Temo che non... gli piacerò. Non credi che saranno sorpresi di vederti arrivare assieme a una... come me... a casa loro, per conoscerli? Sanno quel che so di loro?».

«Sanno già tutto. Ieri hanno persino scommesso», accennò una risata, ma poco convinta, «su quante possibilità io abbia di portarti a casa sana e salva, benché mi sembri una stupidaggine scommettere contro Alice. E in ogni caso, nella mia famiglia non ci sono segreti. Non sarebbe proprio concepibile, con me che leggo nel pensiero, Alice che vede il futuro e tutto il resto».

«E Jasper che ti rende felice, contento ed entusiasta di raccontargli i fatti tuoi, non dimentichiamolo».

«Ah, vedo che quando parlo stai attenta».

«Di tanto in tanto capita anche a me». Feci una linguaccia. «Perciò, Alice mi ha già vista arrivare?».

La sua reazione fu strana. «Qualcosa del genere», disse, senza troppo entusiasmo, voltandosi per non mostrarmi il suo sguardo. Lo fissai, curiosa.

«È buono quel che mangi?», domandò, tornando a osservarmi all'improvviso e adocchiando la mia colazione con sguardo malizioso. «Sinceramente, non mette tanto appetito».

«Be', di certo non è un grizzly permaloso...», mormorai,

ignorando la sua reazione seria. Ancora mi stavo interrogando sul perché avesse reagito in quel modo quando avevo nominato Alice. Mi affrettai a finire i cereali, presa dai miei pensieri.

Lui era in piedi al centro della cucina, di nuovo la statua di Adone, intento a fissare l'orizzonte dalla finestra sul retro.

Poi tornò a guardarmi e riecco il sorriso ammaliatore.

«E immagino che poi toccherà a te, presentarmi a tuo padre».

«Ti conosce già», risposi.

«In quanto tuo ragazzo, dico».

Lo fissai con sospetto: «Perché?».

«Non si usa?», chiese, innocente.

«Ti confesso che non lo so». Le mie vicende sentimentali passate mi offrivano poche pietre di paragone. Non che le normali regole del corteggiamento facessero al caso nostro. «Non è necessario, ecco. Non mi aspetto che tu... Cioè, non sei costretto a fingere per me».

Sorrise paziente. «Non sto fingendo».

Raccolsi gli avanzi di cereali sul bordo della tazza. Ero rimasta spiazzata.

«Dirai o no a Charlie che sono il tuo ragazzo?», insistette.

«Lo sei?». Combattevo contro la mia fuga interiore al pensiero di Edward, Charlie, e delle parole "mio ragazzo" nella stessa stanza e nello stesso momento.

«In effetti l'espressione "ragazzo" è qui intesa in senso lato».

«Avevo l'impressione che fossi qualcosa di più, a dir la verità», confessai, spostando lo sguardo sul tavolo.

«Be', non so se sia il caso di descrivergli anche i dettagli più sanguinolenti». Si avvicinò e, sfiorandomi il mento con un dito freddo e delicato, mi costrinse ad alzare la testa. «Ma senz'altro dovremo giustificare in qualche modo il fatto che ti girerò attorno tanto spesso. Non voglio che l'ispettore Swan ricorra a misure cautelari per vietarmi formalmente di vederti».

«Ti vedrò spesso?», chiesi, impaziente. «Starai qui spesso, davvero?».

«Per tutto il tempo che vuoi».

«Attento, perché ti vorrò sempre. Per sempre».

Girò lentamente attorno al tavolo e, vicino com'era, allungò una mano per sfiorarmi la guancia con le dita. La sua espressione era indecifrabile.

«Quest'idea ti mette tristezza?».

Non rispose. Mi guardò negli occhi per un istante che parve interminabile.

«Hai finito?», chiese infine.

Mi alzai di slancio. «Sì».

«Vestiti. Ti aspetto qui».

Decidere cosa indossare fu difficile. Dubitavo che esistessero dei manuali di bon ton che consigliavano l'abbigliamento giusto per accompagnare il proprio fidanzato vampiro a casa della sua famiglia di vampiri. Era un sollievo pensare a quella parola, tra me e me. Sapevo di averla sempre evitata intenzionalmente.

Finii per scegliere l'unica gonna che avevo: lunga, color cachi, casual. Le abbinai la camicetta blu scuro, che Edward aveva già mostrato di gradire. Un'occhiata veloce allo specchio chiarì che i miei capelli erano totalmente impossibili, perciò li raccolsi a coda di cavallo.

«Okay». Balzai giù dalle scale. «Sono presentabile».

Mi aspettava ai piedi degli scalini, più vicino di quanto pensassi, e mi ci scontrai in pieno. Mi fermò, mi tenne a distanza di sicurezza per qualche secondo e poi mi strinse a sé.

«Sbagliato», sussurrò al mio orecchio. «Sei assolutamente impresentabile. Nessuno dovrebbe essere così attraente: è una tentazione, non è giusto».

«Attraente come?», chiesi. «Posso cambiarmi...».

Fece un sospiro e scosse la testa: «Sei davvero assurda». Mi posò delicatamente le labbra fredde sulla fronte, e la stanza iniziò a girare. Il profumo del suo respiro mi dava alla testa.

«Mi concedi di spiegarti come mi stai inducendo in tentazione?», disse. La domanda era ovviamente retorica. Le sue dita scorrevano lentamente sulla mia schiena e il suo respiro si avvicinava, veloce, alla mia pelle. Tenevo le mani inerti sul suo petto e sentivo le gambe molli. Piegò lentamente la testa e con le sue labbra fredde toccò le mie per la seconda volta, con estrema delicatezza, dischiudendole appena.

A quel punto crollai.
«Bella?». Sembrava allarmato, mentre mi afferrava e mi sollevava.
«Mi... hai... fatta... svenire». Avevo perso le forze.
«Ma cosa devo fare con te?!», esclamò esasperato. «La prima volta che ti bacio, mi assali! La seconda, mi svieni tra le braccia!».
Mi feci sfuggire una debole risata, lasciandomi custodire dal suo abbraccio, mentre mi girava la testa.
«E meno male che sono bravo in tutto», sospirò.
«Questo è il problema», dissi, ancora intontita. «Sei *troppo* bravo. Troppo, troppo bravo».
«Ti senti male?», chiese. Mi aveva già vista in quello stato.
«No... non è stato affatto come l'altro svenimento. Non so cosa sia successo». Cercavo di scusarmi, scuotendo la testa. «Penso di aver dimenticato di respirare».
«Non posso portarti da nessuna parte, in queste condizioni».
«Guarda che sto bene. E poi, i tuoi penseranno comunque che sono pazza, perciò... che differenza fa?».
Per un istante rimase a studiarmi. «Ho un debole per come quel colore si sposa con la tua carnagione», commentò, a sorpresa. Arrossii, lusingata, e guardai altrove.
«Ascolta, sto cercando con tutte le mie forze di non pensare a ciò che sto per fare, perciò possiamo andare?», implorai.
«E sei preoccupata, non perché stai per conoscere una famiglia di vampiri, ma perché temi che questi vampiri non ti approveranno, giusto?».
«Giusto», risposi immediatamente, dissimulando la sorpresa per la disinvoltura con cui aveva detto "vampiri".
Scosse il capo. «Sei incredibile».
Mentre uscivamo dalla città, con Edward al volante del mio pick-up, mi resi conto di non sapere affatto dove vivesse. Oltrepassammo il ponte sul fiume Calawah e proseguimmo lungo le curve della strada che puntava verso nord; le case che ci sfrecciavano accanto si facevano sempre più rare e grandi. Superate le ultime abitazioni, ci ritrovammo in mezzo alla foresta nebbiosa. Ero indecisa se fare domande o essere paziente,

quando all'improvviso Edward deviò su una strada sterrata, non segnalata e appena visibile in mezzo ai cespugli. Si inoltrava nella foresta, tra la vegetazione che consentiva una visibilità di pochi metri appena, e serpeggiava in mezzo agli alberi secolari.

Poi, dopo qualche chilometro, il bosco iniziò a diradarsi, e ci ritrovammo in una piccola radura, o forse addirittura un giardino. L'oscurità della foresta, però, non veniva meno, perché l'intrico dei rami di sei antichissimi cedri faceva ombra su un acro intero. L'ombra protettiva degli alberi giungeva fino alle mura della casa che svettava in mezzo e rendeva inutile l'ampia veranda che circondava il primo piano.

Non avevo pensato prima a cosa mi aspettasse, ma rimasi comunque sorpresa. La casa era senza tempo, decorosa, probabilmente vecchia di un secolo. Era dipinta di un bianco leggero, stinto, alta tre piani, rettangolare e ben proporzionata. Le finestre e le porte erano originali, oppure perfettamente restaurate. Il mio pick-up era l'unica auto in vista. Sentivo il fiume scorrere nei dintorni, nascosto nell'oscurità della foresta.

«Accidenti».

«Ti piace?».

«Ha… un certo fascino».

Mi tirò per la coda e fece un risolino.

«Pronta?», chiese, aprendomi la portiera.

«Nemmeno un po'. Andiamo». Mi sforzai di ridere, ma la voce mi restò in gola. Mi aggiustai i capelli, nervosa.

«Sei molto carina». Mi prese la mano con disinvoltura, senza pensarci.

Attraversammo l'ombra scura fino alla veranda. Sapevo che percepiva la mia tensione; con il pollice, disegnava cerchi sul dorso della mia mano.

Aprì la porta e mi fece entrare.

L'interno della casa fu ancora più sorprendente, meno prevedibile dell'esterno. Era molto luminoso, arioso e ampio. Probabilmente in origine si trattava di una casa con molte stanze, ma le pareti divisorie del primo piano erano state quasi tutte abbattute per renderlo uno spazio unico. Sul retro si apriva una enorme vetrata, e oltre l'ombra dei cedri il sentiero procedeva scoperto fino all'ampio fiume. Sul lato occidentale della sala spiccava una massiccia scalinata curvilinea. Le pareti, il soffitto a volta, il pavimento di legno e i grossi tappeti erano tutti di diverse tonalità di bianco.

Ad accoglierci, alla nostra sinistra, in piedi su un rialzo occupato da uno spettacolare pianoforte a coda, trovammo i genitori di Edward.

Certo, avevo già conosciuto il dottor Cullen, ma non potevo non essere sorpresa dal suo aspetto giovanile, dalla sua sfacciata perfezione. Al suo fianco c'era Esme, dedussi: era l'unica tra i familiari di Edward che non avessi mai visto. Aveva gli stessi tratti pallidi e bellissimi di tutti loro. Qualcosa, nel suo viso a cuore, negli sbuffi di capelli soffici, color caramello, mi ricordava le svampite dei film muti. Era minuta, esile, ma non per questo ossuta, anzi, pareva più rotonda dei suoi figli. Entrambi erano vestiti in maniera informale, con colori chiari che si accompagnavano bene alle tinte della casa. Ci diedero il benvenuto con un sorriso, ma non si avvicinarono. Probabilmente non volevano terrorizzarmi.

Fu la voce di Edward a spezzare il breve silenzio: «Carlisle, Esme, vi presento Bella».

«Benvenuta, Bella». Carlisle mi venne incontro a passi misurati, attenti. Mi offrì una mano, e feci un passo avanti per stringerla.

«È un piacere rivederla, dottor Cullen».

«Chiamami pure Carlisle».

«Carlisle». Gli sorrisi, stupita della mia improvvisa sicurezza. Edward, al mio fianco, si rilassò.

Esme sorrise e si avvicinò anche lei, offrendomi la mano. La sua stretta fredda e forte era proprio come me l'aspettavo.

«È davvero un piacere fare la tua conoscenza», disse, sincera.

«Grazie. Anch'io ne sono lieta». E lo ero. Era come conoscere i protagonisti di una fiaba... Biancaneve in carne e ossa.

«Dove sono Alice e Jasper?», chiese Edward, ma nessuno rispose, perché i due erano appena apparsi in cima all'ampia scala.

«Ehi, Edward!», esclamò Alice, entusiasta. Scese le scale di corsa, un lampo di capelli neri e pelle bianca, arrestandosi con grazia di fronte a me. Carlisle ed Esme le lanciarono occhiate di avvertimento, ma io la trovavo divertente. Era naturale, per lei, se non altro.

«Ciao, Bella!», disse, e si sporse per baciarmi sulla guancia. Se poco prima Carlisle ed Esme mi erano sembrati scrupolosi, ora erano impietriti. Anch'io ero sbalordita, ma non meno contenta di avere ricevuto tanta approvazione. Fu una sorpresa sentire Edward irrigidirsi al mio fianco. Gli lanciai uno sguardo, ma la sua espressione era illeggibile.

«Hai davvero un buon odore, non me ne ero mai accorta», commentò lei, con mio grande imbarazzo.

Nessun altro sapeva bene cosa dire, finché non apparve Jasper, alto e leonino. Mi sentii invadere dalla tranquillità, e un istante dopo mi trovavo a mio agio, malgrado l'ambiente così strano. Edward guardò Jasper, perplesso, e ricordai di cos'era capace suo fratello.

«Ciao Bella», disse Jasper. Restò a distanza e non mi offrì la mano. Ma era impossibile sentirsi a disagio se c'era lui nei paraggi.

«Ciao Jasper». Accennai un sorriso timido, prima a lui e poi agli altri. «Sono felice di conoscervi... la vostra casa è bellissima», aggiunsi, poco originale.

«Grazie», rispose Esme. «Siamo davvero contenti che tu sia venuta». Parlò con convinzione e intensità; capii che mi riteneva una ragazza coraggiosa.

Mi accorsi anche che Rosalie ed Emmett non si facevano vedere, e ricordai l'innocenza forzata di Edward nel negare che qualcuno dei suoi fratelli non gradisse la mia presenza.

L'espressione di Carlisle mi distolse da quei pensieri: fissava Edward intensamente come se alludesse a qualcosa. Con la coda dell'occhio scorsi Edward annuire.

Guardai altrove, nel tentativo di comportarmi da persona educata. Tornai al bellissimo strumento sistemato su quella specie di palco, accanto alla porta. Ricordavo d'un tratto una mia fantasia infantile, quando intendevo comprare un pianoforte a coda per mia madre, se mai avessi vinto alla lotteria. Non era mai stata veramente una brava musicista – suonava solo per sé, sul nostro piano verticale di seconda mano – ma mi piaceva starla a guardare. Era felice, assorta: in quei momenti mi sembrava un essere nuovo e misterioso, diverso dal personaggio di "mamma" che davo per scontato. Ovviamente cercò di farmi prendere qualche lezione ma, come la maggior parte dei bambini, mi lagnai fino a convincerla che non era il caso.

Esme notò il mio sguardo assorto.

«Suoni?», chiese, inclinando la testa verso il piano.

Feci cenno di no. «No, per niente. Ma è bellissimo. È tuo?».

Rise. «No. Edward non ti ha detto che è un musicista?».

«No». Sorpresa, mi voltai a scrutarlo: la sua espressione si era fatta improvvisamente innocente. «Immagino che avrei dovuto saperlo».

Esme alzò le sopracciglia delicate, confusa.

«Edward è capace di fare tutto, vero?», dissi.

Jasper soffocò una risata, ed Esme lanciò a Edward un'occhiata di rimprovero.

«Spero che tu non ti sia vantato troppo, non è educato», disse lei.

«Soltanto un po'», si lasciò scappare lui, insieme a una risata. Esme si tranquillizzò, e i due si scambiarono un'occhiata che non riuscii a interpretare, a parte il compiacimento nello sguardo di lei.

«Per la verità, è stato fin troppo modesto», precisai.

«Be', dai Edward, suona per lei», lo incoraggiò.

«Hai appena detto che è maleducazione», replicò lui.

«Ogni regola ha un'eccezione».

«Mi piacerebbe sentirti suonare», proposi io.

«Siamo d'accordo, allora», ed Esme lo spinse verso il piano. Lui mi trascinò con sé e mi fece accomodare sul seggiolino, al suo fianco.

Prima di abbassare gli occhi sui tasti, mi rivolse uno sguardo esasperato.

Poi le sue dita iniziarono a correre veloci sui tasti d'avorio, e il salone si riempì del suono di una composizione tanto complicata, tanto rigogliosa, da non poter credere che a suonarla fosse un solo paio di mani. Restai a bocca aperta, sorpresa, mentre alle spalle sentivo le risatine di chi si era accorto della mia reazione.

Edward mi guardò di sfuggita, mentre la musica ci avvolgeva senza pause, e mi strizzò l'occhio: «Ti piace?».

«L'hai scritta tu?». Ero senza fiato.

Annuì. «È la preferita di Esme».

Chiusi gli occhi e scossi il capo.

«Cosa c'è che non va?».

«Mi sento estremamente insignificante».

La musica rallentò, si trasformò in qualcosa di più morbido, e con grande sorpresa, tra le ondate di note, colsi la melodia della sua ninna nanna.

«Questa l'hai ispirata tu», disse, a bassa voce. La musica si riempì di una dolcezza insostenibile.

Ero senza parole.

«Piaci a tutti, lo sai? Soprattutto a Esme».

Guardai alle mie spalle, ma l'ampio salone era vuoto.

«Dove sono andati?».

«Immagino che, con molto buon senso, ci abbiano concesso un po' di privacy».

Sospirai. «A *loro* piaccio. Ma Rosalie ed Emmett...». Non terminai la frase, incapace di esprimere bene i miei dubbi.

Lui aggrottò le sopracciglia. «Non preoccuparti di Rosalie», disse, tentando di convincermi. «Prima o poi si farà vedere».

Lo fissai, scettica: «Emmett?».

«Be', secondo lui, in effetti, sono pazzo, ma non ce l'ha affatto con te. Sta cercando di far ragionare Rosalie».

«Cos'è che la innervosisce?». Non ero sicura di voler sentire la risposta.

Fece un respiro profondo. «Rosalie è quella più problematica, non si dà pace rispetto a... ciò che siamo. Non è facile per lei pensare che qualcuno di esterno alla famiglia conosca la verità. In più è un po' gelosa».

«*Rosalie* è gelosa di *me*?», chiesi, incredula. Cercai di immaginare un universo in cui una ragazza mozzafiato come Rosalie potesse avere una ragione sensata per sentirsi gelosa di una come me.

«Sei umana». Si strinse nelle spalle. «Vorrebbe esserlo anche lei».

«Ah», mormorai, ancora del tutto sconvolta. «Anche Jasper, però...».

«Quella è colpa mia, in realtà. Te l'ho detto, è stato l'ultimo a convertirsi al nostro stile di vita. L'ho avvertito di mantenere le distanze».

Pensai al motivo di tale esortazione e rabbrividii.

«Esme e Carlisle?», chiesi rapidamente, cercando di procedere con la conversazione perché non badasse alle mie reazioni.

«Sono felici che io sia felice. Anzi, credo che Esme ti apprezzerebbe anche se avessi tre occhi e i piedi palmati. In tutti questi anni si è preoccupata per me, ha sempre temuto che alla mia essenza originale mancasse qualcosa, che fossi troppo giovane quando Carlisle mi ha cambiato... È felicissima. Ogni volta che ti sfioro, gongola di soddisfazione».

«Anche Alice sembra molto... entusiasta».

«Alice ha un modo tutto suo di vedere le cose», disse a labbra strette.

«E tu non hai intenzione di parlarmene, vero?».

Il silenzio con cui rispose era denso di sottintesi. Edward capì che sapevo che mi nascondeva qualcosa. E io intuii che non era disposto a rivelarmelo. Non in quel momento.

«E cosa ti stava dicendo Carlisle, prima?».

Alzò gli occhi di scatto. «Ah, te ne sei accorta?».

Mi strinsi nelle spalle. «Certo».

Mi osservò per qualche secondo, prima di rispondere: «Aveva una notizia per me... e non sapeva se avrei gradito condividerla».

«E?».

«Sono obbligato a condividerla, perché nei prossimi giorni – o settimane – sarò un po'... iperprotettivo nei tuoi confronti e non voglio che tu pensi a me come a un despota».

«Qual è il problema?».

«Nessun problema, per ora. Alice, però, ha visto che presto riceveremo ospiti. Sanno che siamo qui e sono curiosi».

«Ospiti?».

«Sì... be', ovviamente non sono come noi... quanto ad abitudini di caccia, intendo. Probabilmente non entreranno a Forks, ma non sono intenzionato a perderti di vista finché non se ne saranno andati».

Rabbrividii.

«Finalmente una reazione normale! Iniziavo a temere che non fossi dotata di istinto di sopravvivenza».

Lasciai correre, distogliendo lo sguardo e lasciandolo vagare per il vasto salone.

Edward seguì il percorso dei miei occhi: «Non ti aspettavi questo, eh?». Sembrava compiaciuto.

«In effetti, no».

«Niente bare, niente teschi ammucchiati negli angoli; credo che non ci siano nemmeno ragnatele... chissà che delusione, per te», proseguì, sarcastico.

Evitai di stare al gioco: «È così luminosa... così ariosa».

«È l'unico posto in cui non siamo costretti a nasconderci», rispose in tutta serietà.

La canzone che stava ancora suonando, la mia canzone, veleggiò verso gli ultimi accordi, più malinconici. L'eco dell'ultima nota fu enfatizzata dal silenzio della casa.

«Grazie», sussurrai. Avevo gli occhi lucidi. Li asciugai, imbarazzata.

Avvicinò la punta di un dito alla mia palpebra, catturando una lacrima che mi era sfuggita. Osservò la goccia intrappolata sul polpastrello. Poi, con un gesto rapido, invisibile, la assaggiò.

Lo fissavo, perplessa, e lui mi restituì lo sguardo, immobile per un lunghissimo istante, prima di illuminarsi di un sorriso.

«Vuoi vedere il resto della casa?».

«Niente bare?». Il sarcasmo nella mia voce non mascherava del tutto la leggera, ma sincera, ansia che sentivo.

Rise, prendendomi per mano e allontanandosi dal pianoforte assieme a me.

«Niente bare, te lo prometto».

Salii le scale massicce assieme a lui, sfiorando con le dita il corrimano liscio come la seta. Il lungo corridoio del primo piano era contornato di pannelli di legno color miele, identici a quelli del pavimento.

«La stanza di Rosalie ed Emmett... lo studio di Carlisle... la stanza di Alice...», indicava ogni porta con un gesto.

Avrebbe proseguito, ma io mi arrestai in fondo al corridoio, fissando incredula la decorazione appesa al muro sopra la mia testa. Edward ridacchiò della mia espressione sbalordita.

«Puoi anche ridere», disse. «È ironico, in un certo senso».

Non ci riuscivo. Alzai automaticamente una mano, tentando di sfiorare con un dito la grossa croce di legno, la cui tinta scura contrastava con quella più morbida della parete. Non la toccai, benché fossi curiosa di sentire se quel legno invecchiato fosse liscio come appariva.

«Dev'essere antichissima».

Edward si strinse nelle spalle. «Anni Trenta del diciassettesimo secolo, più o meno».

Distolsi gli occhi dalla croce per guardare lui.

«Perché la conservate qui?».

«Nostalgia. Apparteneva al padre di Carlisle».

«Era un collezionista?».

«No. L'ha costruita lui. Stava sopra il pulpito della chiesa di cui era pastore».

Non sapevo se nei miei occhi si leggesse lo sbalordimento, ma a scanso di equivoci tornai a osservare la croce, antica e disadorna. Mi ci volle poco per fare i conti: aveva più di trecentosettant'anni. Il silenzio ci avvolse, mentre mi sforzavo di immaginare un tempo tanto lungo.

«Tutto bene?», sembrava preoccupato.

«Quanti anni ha Carlisle?», chiesi piano, ignorando la sua domanda, i miei occhi ancora fissi sulla croce.

«Ha appena festeggiato il suo trecentosessantaduesimo compleanno», rispose Edward. Mi voltai, con un milione di domande nello sguardo.

Parlò senza staccarmi gli occhi di dosso.

«Carlisle è quasi certo di essere nato a Londra, negli anni Quaranta del diciassettesimo secolo. All'epoca le date non erano registrate con cura, non per la gente comune. Fu poco prima dell'avvento di Cromwell».

Cercai di mantenere un'espressione composta, mentre ascoltavo. Il che era possibile solo se non mi sforzavo di credergli.

«Era l'unico figlio di un pastore anglicano. Sua madre morì di parto. Suo padre era un uomo intollerante. Quando i protestanti presero il potere, fu molto attivo nella persecuzione dei cattolici e dei seguaci di altre religioni. Credeva anche molto nell'esistenza delle incarnazioni del male. Guidava le cacce alle streghe, ai licantropi... e ai vampiri». La parola mi lasciò impietrita. Edward se ne accorse certamente, ma proseguì senza pause.

«Furono bruciate parecchie persone innocenti: di sicuro le vere creature di cui andavano a caccia non erano così facili da stanare.

Diventato anziano, il pastore cedette il ruolo di guida dei cacciatori al figlio devoto. Sulle prime, Carlisle fu una delusione: non era abbastanza pronto nel condannare, nel vedere demoni dove non ce n'erano. Ma era testardo, e più intelligente del padre. Scoprì un rifugio di veri vampiri, che abitavano le fogne della città e uscivano solo di notte per cacciare. Molti vivevano così, in un'epoca in cui i mostri non erano ritenuti soltanto mito e leggenda.

La folla raccolse le forche e le torce, ovviamente», la sua risata si fece breve e cupa, «e attese, nel punto in cui Carlisle aveva visto che i mostri uscivano. Finché uno di loro non emerse dal sottosuolo».

Parlava a voce molto bassa; per ascoltarlo dovevo tendere l'orecchio.

«Probabilmente era una creatura antica e sfiancata dalla fame. Carlisle lo sentì chiamare gli altri in latino, quando si accorse dell'odore della folla. Iniziò a correre per le strade, e Carlisle – che a ventitré anni era molto veloce – guidava l'inseguimento. La creatura avrebbe potuto agevolmente seminarli, ma era troppo affamata, perciò si voltò e li attaccò. Si avventò su Carlisle, ma dovette difendersi dal resto della folla. Uccise due uomini, scappò con un terzo e lasciò Carlisle a terra, sanguinante».

Fece una pausa. Sentivo che mi stava risparmiando una parte del racconto, per nascondermi qualcosa.

«Carlisle sapeva quale destino gli avrebbe riservato il padre. Avrebbe fatto bruciare i corpi: tutto ciò che il mostro aveva infettato sarebbe stato distrutto. Perciò agì d'istinto, per salvarsi la vita. Strisciò via dal vicolo mentre la folla inseguiva il mostro e la sua vittima. Si nascose in una cantina e restò sepolto per tre giorni sotto dei sacchi di patate andate a male. Fu un miracolo se riuscì a rimanere in silenzio, a non farsi scoprire.

A quel punto era finita, e lui si rese conto di ciò che era diventato».

Si arrestò di colpo, di fronte a chissà quale reazione che mi lesse sul volto.

«Come va?», chiese.

«Bene». Malgrado mi fossi morsa un labbro tradendo un'esitazione, la mia curiosità gli risultò più che evidente.

Sorrise. «Immagino che tu abbia qualche altra domanda in serbo».

«Qualcuna».

Sfoderò un sorriso luminoso. Mi fece strada lungo il corridoio, prendendomi per mano. «Vieni, allora. Ti faccio vedere».

16

Carlisle

Mi guidò verso la stanza che mi aveva indicato come lo studio di Carlisle. Si fermò brevemente sulla soglia.

«Entrate». Era la voce del dottore.

Edward aprì, e fummo in una stanza dal soffitto alto, con le finestre rivolte a occidente. Le pareti, per quel poco che ne appariva, erano coperte di pannelli di legno scuro: erano quasi completamente nascoste da scaffali enormi pieni di libri, che torreggiavano sulla mia testa e contenevano tanti volumi da poter fare concorrenza a una biblioteca pubblica.

Carlisle occupava una poltrona di pelle, dietro una massiccia scrivania di mogano. Si alzò, sistemando un segnalibro tra le pagine di un grosso tomo. La stanza era identica a come immaginavo lo studio del preside di una facoltà. Peccato che Carlisle avesse un'aria troppo giovane per recitare quella parte.

«Posso esservi utile?», chiese con voce melodiosa, alzandosi dalla sedia.

«Volevo mostrare a Bella un po' della nostra storia», rispose Edward. «Be', della tua, a dir la verità».

«Non vorrei disturbare», mi scusai.

«Non preoccuparti. Da dove vuoi iniziare?».

«Dalla costellazione dell'Auriga», rispose Edward, posando con delicatezza una mano sulla mia spalla per farmi voltare e ammirare la parete alle nostre spalle, quella da cui eravamo entrati. Ogni volta che mi toccava, anche nel modo più distratto, la reazione del mio cuore era udibile. La presenza di Carlisle aumentava il mio imbarazzo.

La parete che osservammo era diversa dalle altre. Non era coperta da uno scaffale, ma da quadri di tutte le dimensioni, alcuni a colori vivaci, altri monocromatici, grigi e cupi. Cercai una logica, un qualche legame segreto che rendesse coerente quella collezione, ma il mio esame frettoloso non mi diede alcun indizio.

Edward mi trascinò sul lato sinistro, di fronte a un piccolo dipinto a olio quadrato, con una semplice cornice di legno. Non spiccava, a fianco degli esemplari più grossi e luminosi; le sue tonalità seppiate mostravano una città in miniatura, piena di tetti ripidi e guglie strette sulla cima di poche torri sparse qui e là. Sullo sfondo scorreva un grande fiume, attraversato da un ponte su cui spiccavano edifici che somigliavano a piccole cattedrali.

«Londra nel 1650», disse Edward.

«La Londra della mia giovinezza», aggiunse Carlisle, avvicinatosi a noi. Ebbi un sussulto: non l'avevo sentito muoversi.

«Hai voglia di raccontare tu la storia?», gli chiese Edward. Mi voltai a osservare la reazione di Carlisle.

Incontrò il mio sguardo e sorrise: «Mi piacerebbe, ma purtroppo sono in ritardo. Hanno chiamato dall'ospedale, stamattina – il dottor Snow è rimasto a casa, in malattia. E poi, tu conosci la storia bene quanto me», aggiunse rivolto a Edward.

Che strana combinazione: le preoccupazioni quotidiane di un medico di provincia nel bel mezzo di una discussione sulla sua giovinezza, nella Londra del diciassettesimo secolo.

Provai anche un po' di imbarazzo, quando capii che parlava ad alta voce soltanto perché io potessi sentirlo.

Un altro sorriso luminoso per me, e il dottore se ne andò.

Per lunghi istanti rimasi a osservare il quadretto della città natale di Carlisle.

«E in seguito, quando si accorse di ciò che gli era successo, cosa accadde?», chiesi finalmente a Edward, che mi fissava in silenzio.

Tornò ai quadri, e seguii il suo sguardo per capire su quale dipinto si stesse concentrando. Era un panorama più grande, nei colori più smorti dell'autunno: un prato deserto, ombroso, in mezzo a una foresta dominata da una cima aguzza all'orizzonte.

«Quando scoprì cos'era diventato», riprese a bassa voce, «si ribellò. Cercò di autodistruggersi. Ma non è impresa facile».

«Come?». Non volevo alzare la voce, ma ero troppo sbalordita.

«Si gettò da cime altissime», disse Edward, sempre impassibile. «Tentò di annegarsi nell'oceano... ma era all'inizio della sua nuova vita, era giovane e molto forte. La cosa incredibile è che sia riuscito a evitare di... nutrirsi. Nei primi tempi l'istinto è più potente, più forte di ogni altra cosa. Ma era talmente disgustato da se stesso che trovò la forza per decidere di morire di fame».

«È possibile?», chiesi, con un filo di voce.

«No, ci sono pochissimi modi per ucciderci».

Aprii la bocca per fare una domanda, ma lui mi anticipò.

«Perciò divenne molto affamato, e infine si indebolì. Si allontanò il più possibile dagli umani, rendendosi conto che anche la sua forza di volontà si infiacchiva. Per mesi interi vagò di notte, alla ricerca dei luoghi più solitari, pieno di repulsione per se stesso.

Una notte, presso il rifugio dove si nascondeva passò un branco di cervi. Era talmente sconvolto dalla sete che li attaccò senza neppure pensarci. Si rimise in forze e comprese che esisteva un'alternativa: che poteva non essere quel mostro abominevole che temeva. Non si era forse già cibato di selvaggina, quando era umano? In pochi mesi, aveva fatto sua quella nuova filosofia di vita. Poteva continuare a vivere, senza essere un demonio. Ritrovò se stesso.

Iniziò a impiegare il proprio tempo in maniera più proficua. Era sempre stato intelligente e curioso di imparare. Ormai aveva di fronte tutto il tempo che voleva. Studiava di notte, e di giorno preparava i suoi piani. Nuotò fino in Francia, e...».

«Arrivò in Francia a nuoto?».

«C'è un sacco di gente che attraversa la Manica a nuoto, Bella», precisò, paziente.

«Immagino che tu abbia ragione. In questo contesto, però, sembrava buffo».

«Siamo nuotatori provetti...».

«Voi siete provetti in *tutto*».

Restò in silenzio, divertito.

«Giuro che non t'interrompo più».

Soffocò una risata e terminò la frase: «Perché, tecnicamente, possiamo fare a meno di respirare».

«Voi...».

«No, no, hai giurato», rise, chiudendomi le labbra con il dito gelido. «Vuoi sentire la storia o no?».

«Non puoi buttare lì una notizia del genere e aspettarti che io non apra bocca», bofonchiai contro il suo dito.

Sollevò l'altra mano e la posò piano sul mio collo. Il mio cuore reagì accelerando, ma ero decisa a insistere.

«Non dovete respirare?».

«No, non siamo obbligati. È soltanto un'abitudine». Si strinse nelle spalle.

«Ma quanto tempo puoi restare... senza respirare?».

«Anche per sempre, immagino... non so. È leggermente fastidioso... non si sentono gli odori».

«Leggermente fastidioso», gli feci eco.

Non ero attenta alla mia espressione, ma qualcosa lo fece incupire. Riportò la mano al fianco e restò così, fermo, con lo sguardo fisso su di me. Per un po' nessuno ruppe il silenzio. I tratti del suo volto erano immobili, pietrificati.

«Cosa c'è?», sussurrai, sfiorando quel viso come congelato.

A contatto con le mie dita si rilassò e sospirò: «Continuo a temere che prima o poi accada».

«Accada cosa?».

«So che prima o poi qualcosa di ciò che ti dirò, o che vedrai, sarà troppo. E in quel momento fuggirai via da me strillando». Abbozzò un mezzo sorriso, ma lo sguardo era serio. «Non ti fermerò. Voglio che accada, perché solo così saresti finalmente al sicuro. Io voglio che tu sia al sicuro. Eppure, voglio anche stare con te. Conciliare i due desideri è impossibile...». Lasciò cadere il discorso, fissandomi. E aspettando.

«Non ho intenzione di scappare, te lo prometto».

«Vedremo», rispose, tornando a sorridere.

Lo guardai. «Continua. Carlisle arriva a nuoto in Francia».

Rimase un attimo come sospeso, prima di tornare al racconto. Automaticamente, il suo sguardo finì su un altro quadro, il più colorato di tutti, il più elaborato e con la cornice più ricca, e il più grande: era due volte più ampio della porta accanto a cui era appeso. La tela brulicava di figure luminose, avvolte in tuniche svolazzanti, che si muovevano tra alte colonne e balconate di marmo. Non sapevo dire se rappresentasse un episodio della mitologia greca, o se i personaggi sospesi tra le nuvole venissero dalla Bibbia.

«Carlisle nuotò fino in Francia e frequentò le università europee. Di notte studiava musica, scienza, medicina: trovò così la sua vocazione, la sua penitenza, proprio nel salvare vite umane». Dalla sua espressione trapelava rispetto, quasi riverenza. «Non potrei descrivere la sua lotta interiore... gli ci vollero quasi due secoli per affinare l'autocontrollo. Ora è completamente immune all'odore del sangue umano e può svolgere il lavoro che ama senza tormento. L'ospedale è per lui una preziosa fonte di pace». Edward fissò il vuoto per lunghi istanti. D'un tratto si scosse, sembrò ritrovare il filo del discorso. Picchiettò con un dito contro il grande dipinto di fronte a noi.

«Studiava in Italia, quando scoprì gli altri. Erano molto più civili e colti di quella specie di spettri che vivevano nelle fogne di Londra».

Sfiorò un quartetto di figure piuttosto composte, sistemato sulla balconata più alta, che osservava calmo il viavai sottostante. Esaminai attenta i lineamenti degli uomini raffigurati e mi sfuggì un risolino di sorpresa quando riconobbi quello dai capelli biondo oro.

«Francesco Solimena fu molto ispirato dagli amici di Carlisle. Li raffigurava spesso come dèi». Ridacchiava. «Aro, Marcus, Caius», disse, indicando gli altri tre, due dai capelli neri, l'altro bianchi come la neve. «Protettori notturni delle arti».

«Che fine hanno fatto?», chiesi, puntando il dito a un centimetro dalle figure sulla tela.

«Sono ancora lì». Si strinse nelle spalle. «Come da chissà quanti millenni. Carlisle restò con loro per poco tempo, non più di qualche decennio. Ammirava molto la loro civiltà, i loro modi raffinati, ma insistevano nel voler curare la sua avversione alla "fonte naturale di nutrimento", come la chiamavano. Cercarono di persuaderlo, come lui cercò di persuadere loro, senza risultato. A quel punto, decise di provare con il Nuovo Mondo. Sognava di incontrare qualcuno come lui. Come puoi immaginare, si sentiva molto solo.

Per molto tempo non trovò nessuno. Però, mano a mano che i mostri perdevano verosimiglianza e diventavano solo personaggi delle favole, scoprì di poter interagire con gli esseri umani come fosse uno di loro. Iniziò a operare come medico. Ma il genere di compagnia che cercava era irraggiungibile: non poteva permettersi troppa intimità.

Quando si diffuse l'epidemia di spagnola, Carlisle faceva i turni di notte in un ospedale di Chicago. Da parecchi anni si trastullava con un'idea che non era ancora riuscito a sperimentare, e in quel momento decise di agire: dal momento che non riusciva a trovare un compagno, ne avrebbe creato uno. Non era del tutto sicuro di come fosse avvenuta la sua trasformazione, qualche dubbio gli era rimasto. Ed era riluttante all'idea di rubare la vita a qualcun altro, come era stata rubata a lui. A quel punto scoprì me. Ero senza speranza: mi avevano lasciato nella corsia dei moribondi. Decise di provare...».

La sua voce, quasi un sussurro, si spense. Si perse nel vuoto, fuori dalla finestra sul lato occidentale, ma non guardava nulla. Chissà quali immagini affollavano la sua memoria, chissà se erano ricordi suoi o di Carlisle. Io attendevo in silenzio.

Quando tornò a parlarmi, sulle sue labbra splendeva un sorriso angelico.

«Così, il cerchio si chiude».

«Hai sempre vissuto con lui?».

«Quasi». Posò una mano, dolcemente, sul mio fianco e mi guidò fuori dallo studio, stringendomi a sé. Diedi un ultimo sguardo alla parete con i quadri, chiedendomi se sarei mai riuscita a sentire le altre storie.

Edward non aggiunse altro, mentre percorrevamo il corridoio, perciò fui io a insistere: «Quasi?».

Fece un sospiro, come se non fosse contento di rispondere: «Be', ho passato anch'io il mio periodo di ribellione adolescenziale, più o meno dieci anni dopo la... nascita... o creazione, chiamala come vuoi. La sua vita di astinenza non mi convinceva, ce l'avevo con lui perché non faceva che soffocare il mio appetito. Perciò, per qualche tempo, me ne andai per i fatti miei».

«Davvero?». Ero affascinata, più che impaurita come forse avrei dovuto essere.

E ciò non sfuggì a Edward. Mi accorsi a malapena che stavamo per salire l'altra rampa di scale, ma non badavo granché a dove ci trovassimo.

«Non ne sei disgustata?».

«No».

«Perché no?».

«Perché... sembra una scelta ragionevole».

Liberò una risata, molto più fragorosa della precedente. Eravamo in cima alle scale, di fronte a un altro corridoio.

«Dal giorno della mia rinascita», mormorò, «ho avuto il vantaggio di poter leggere nel pensiero di chiunque mi si trovasse vicino, umano e non umano. Perciò mi occorsero dieci anni per sfidare Carlisle: vedevo la sua sincerità immacolata e capivo perfettamente cosa lo spingesse a vivere così.

Mi ci volle solo qualche anno per tornare da Carlisle e riconoscere che aveva ragione. Pensavo che sarei rimasto immune dalla... depressione... che la coscienza porta con sé. Dal momento che leggevo nel pensiero delle mie prede, potevo risparmiare gli innocenti e assalire soltanto i malvagi. Se seguivo un assassino dentro un vicolo buio dove aveva intrappolato una ragazza... se salvavo lei, allora certo non avevo motivo di sentirmi così tremendo».

Rabbrividii, rapppresentandomi fin troppo chiaramente la scena: il vicolo buio, la ragazza impaurita, l'uomo scuro che la insegue. Ed Edward, Edward a caccia, terribile e glorioso come un giovane dio, inarrestabile. La ragazza gli sarebbe stata grata, o ne sarebbe rimasta ancor più terrorizzata?

«Ma con il passare del tempo, iniziai a vedere la mostruosità nei miei occhi. Non riuscivo a sfuggire al peso di tutte quelle vite umane strappate, che lo meritassero o no. Così tornai da Carlisle ed Esme. Mi accolsero come il figliol prodigo. Non meritavo così tanto».

Ci eravamo fermati di fronte all'ultima porta del corridoio.

«La mia stanza», mi informò, aprendo la porta e invitandomi a entrare.

La camera era rivolta a sud, con una grande vetrata al posto della parete, come al piano terra. L'intero retro dell'edificio doveva essere un'unica vetrata. Le anse del fiume Sol Duc erano ben visibili, come la foresta vergine alla base dei Monti Olimpici. Le vette erano molto più vicine di quanto pensassi.

Il lato ovest della stanza era completamente occupato da scaffali su scaffali di CD. Era più fornito di un negozio. Nell'angolo c'era un impianto stereo sofisticatissimo, il genere di apparecchio che io avrei potuto rompere semplicemente sfiorandolo. Non c'era il letto, ma soltanto un divano di pelle nero, molto invitante. Il pavimento era coperto da uno spesso tappeto dorato, e dalle pareti penzolavano drappi pesanti, leggermente più scuri.

«Migliora l'acustica?», chiesi.

Sorrise e annuì.

Afferrò un telecomando e accese lo stereo. Il volume era basso, ma sembrava che la band stesse suonando il suo pezzo soft jazz proprio lì nella stanza, insieme a noi. Mi avvicinai a osservare la sua sbalorditiva collezione di dischi.

«In che ordine li hai sistemati?», chiesi, persa in mezzo a titoli disparati tra cui non riuscivo a orientarmi.

Edward pareva assente.

«Uhm... sono divisi per anno, e poi per preferenze personali», disse, distratto.

Mi voltai, e vidi che mi guardava con un'espressione particolare negli occhi.

«Cosa c'è?».

«Immaginavo che mi sarei sentito… sollevato. Farti sapere tutto, non avere più bisogno di segreti. Ma non pensavo che sarebbe andata ancora meglio. *Mi piace*. Mi fa sentire… felice». Si strinse nelle spalle e si illuminò.

«Sono contenta», dissi, ricambiando il sorriso. Avevo temuto che potesse pentirsi di tutte le sue rivelazioni. Era bello sapere che mi sbagliavo.

Ma a un tratto, mentre studiava la mia espressione, il suo sorriso svanì, e corrugò la fronte.

«Sei sempre in attesa degli strilli e della fuga a gambe levate, vero?», domandai.

Accennò un lieve sorriso, annuendo.

«Scusa se ti smonto così, ma non sei terribile come pensi. Anzi, a dirla tutta non ti trovo *affatto* spaventoso». Mentii con disinvoltura.

Restò di sasso, e alzò le sopracciglia per mostrarmi un'ostentata incredulità. Poi sfoderò un sorriso ampio, quasi un ghigno.

«Questo non dovevi dirlo».

Iniziò a ringhiare, emettendo un suono cupo dal profondo della gola; arricciò il labbro scoprendo i denti perfetti. Scattò all'improvviso in un'altra posizione, mezzo acquattato, coi muscoli tesi, come un leone pronto a balzare sulla preda.

Feci un passo indietro, gli occhi sbarrati.

«Non provarci».

Non lo vidi neppure mentre mi saltava addosso, fu troppo veloce. In un istante mi ritrovai a mezz'aria, e poi atterrammo sul divano, facendolo sbattere contro il muro. Le sue braccia d'acciaio mi chiudevano in una gabbia protettiva, a malapena riuscivo a muovermi. Mi mancava ancora il fiato, mentre cercavo di tirarmi su.

Ma lui non me lo permise. Mi costrinse ad appallottolarmi contro il suo petto, stringendomi come una catena d'acciaio. Lo guardai, allarmata, ma sembrava perfettamente padrone della situazione e sfoggiava un sorriso rilassato, lo sguardo acceso soltanto dal buonumore.

«Dicevi?», ringhiò, per scherzo.

«Che sei un mostro molto, molto terrificante». Cercai di essere sarcastica, ma avevo perso la voce.

«Così va molto meglio».

«Uhm». Tentai di divincolarmi. «Adesso posso alzarmi?».

Rise, ma non mi lasciò.

«Possiamo entrare?», una voce morbida risuonò dal corridoio.

Provai a liberarmi, ma Edward si limitò a farmi accomodare in braccio a lui. Sulla porta vidi Alice e alle sue spalle Jasper. Ero rossa di vergogna, ma Edward sembrava a proprio agio.

«Avanti», disse, ancora ridendo.

Alice non sembrava affatto disturbata dal nostro abbraccio; avanzò – quasi a passo di danza, tanto era aggraziata – fino al centro della stanza, e si acciambellò sinuosamente sul pavimento. Jasper, invece, si fermò sulla soglia, leggermente sorpreso. Guardava Edward negli occhi, e chissà se stava saggiando l'atmosfera con la sua sensibilità particolare.

«Abbiamo sentito strani rumori... se stavi per mangiare Bella per pranzo, sappi che ne vogliamo un po' anche noi», dichiarò Alice.

Per un istante mi irrigidii, poi mi accorsi che Edward sogghignava, forse per il commento di sua sorella, o per la mia reazione.

«Scusate, ma non credo di potervene offrire», rispose, avvicinandomi ancora di più al suo petto.

«A dir la verità», disse Jasper, sorridendo suo malgrado mentre avanzava verso di noi, «Alice dice che stasera ci sarà un temporale con i fiocchi ed Emmett vuole organizzare una partita. Sei dei nostri?».

La proposta era normalissima, ma il contesto mi lasciava perplessa. Benché di certo Alice fosse più affidabile delle previsioni del tempo.

Lo sguardo di Edward si accese, poi però esitò.

«Ovviamente porta anche Bella», cinguettò Alice. Mi parve di cogliere un'occhiata fulminea di Jasper verso di lei.

«Vuoi venire?», chiese Edward entusiasta, su di giri.

«Certo». Non potevo deludere un'espressione come quella. «Ehm, dove?».

«Per giocare dobbiamo aspettare i tuoni... il perché lo capirai».

«Servirà l'ombrello?».

Risero tutti e tre a gran voce.

«Tu che dici?», chiese Jasper ad Alice.

«No». Era molto convinta. «Il temporale colpirà la città. Nello spiazzo staremo all'asciutto».

«Bene». Andava da sé: l'entusiasmo nella voce di Jasper si stava diffondendo. Mi scoprii impaziente di andare, anziché inchiodata dalla paura.

«Chiediamo a Carlisle se viene anche lui». Alice si diresse verso la porta con un portamento che avrebbe spezzato il cuore di qualsiasi ballerina.

«Come se tu già non lo sapessi», la provocò Jasper, e in un istante erano sgattaiolati fuori. Jasper, senza dare nell'occhio, si richiuse la porta alle spalle.

«A cosa giochiamo?», chiesi.

«Tu resti a guardare. *Noi* giochiamo a baseball».

Alzai gli occhi, stupita: «I vampiri giocano a baseball?».

«È il passatempo americano per eccellenza», rispose solenne, e ironico.

17

La partita

Aveva appena cominciato a scendere una pioggerella invisibile, quando Edward imboccò la strada di casa mia. Fino a quel momento, avevo creduto di poter trascorrere qualche ora nel mondo reale assieme a lui.

Ma poi vidi l'auto nera, una Ford stagionata, parcheggiata sul vialetto, e lo sentii borbottare qualcosa di incomprensibile in tono cupo e irritato.

A ripararsi dalla pioggia sotto la bassa veranda c'erano Jacob Black e, di fronte a lui, suo padre, sulla sedia a rotelle. Billy era impassibile, immobile, e non riusciva a staccare gli occhi da Edward che stava parcheggiando sul ciglio della strada. Jacob guardava in basso, mortificato.

Edward era furioso: «Stavolta hanno passato il segno».

«È venuto a mettere in guardia Charlie?», chiesi, più in ansia che arrabbiata.

Edward rispose soltanto con un cenno di assenso verso di me e uno sguardo torvo verso Billy, nascosto dalla nuvola di pioggia.

Grazie al cielo, Charlie non era in casa.

«Lascia fare a me», suggerii. Lo sguardo nero di Edward stava per gettarmi nel panico.

Con mia grande sorpresa, fu d'accordo. «Probabilmente è la scelta migliore. Però fai attenzione. Il bambino non sa nulla».

Rimasi perplessa di fronte alla parola "bambino". «Jacob non è tanto più piccolo di me», gli feci presente.

Mi guardò, e la sua rabbia svanì all'istante. «Sì, lo so», mi assicurò con un sogghigno.

Prima di scendere, lo guardai sospirando.

«Falli entrare, così potrò andarmene. Tornerò al tramonto».

«Vuoi che ti lasci il pick-up?», gli proposi, ma intanto pensavo a come giustificare con Charlie l'assenza del mezzo.

«Ricorda che io *a piedi* sono molto più veloce del tuo pick-up».

«Non sei obbligato ad andartene», dissi mestamente.

Sorrise della mia espressione malinconica: «Invece sì. Dopo che ti sarai liberata di loro», e lanciò un'occhiata truce verso i Black, «ti toccherà preparare Charlie a conoscere il tuo nuovo ragazzo». Sfoderò un sorriso a trentadue denti.

«Tante grazie, che bella notizia».

Ed ecco di nuovo il sorriso sghembo che amavo tanto. «Tornerò presto, lo prometto». Lanciò un'altra occhiata alla veranda e si avvicinò per baciarmi, appena sotto il mento. Il mio cuore rimbalzò frenetico, e anch'io schizzai con gli occhi alla veranda. Billy non era più impassibile, si stringeva forte alla sedia a rotelle.

«*Presto*», ripetei con forza. Poi scesi dal pick-up, sotto la pioggia.

Sentivo il suo sguardo addosso, mentre correvo verso la veranda sotto la pioggerella insistente.

«Ehi, Billy. Ciao, Jacob». Racimolai un po' di entusiasmo per salutarli. «Charlie è fuori fino a stasera... Spero che non abbiate aspettato troppo».

«Non tanto», disse Billy, a mezza voce, inchiodandomi con i suoi occhi neri. «Volevo solo portare questo». Indicò il sacchetto di carta che teneva in grembo.

«Grazie», risposi, anche se non avevo idea di cosa fosse. «Perché non entrate un minuto ad asciugarvi?».

Mi sforzai di ignorare il suo sguardo indagatore, aprii la porta e li invitai in casa.

«Faccio io», dissi voltandomi per aprire le ante della porta. Mi concessi un ultimo sguardo a Edward. Aspettava, perfettamente immobile, con aria solenne.

«Devi metterlo in frigo», suggerì Billy mentre mi passava il sacchetto. «È un po' di frittura casereccia e tutto l'accompagnamento, l'ha preparato Harry Clearwater. È la preferita di Charlie». Si strinse nelle spalle. «Al freddo resta asciutta».

Ringraziai di nuovo, un po' più spontanea di prima: «Ero a corto di idee per cucinare il pesce, e probabilmente stasera ne porterà a casa altro».

«Va ancora a pesca?», chiese Billy, e il suo sguardo si accese appena. «Giù al solito posto? Magari faccio un salto a trovarlo».

«No. Ha detto che avrebbe provato un posto nuovo... ma non ho idea di dove sia andato», mentii subito per tagliare corto. Si accorse del mio cambiamento di espressione e restò perplesso.

«Jake», disse al figlio, senza smettere di osservarmi, «perché non vai a prendere quella foto nuova di Rebecca, in macchina? Voglio lasciarla a Charlie».

«Dov'è?», chiese Jacob, senza troppo entusiasmo. Gli lanciai un'occhiata, ma lui, accigliato, fissava il pavimento.

«Mi sembra di averla vista sul cruscotto», disse Billy. «Comunque se cerchi bene la trovi».

Con passo pigro Jacob si diresse di nuovo sotto la pioggia.

Billy e io restammo uno di fronte all'altra, in silenzio. I secondi scorrevano e quel silenzio cominciava a mettermi a disagio, perciò schizzai in cucina. E lui mi seguì, cigolando con le ruote umide sul linoleum.

Infilai il sacchetto nell'affollato scomparto superiore del frigo e mi voltai ad affrontare Billy. Il suo volto rugoso era indecifrabile.

«Charlie tornerà molto tardi». Il mio tono di voce sfiorava la maleducazione.

Lui annuì senza aggiungere nulla.

«Grazie ancora per la frittura».

Continuava ad annuire. Feci un sospiro e incrociai le braccia.

Probabilmente capì che avevo desistito dall'idea di buttarla in chiacchiere.

«Bella», mi chiamò, e tacque.

Restai in attesa.

«Bella», riprese, «Charlie è uno dei miei migliori amici».

«Sì».

Pronunciava con cura ogni singola parola, nella sua voce tonante. «Vedo che passi parecchio tempo in compagnia di uno dei Cullen».

«Sì».

Socchiuse gli occhi. «Forse non sono affari miei, ma non penso sia una buona idea».

«Sì, hai ragione. Non sono affari tuoi».

Aggrottò le sopracciglia grigie, meravigliato. «Probabilmente non lo sai, ma la famiglia Cullen gode di cattiva reputazione nella riserva».

«A dire la verità, lo so eccome». La durezza della mia voce lo sorprese. «Ma non se la sono affatto meritata, no? Dal momento che, a quanto mi risulta, i Cullen non mettono mai piede nella riserva, o sbaglio?». Il mio accenno poco velato al patto che impegnava e proteggeva la sua tribù lo zittì all'istante.

«È vero», ammise guardingo. «Sembri... ben informata, a proposito dei Cullen. Più di quanto mi aspettassi».

Lo fissai, sprezzante: «Forse anche meglio informata di te».

Ci pensò sopra, serio e perplesso. «Può darsi». Mi lanciò un'occhiata pungente. «Anche Charlie ne è informato?».

Ecco, aveva scoperto il mio punto debole.

«A Charlie i Cullen piacciono molto». Capì subito che cercavo di restare sul vago. Non ne sembrò contento, ma neppure sorpreso.

«Non sono affari miei», disse. «Ma forse di Charlie sì».

«E penso che sia affar mio, decidere se sono suoi, o sbaglio?».

Abbozzai quella risposta confusa sforzandomi di non dire niente di compromettente. Probabilmente aveva capito ciò che intendevo. Ci pensò su mentre la pioggia iniziava a picchiettare contro il tetto, unico suono a riempire il silenzio.

Alla fine si arrese. «Sì. Immagino che anche questo sia affar tuo».

Sospirai di sollievo. «Grazie, Billy».

«Però stai attenta a quello che fai, Bella».

«Certo».

Mi fissò torvo: «Quel che voglio dirti è: non fare ciò che stai facendo».

Lo guardai negli occhi: erano pieni di preoccupazione per me, e restai senza parole.

In quel momento qualcuno bussò forte alla porta, facendomi sobbalzare.

«Non c'è nessuna foto in macchina». Era la voce arrabbiata di Jacob, che lo precedeva; qualche istante dopo, comparve con le spalle zuppe di pioggia e i capelli fradici.

Billy bofonchiò qualcosa, fece girare la sedia a rotelle su se stessa e con voce più serena e distaccata si diresse incontro al figlio. «Magari l'ho lasciata a casa».

Jacob alzò gli occhi al cielo, esasperato. «Fantastico».

«Be', Bella, dillo a Charlie», prima di aggiungere qualcosa, Billy fece una pausa. «Che siamo passati».

«Certo», mormorai.

Jacob rimase sorpreso: «Ce ne andiamo già?».

«Charlie arriva tardi», spiegò Billy, spingendosi verso il figlio.

Jacob sembrava deluso. «Be', allora alla prossima, Bella».

«Certo».

«Mi raccomando», disse Billy. Non risposi.

Jacob aiutò suo padre a uscire di casa. Accennai un saluto, lanciai un'occhiata fulminea al pick-up, vuoto, e mi chiusi la porta alle spalle prima ancora che fossero partiti.

Per qualche istante restai in corridoio, in attesa del rumore dell'auto che faceva retromarcia e si allontanava. Immobile, cercai di placare l'irritazione e l'ansia. Quando la tensione diminuì, salii in camera a cambiarmi.

Avevo bisogno di indumenti più pratici, perciò provai un paio di top; mi chiedevo che genere di serata mi aspettasse. Più mi concentravo sul futuro, più la visita appena ricevuta diventava insignificante. Lontana dall'influenza che sapevano esercitare Jasper ed Edward, però, il terrore a cui fino a poco prima ero sfuggita iniziava a tentarmi. Rinunciai subito a scegliere i vestiti: optai per una vecchia camicia di flanella e un paio di jeans, sicura che tanto non sarei riuscita nemmeno a togliere l'impermeabile.

Il telefono squillò, mi precipitai al piano di sotto per rispondere. C'era una sola voce che desideravo sentire, chiunque altro sarebbe stato una delusione. Ma sapevo che se *lui* avesse desiderato parlare con me si sarebbe semplicemente materializzato nella stanza.

«Pronto?», risposi, senza fiato.

«Bella? Sono io». Jessica.

«Oh, ciao Jess». All'istante cercai di tornare con i piedi per terra. Sembravano passati mesi dall'ultima volta che ci eravamo parlate, anziché qualche giorno. «Com'è andato il ballo?».

«Divertentissimo!», esclamò Jessica, entusiasta. Senza fare troppi complimenti, si lanciò in un resoconto della serata precedente minuto per minuto. Io risposi con tutti gli "mmm" e gli "aah" del caso, ma dovevo sforzarmi per mantenere la concentrazione. Jessica, Mike, il ballo, la scuola: in quel momento tutto mi sembrava assurdamente irrilevante. Non staccavo gli occhi dalla finestra, cercando di misurare a che altezza fosse il sole, dietro le nuvole dense.

«Hai sentito, Bella?», chiese Jess.

«Scusa, no».

«Ho detto che Mike mi ha baciata! Ci credi?».

«È splendido, Jess!».

«E tu, cos'hai fatto, ieri?», ribatté lei, irritata dalla mia scarsa attenzione. O forse delusa, perché non le avevo chiesto altri dettagli.

«Niente di particolare. Ho fatto un giro fuori per godermi un po' di sole».

Il rombo dell'auto di Charlie risuonò nel garage.

«Edward Cullen non si è più fatto vivo?».

Sentii sbattere la porta d'ingresso e l'armeggiare chiassoso di mio padre che sistemava l'attrezzatura da pesca.

Non trovavo una risposta per Jessica, perché nemmeno io sapevo più cosa fosse la mia storia.

«Ehilà, piccola!», esclamò Charlie entrando in cucina. Lo salutai con la mano.

Lo sentì anche Jess: «Ah, c'è tuo padre. Nessun problema, ne parliamo domani. Ci vediamo in classe».

«A domani, Jess». Riappesi.

«Ehilà, papà». Si stava sciacquando le mani nel lavandino. «Dov'è il pesce?».

«L'ho messo nel freezer».

«Vado a prenderne un po' prima che congeli: oggi pomeriggio Billy è passato a portare della frittura e delizie varie preparate da Harry Clearwater». Mi sforzai di sembrare entusiasta.

«Davvero?». Lo sguardo di Charlie si accese. «È la mia preferita».

Mentre pulivo e friggevo il pesce, lui riordinava la cucina. Più tardi, eccoci seduti a tavola a mangiare in silenzio. Charlie si godeva la cena. Io ero alla disperata ricerca di una scusa per affrontare l'argomento e portare a termine la missione.

«Tu cos'hai fatto oggi?», chiese lui, svegliandomi dal torpore.

«Be', oggi pomeriggio ho gironzolato per casa...». Soltanto nell'ultimissima parte del pomeriggio, per la precisione. Mi sforzavo di essere allegra, ma mi sentivo vuota dentro. «E stamattina sono stata dai Cullen».

Charlie mollò la forchetta, che cadde sul tavolo.

«A casa del dottor Cullen?», chiese, sbalordito.

Finsi di non notare la sua reazione: «Sì».

«E cosa ci sei andata a fare?». La forchetta era ancora sul tavolo.

«Be', avevo una specie di appuntamento con Edward Cullen, stasera, e lui ha insistito per presentarmi ai suoi genitori... Papà?».

Rischiava l'aneurisma.

«Papà, stai bene?».

«Esci con Edward Cullen?», chiese, minaccioso.

Oh-oh. «Pensavo che i Cullen ti piacessero».

«È troppo vecchio per te».

«Siamo entrambi al terzo anno». Non se ne rendeva conto, ma in realtà aveva molta più ragione di quanto pensasse.

«Aspetta... Qual è Edwin?».

«*Edward* è il più giovane, quello con i capelli castano ramati». Quello bello, bello come un dio...

«Oh, be', così va... meglio, direi. Quello grosso non mi piace granché. Non ho dubbi che sia un bravo ragazzo e tutto il resto, ma sembra troppo... maturo per te. Questo Edwin è il tuo ragazzo?».

«Si chiama Edward, papà».

«Allora?».

«Più o meno sì».

«Ieri sera hai detto che in città non c'erano ragazzi interessanti». Ma a quel punto riprese la forchetta, segno che il peggio era passato.

«Be', Edward non vive in città».

A bocca piena, mi lanciò un'occhiata sprezzante.

«E in ogni caso», ripresi, «siamo ancora alle prime fasi. Non mettermi in imbarazzo con discorsi da fidanzati, okay?».

«Quando arriva?».

«Tra qualche minuto dovrebbe essere qui».

«Dove ti porta?».

Stavo per perdere la pazienza. «Spero che abbandonerai presto il tuo metodo da Tribunale dell'Inquisizione. Andiamo a giocare a baseball con la sua famiglia».

Mi rispose sarcastico: «*Tu* giochi a baseball?».

«Be', probabilmente resterò a guardare».

«Deve piacerti davvero, eh?», commentò, malizioso.

Mi limitai a sospirare, alzando gli occhi al cielo.

Il rombo di un motore si stava avvicinando. Saltai in piedi e iniziai a lavare i piatti.

«Lascia stare, li faccio domattina. Tu mi coccoli troppo».

Il campanello suonò, e Charlie si affrettò ad aprire. Ero mezzo passo dietro di lui.

Senza che ce ne fossimo accorti, fuori aveva iniziato a diluviare. Edward apparve sotto l'aureola della luce della veranda, sembrava un modello nella pubblicità di un impermeabile.

«Entra, Edward».

Per fortuna Charlie aveva azzeccato il nome.

«Grazie, ispettore», rispose Edward, rispettoso.

«Chiamami tranquillamente Charlie. Dammi il giaccone».

«Grazie, signore».

«Siediti pure, Edward».

Feci una smorfia.

Edward si accomodò con grazia sull'unica sedia, costringendomi a sedermi sul sofà accanto all'ispettore Swan. Gli lanciai un'occhiataccia. Lui rispose con un occhiolino, alle spalle di Charlie.

«E allora, ho sentito che porti mia figlia a vedere una partita di baseball». Solo nello Stato di Washington la pioggia a catinelle non impedisce affatto gli sport all'aperto.

«Sì, signore, quello è il programma». Non sembrava sorpreso che avessi detto la verità a mio padre. Probabilmente aveva ascoltato la conversazione.

«Be', in bocca al lupo, allora».

Charlie rise, ed Edward si unì a lui.

«D'accordo». Mi alzai. «Smettetela di prendermi in giro. Andiamo». Recuperai la giacca a vento in anticamera. Loro mi seguirono.

«Non fare tardi, Bell».

«Non si preoccupi, Charlie. La porto a casa presto», dichiarò Edward.

«Tratta bene mia figlia, d'accordo?».

Sbuffai, esasperata, ma mi ignorarono entrambi.

«Le prometto che con me starà al sicuro, signore».

Era impossibile che Charlie dubitasse di quelle parole: erano intrise di sincerità.

Io sgattaiolai fuori insofferente. Risero entrambi, poi Edward mi seguì.

Uscita in veranda, restai di stucco. Accanto al mio pick-up c'era una jeep mostruosa. Le ruote mi arrivavano alla vita. I fari anteriori e posteriori erano coperti da protezioni di metallo e sul paraurti spiccavano quattro riflettori supplementari. Il tetto era rosso metallizzato.

Charlie commentò con un fischio.

«Allacciate le cinture», disse, ridendo sotto i baffi.

Edward mi seguì e aprì la portiera. Calcolai l'altezza del sedile e mi preparai al salto. Lui sbuffò e mi sollevò con una mano sola. Speravo che Charlie non avesse visto.

Mentre lui si dirigeva, a passo umano, lento, dalla parte del guidatore, cercai di allacciare la cintura. Ma c'erano troppe fibbie.

«E questa cos'è?».

«Un'imbracatura da fuoristrada».

«Mamma mia».

Cercai di trovare il giusto alloggiamento per tutte le fibbie, ma ero lenta e impacciata. Edward, spazientito, si sporse su di me per aiutarmi. Fortunatamente Charlie era invisibile, sotto la veranda e dietro la pioggia fitta. Questo significava che non poteva accorgersi di come le mani di Edward indugiassero sul mio collo e mi sfiorassero le spalle. Rinunciai ad aiutarlo e cercai di non andare in iperventilazione.

Edward girò la chiave e il motore prese vita. Ci lasciammo la casa alle spalle.

«Questa jeep è davvero... *grossa*, non c'è che dire».

«È di Emmett. Immaginavo che non ti andasse di fartela tutta di corsa».

«Dove tenete questo coso?».

«Abbiamo trasformato in garage uno degli edifici accanto alla casa».

«Non ti allacci la cintura?».

Mi guardò come se stessi scherzando.

Poi ci feci caso e mi riecheggiarono le sue parole.

«*Tutta* di corsa? Nel senso che dovremo anche camminare?». La mia voce salì di alcune ottave.

Rise sotto i baffi: «*Tu* non correrai».

«*Io* starò di nuovo male».

«Se chiudi gli occhi andrà tutto bene».

Strinsi i denti, per combattere il panico.

Si avvicinò a baciarmi la fronte, e poi fece una smorfia. Lo guardai perplessa.

«Il tuo odore con la pioggia è buonissimo».

«In senso buono o cattivo?».

Sospirò. «In entrambi i sensi, come sempre».

Non so come riuscisse a orientarsi, al buio e sotto quell'acquazzone, ma svoltò in una strada secondaria che era molto poco strada e molto più sentiero di montagna. Parlare era impossibile, perché rimbalzavo su e giù come un martello pneumatico. Edward invece si godeva il viaggio e sorrise per tutto il tragitto.

Infine giungemmo al termine della strada: tre pareti di alberi verdi circondavano la jeep. Il temporale era diventato una pioggerella, sempre più debole, e dietro le nubi il cielo si schiariva.

«Scusa, Bella, ma ora ci tocca procedere a piedi».

«Sai una cosa? Ti aspetto qui».

«Dov'è finito il tuo coraggio? Stamattina sei stata straordinaria».

«Non ho ancora dimenticato l'ultima volta». Possibile che fosse passato soltanto un giorno?

In un lampo, eccolo al mio fianco. Iniziò a slacciarmi l'imbracatura.

«Ci penso io, tu vai avanti», protestai.

«Mmm…». In un secondo aveva già terminato. «A quanto pare mi toccherà metter mano alla tua memoria».

Prima che potessi reagire, mi sollevò dal sedile e mi costrinse a scendere. Era rimasto solo un filo di nebbia: le previsioni di Alice si stavano avverando.

«Mettere mano alla mia memoria?», chiesi nervosamente.

«Qualcosa del genere». Mi guardava intensamente, con attenzione, ma nel profondo dei suoi occhi c'era dell'ironia. A quel punto ero costretta tra la portiera della jeep, alle mie spalle, ed Edward di fronte a me, che mi chiudeva ogni via d'uscita appoggiandosi al finestrino con entrambe le mani. Si fece ancora più vicino, il suo viso era a pochi centimetri dal mio. Sentivo il suo respiro addosso, e bastava semplicemente il suo odore a mettere in crisi la mia razionalità. «Dimmi di cos'hai paura», alitò.

«Be', ecco, di sbattere contro un albero… e di morire. E poi, di avere la nausea».

Soffocò una risata. Poi piegò la testa e avvicinò delicatamente le labbra fredde all'incavo del mio collo.

«Adesso hai ancora paura?», sussurrò, sfiorandomi la pelle.

«Sì». Faticavo a mantenere la concentrazione. «Di sbattere contro gli alberi e di avere la nausea».

Con la punta del naso disegnò una linea, dal collo al mento. Il suo respiro freddo mi faceva il solletico.

«E adesso?», sussurrò, con le labbra vicinissime alle mie.

Mi mancava il fiato. «Alberi... Nausea da movimento».

Si avvicinò a baciarmi sulle palpebre. «Bella, non dirmi che credi davvero che potrei sbattere contro un albero».

«Tu no, ma io sì». Non c'era un filo di convinzione nella mia voce. Edward pregustava una vittoria certa.

Mi baciò dolcemente la guancia, a un centimetro dalle labbra.

«Pensi che permetterei a un albero di farti del male?». La sua bocca sfiorò leggerissima la mia.

«No», dissi senza voce. Ero soltanto a metà della mia brillante arringa, ma già avevo dimenticato come proseguiva.

«Vedi», disse, senza allontanare le labbra di un millimetro. «Non c'è niente di cui avere paura, no?».

«No», sospirai, rassegnata.

Poi, con foga, prese la mia testa fra le mani e mi diede un vero bacio, muovendo le sue labbra con decisione sopra le mie.

Non avevo scuse per comportarmi così. A quel punto avrei dovuto saperla lunga. Eppure, non riuscii a trattenermi dal reagire esattamente come la prima volta. Anziché restare tranquilla e immobile, mi allacciai stretta alle sue spalle e mi ritrovai avvinghiata al suo petto roccioso. Con un gemito dischiusi le labbra.

Lui si allontanò di scatto, liberandosi senza difficoltà dalla mia presa.

«Accidenti, Bella!», sbottò ansimante. «Tu mi vuoi morto, altroché!».

Mi piegai in avanti, appoggiandomi alle ginocchia per non perdere l'equilibrio.

«Tu sei indistruttibile», sussurrai, senza fiato.

«Lo credevo anch'io, prima di conoscerti. Adesso andiamocene da qui, prima che io combini qualche grossa stupidaggine», ringhiò.

Mi prese in spalla con uno strattone, nonostante si stesse evidentemente sforzando di non essere troppo irruento. Strinsi le gambe attorno ai suoi fianchi e le braccia attorno alle spalle, in una presa soffocante.

«Ricorda di non guardare», disse severo.

Allora intrufolai il viso tra il braccio e la sua scapola, serrando gli occhi.

Pareva che fossimo rimasti immobili. Sentivo Edward scivolare via dolcemente, come se passeggiasse su un marciapiede. Avevo la tentazione di sbirciare per controllare che stesse davvero volando in mezzo alla foresta, ma riuscii a resistere. Non valeva la pena rischiare quelle tremende vertigini. Mi accontentai di ascoltare il suo respiro regolare.

Capii che ci eravamo fermati soltanto quando sentii un suo buffetto sui capelli.

«Ci siamo, Bella».

Osai aprire gli occhi e, in effetti, eravamo arrivati. Allentai la presa con cautela e mi lasciai scivolare giù, atterrando di sedere.

«Ohi!», esclamai, rovinando gambe all'aria sulla terra umida.

Mi fissò incredulo, evidentemente incerto se restare arrabbiato o prendermi in giro. Ma di fronte alla mia espressione sbalordita si lasciò andare a una risata fragorosa.

Mi alzai senza badargli, togliendomi di dosso il fango e le felci. E lui rise ancora più forte. Seccata, iniziai a camminare a grandi passi verso la foresta.

Sentii il suo abbraccio attorno ai fianchi.

«Dove vai, Bella?».

«A vedere una partita di baseball. Non mi sembra che tu abbia più tanta voglia di giocare, ma sono certa che gli altri si divertiranno anche senza di te».

«Stai andando dalla parte sbagliata».

Mi voltai senza degnarlo di uno sguardo e scattai nella direzione opposta. Mi riacchiappò.

«Non arrabbiarti, è stato più forte di me. Avresti dovuto vederti in faccia». Si lasciò scappare una risatina.

«Ah, l'unico a cui è permesso di arrabbiarsi sei tu?».

«Non ero arrabbiato con te».

«"Bella, tu mi vuoi morto"?!», lo citai acida.

«Quello è un semplice dato di fatto».

Cercai nuovamente di scappare, ma mi teneva stretta.

«Eri arrabbiato».

«Sì».

«Ma se hai appena detto...».

«Non ero arrabbiato *con te*. Non capisci, Bella?». Si era improvvisamente rabbuiato, sul suo viso non c'era più traccia di divertimento. «Non capisci?».

«Che cosa?». Ero confusa dalle sue parole e dal suo cambiamento di umore.

«Non sono mai arrabbiato con te. Come potrei esserlo? Sei sempre così coraggiosa, fiduciosa... calorosa».

«E allora, perché?», sussurrai, ricordando gli accessi di umor nero che talvolta lo allontanavano da me e che avevo sempre interpretato come frustrazione, giustificata da quanto fossi debole, lenta, imprevedibile nelle mie reazioni umane...

Mi accarezzò le guance con delicatezza. «Ciò che mi fa infuriare», disse gentile, «è l'impossibilità di proteggerti dai rischi. La mia stessa esistenza è un rischio, per te. A volte mi odio dal profondo. Dovrei essere più forte, capace di...». Gli chiusi la bocca con le dita.

«No».

Prese la mano con cui l'avevo zittito e se la posò sulla guancia.

«Ti amo», disse. «È una giustificazione banale per quanto faccio, ma sincera».

Era la prima volta che lo sentivo dire che mi amava con così tante parole. Forse lui non se ne era reso conto, ma io sì.

«Adesso, per favore, cerca di comportarti bene», aggiunse, e si avvicinò per baciarmi con delicatezza.

Restai immobile, come dovevo. Poi feci un sospiro.

«Hai promesso all'ispettore Swan che mi avresti portata a casa presto, ricordi? È meglio che ci muoviamo».

«Sissignora».

Sorrise malizioso e mi liberò dalla presa. Tenendomi per mano, mi guidò per qualche metro attraverso le felci alte e umide e il muschio spesso, poi attorno a un massiccio abete canadese, per sbucare infine al bordo di un enorme campo aperto, ai piedi dei Monti Olimpici. Era due volte più grande di uno stadio di baseball.

Gli altri erano già lì: Esme, Emmett e Rosalie, seduti su una roccia che spuntava dal terreno, a un centinaio di metri da noi. A quasi mezzo chilometro di distanza, Jasper e Alice erano impegnati a lanciare qualcosa avanti e indietro, anche se non vedevo nessuna palla. Carlisle sembrava intento a marcare le basi, ma era possibile che fossero così lontane?

Quando ci videro, i tre che erano seduti si alzarono. Esme si avvicinò a noi. Emmett la seguì dopo aver indugiato con lo sguardo verso Rosalie, che dandoci le spalle si era diretta al prato senza degnarci di un'occhiata. Il mio stomaco reagì con un sussulto.

«Veniva da te il rumore che abbiamo sentito, Edward?», chiese Esme.

«Sembrava un orso che tossiva», precisò Emmett.

Accennai un sorriso a Esme. «Era lui».

«Senza volerlo, Bella mi ha fatto ridere», spiegò Edward, per chiudere il discorso alla svelta.

Alice aveva lasciato la sua posizione e veniva di corsa, ovvero a passo di danza, verso di noi. Con una frenata fluida si arrestò ai nostri piedi. «È il momento», annunciò.

Non appena aprì bocca, un tuono cupo e profondo proveniente da ovest, dalla città, fece tremare la foresta alle nostre spalle.

«Inquietante, eh?», mi stuzzicò Emmett e, prendendosi fin troppa confidenza, mi fece l'occhiolino.

«Andiamo». Alice afferrò la mano di Emmett, e insieme sfrecciarono attraverso il campo sovradimensionato. Lei correva come una gazzella; lui era altrettanto aggraziato e veloce, ma somigliava a ben altro animale.

«Sei pronta per una bella partita?», chiese Edward, con uno sguardo raggiante e impaziente.

Cercai di rispondere con il dovuto entusiasmo: «Forza ragazzi!».

Lui rise sotto i baffi e, dopo avermi scompigliato i capelli, corse verso gli altri due. La sua corsa era più aggressiva, somigliava a un ghepardo, e li superò facilmente. Tanta grazia e potenza mi toglievano il fiato.

«Scendiamo anche noi?», chiese Esme, con la sua voce morbida e melodiosa, mentre io fissavo Edward rapita, a bocca aperta. Mi ricomposi alla svelta e annuii. Esme si manteneva di fianco a me, ma a distanza di qualche metro, forse temeva ancora di spaventarmi. Adattò il suo passo al mio, senza dare segni di impazienza.

«Non giochi con loro?», chiesi, timida.

«No, preferisco fare da arbitro: voglio che rispettino le regole».

«Perché, di solito barano?».

«Oh sì, e dovresti sentire che litigate! Anzi, meglio di no, penseresti che sono stati allevati da un branco di lupi!».

«Mi sembra di sentire mia madre», risi, sorpresa.

Anche lei rise. «Per me sono come figli veri. Non potrei mai vincere il mio istinto materno... Edward ti ha detto che ho perso un bambino?».

«No», mormorai basita, mentre tentavo di capire a quale esistenza si riferisse.

«Sì, il mio primo e unico figlio. Morì pochi giorni dopo il parto, povero piccolo». Fece un sospiro. «Mi si spezzò il cuore... Fu per questo motivo che mi lanciai dallo scoglio», aggiunse, come niente fosse.

«Edward mi ha detto che eri... caduta».

«Il solito gentiluomo», rise. «Edward è stato il primo dei miei nuovi figli. L'ho sempre considerato tale, benché per un verso sia più vecchio di me». Mi rivolse un sorriso caloroso. «Ecco perché sono così contenta che ti abbia trovata, cara». Tutto quell'affetto non stonava sulle sue labbra. «Ha vissuto in solitudine troppo a lungo; vederlo così isolato mi ha sempre fatto soffrire».

«Perciò non è un problema che io sia... così... sbagliata?», chiesi, esitante.

«No». Era pensierosa. «Tu sei ciò che vuole. In un modo o nell'altro, funzionerà», disse, ma la sua fronte tradiva che era tutt'altro che fiduciosa. Giunse il rombo di un altro tuono.

Esme mi fece segno di fermarmi: eravamo giunte a bordo campo. I giocatori erano divisi in due squadre. Edward era il più distante, nella metà sinistra del campo, Carlisle stava tra la prima e la seconda base e Alice teneva la palla, in piedi sopra quello che evidentemente era il monte di lancio.

Emmett faceva roteare una mazza di alluminio, sibilava nell'aria, quasi invisibile. Mi aspettavo che si avvicinasse alla casa base, ma poi mi resi conto, quando si mise in posizione, che già ci stava, più lontano dal lanciatore di quanto potessi credere. Jasper, catcher della squadra avversaria, era parecchi metri più dietro, alle sue spalle. Ovviamente, nessuno indossava guanti.

«D'accordo», disse Esme con voce squillante, e sapevo che persino Edward, lontano com'era, riusciva a sentirla. «Prima battuta».

Alice restava ferma, immobile, per non avvantaggiare il battitore. Sembrava pronta a un lancio diretto, anziché a un colpo effettato. Teneva la palla stretta in grembo, e poi, come un cobra, la sua mano destra scattò e la palla finì dritta tra le mani di Jasper.

«Era uno strike?», bisbigliai a Esme.

«Se il battitore non la colpisce, è strike».

Jasper restituì la palla ad Alice. Lei si concesse un mezzo sorriso e lanciò di nuovo.

Stavolta, la mazza riuscì chissà come a colpire la palla invisibile. Il fragore dell'impatto fu esplosivo, rintronante; echeggiò tra le montagne, e capii all'istante perché avessero scelto di giocare sotto il temporale.

La palla schizzò come una meteora sopra il campo e si infilò nella foresta.

«Fuori campo», mormorai.

«Aspetta», rispose Esme, in ascolto con una mano alzata. Emmett era un fulmine sulle basi, Carlisle la sua ombra. Mi accorsi che mancava Edward.

«Out!», strillò Esme. Sbalordita, vidi Edward uscire dal limite degli alberi, mostrandoci la palla e un gran sorriso che persino io potevo scorgere.

«Emmett è il battitore più forte», spiegò Esme, «ma Edward è il corridore più veloce».

L'inning proseguì, sotto il mio sguardo incredulo. Era impossibile seguire la velocità della palla, il ritmo a cui i giocatori correvano attorno al campo.

Scoprii un altro motivo per cui avevano aspettato il temporale quando Jasper, nel tentativo di evitare le prese infallibili di Edward, lanciò una palla bassa verso Carlisle. Lui corse verso la palla e inseguì Jasper verso la prima base. Si scontrarono, e il suono dell'impatto somigliava allo schianto di due grandi rocce. Balzai in piedi, preoccupatissima, ma nessuno dei due si era fatto un graffio.

«Salvo», disse Esme, calma.

Con la squadra di Emmett in vantaggio di un punto – Rosalie era riuscita a fare un giro completo delle basi sfruttando una delle lunghissime ribattute di Emmett –, venne il turno di battuta di Edward. Corse al mio fianco, lo sguardo sfavillante di entusiasmo.

«Che te ne pare?».

«Di sicuro non riuscirò più a sopportare la vecchia e noiosa Major League».

«Sembra quasi che tu ne fossi fanatica, prima», rispose ridendo.

«Sono un po' delusa», dissi, provocandolo.

«Perché?».

«Be', sarebbe carino se mi mostrassi almeno una cosa che non sei capace di fare meglio di chiunque altro al mondo».

Sfoderò il suo speciale sorriso sghembo, e mi tolse il fiato.

«Eccomi», disse, preparandosi a battere.

Giocò con intelligenza, tenendo la palla bassa, fuori dalla portata di Rosalie che giocava da esterna, e guadagnò fulmineo due basi prima che Emmett rimettesse la palla in gioco. Dopo di lui, Carlisle ne ribatté una tanto lontano – con un tuono che mi spezzò i timpani – da riuscire a chiudere il punto assieme a Edward. Alice, soddisfatta, batteva il cinque a entrambi.

Mano a mano che la partita procedeva, il punteggio continuava a cambiare, e ogni volta che una delle due squadre andava in vantaggio iniziavano gli sfottò, come in una qualsiasi partita tra amici, per strada. Di tanto in tanto Esme li richiamava all'ordine. Tornarono i tuoni, ma non ci bagnammo, come Alice aveva previsto.

Carlisle stava per battere, ed Edward si preparava a ricevere, quando Alice ebbe un sussulto. Come al solito io ammiravo Edward, e mi accorsi solo della sua testa che scattava verso di lei. I loro sguardi si incrociarono, e in un istante qualcosa passò tra loro e corse dall'una all'altro. Prima ancora che gli altri riuscissero a parlare con Alice, eccolo al mio fianco.

«Alice?», chiese Esme, nervosa.

«Non ho visto… non sono riuscita a distinguere», sussurrò la ragazza.

A quel punto, tutti si erano raccolti attorno a lei.

«Cos'è, Alice?», chiese Carlisle, con la voce calma dell'autorità.

«Si spostano molto più velocemente di quanto pensassi. Ho capito soltanto ora di avere sbagliato prospettiva», mormorò.

Jasper si avvicinò a lei, protettivo: «Cos'è cambiato?».

«Ci hanno sentiti giocare e hanno fatto una deviazione», disse lei mortificata, come se si sentisse responsabile di quella sorpresa indesiderata.

Sette paia di occhi mi fissarono all'istante.

«Tra quanto?», disse Carlisle, voltandosi verso Edward.

Sul suo viso apparve uno sguardo intenso e concentrato.

«Meno di cinque minuti. Stanno correndo… vogliono giocare». Si rabbuiò.

«Puoi farcela?», gli chiese Carlisle rivolgendomi un rapido sguardo.

«No, non portandola…», tagliò corto. «Inoltre, la cosa peggiore che ci possa capitare è che sentano la scia e inizino a cacciare».

«Quanti?», chiese Emmett ad Alice.

«Tre».

«Tre! Allora lascia che arrivino». I fasci di muscoli d'acciaio si flettevano sulle sue braccia massicce.

In pochi ma interminabili istanti, Carlisle decise il da farsi. Solo Emmett restava imperturbabile; gli altri osservavano ansiosi Carlisle.

«Continuiamo a giocare», decise infine. Era tranquillo, pacato. «Alice ha detto che sono soltanto curiosi».

Quello che si dicevano era un torrente di parole che si rovesciò in fretta, in pochi secondi. Avevo ascoltato con cura e capito quasi tutto, ma non sentii ciò che Esme stava chiedendo a Edward con una vibrazione muta delle labbra. Notai solo che lui scosse il capo, e l'aria rassicurata sul viso di lei.

«Ricevi tu, Esme», disse Edward. «Io mi fermo qui». E rimase impalato di fronte a me.

Gli altri tornarono al campo, scrutando la foresta con la loro vista straordinariamente acuta. Alice ed Esme restavano voltate verso di me.

«Sciogliti i capelli», disse Edward, lentamente e sottovoce.

Obbedii, sciolsi l'elastico e agitai la testa.

Feci l'osservazione più ovvia: «Gli altri stanno per arrivare».

«Sì, rimani immobile, stai zitta e non allontanarti da me, per favore». Nascondeva bene la tensione, ma riuscivo a sentirla. Mi coprì il viso con i capelli.

«Non servirà», disse Alice a mezza voce. «Il suo odore si sente fin dall'altro lato del campo».

«Lo so». La sua voce era velata di frustrazione.

Carlisle prese posizione, e il resto dei giocatori lo seguì senza entusiasmo.

«Cosa ti ha chiesto Esme?», sussurrai.

Rispose soltanto dopo qualche secondo. «Se sono assetati», bisbigliò controvoglia, a labbra strette.

I secondi passavano; la partita continuava, apatica. Mantenevano per prudenza le ribattute smorzate; Emmett, Rosalie e Jasper non si allontanavano dall'interno del campo. Di tanto in tanto, malgrado la paura che mi annebbiava il cervello, sentivo addosso gli occhi di Rosalie. Erano inespressivi, ma qualcosa nella tensione delle sue labbra mi diceva che era in collera.

Edward non prestava alcuna attenzione alla partita, scrutava la foresta con gli occhi e con la mente.

«Mi dispiace, Bella», mormorò. Era furioso. «È stato stupido, irresponsabile esporti a questo rischio. Mi dispiace tanto».

Il suo respiro si arrestò e con gli occhi fissò un punto alla sua destra. Fece mezzo passo, frapponendosi tra me e ciò che stava arrivando.

Carlisle, Emmett e gli altri si voltarono nella stessa direzione, attirati da rumori troppo deboli per le mie orecchie.

18

La caccia

Sbucarono dal confine della foresta, schierandosi a una dozzina di metri l'uno dall'altro. Il primo maschio entrò nello spiazzo, si fermò, e lasciò che il suo compagno, alto e con i capelli scuri, lo precedesse, come per mostrare chiaramente chi fosse il capobranco. La terza era una donna; da quella distanza riuscivo soltanto a distinguerne il colore dei capelli, una sfumatura strabiliante di rosso arancio.

Prima di avvicinarsi con cautela alla famiglia di Edward, i tre serrarono i ranghi, come si conviene a una pattuglia di predatori di fronte a un branco più numeroso di propri simili.

Più li mettevo a fuoco, più notavo quanto fossero diversi dai Cullen. La loro andatura era acquattata, felina. Sembravano degli escursionisti, vestiti di jeans e camicie sportive pesanti, resistenti alle intemperie. Gli indumenti, però, erano consumati, e i tre avanzavano a piedi nudi. I due uomini avevano i capelli cortissimi, mentre la chioma arancione e luminosa della donna era zeppa di foglie e detriti raccolti nel bosco.

I loro sguardi acuti valutarono con attenzione l'atteggiamento civilizzato di Carlisle, che gli si faceva incontro guardingo affiancato da Emmett e Jasper. Senza che ci fosse bisogno di parlare, anche gli altri assunsero una posa eretta e più disinvolta.

L'uomo che guidava il gruppo era certamente il più bello, la sua carnagione mostrava tinte olivastre sotto il tipico pallore, e i capelli erano di un nero brillante. Di corporatura media, era sì muscoloso, ma niente a che vedere con Emmett. Sfoderò un sorriso spontaneo, mostrando una schiera di denti bianchi e splendenti.

La donna aveva l'aria più selvatica, i suoi occhi non smettevano di oscillare tra i suoi due compagni e il gruppo che mi circondava; i capelli le si arruffavano nella brezza leggera, e la postura era chiaramente felina. Il secondo maschio ronzava silenzioso alle spalle degli altri, più magro, anonimo, sia nel colore castano dei capelli sia nei lineamenti regolari. Il suo sguardo, per quanto immobile, sembrava il più vigile.

Anche gli occhi erano differenti. Anziché neri o dorati, come mi aspettavo, erano di un intenso color vinaccia, inquietante e sinistro.

L'uomo con i capelli scuri si avvicinò a Carlisle sorridendo.

«Ci sembrava di aver sentito giocare», disse pacato, con un leggero accento francese. «Mi chiamo Laurent, questi sono Victoria e James». Indicò i vampiri accanto a lui.

«Io mi chiamo Carlisle. Questa è la mia famiglia: Emmett e Jasper, Rosalie, Esme e Alice, Edward e Bella». Ci indicò a gruppi, per non solleticare troppo l'attenzione del trio. Quando fece il mio nome ebbi un sussulto.

«C'è posto per qualche altro giocatore?», chiese educato Laurent.

Carlisle rispose in tono amichevole: «A dir la verità, stavamo proprio finendo. Ma la prossima volta potremmo averne bisogno. Avete in programma di trattenervi molto da queste parti?».

«Siamo diretti a nord, ma eravamo curiosi di visitare il vicinato. È da molto che non incontriamo nessuno».

«Questa regione di solito è disabitata, a parte noi e qualche visitatore occasionale, come voi».

La tensione si era lentamente sciolta in una conversazione spontanea. Probabilmente era Jasper a controllare la situazione, grazie al suo dono speciale.

«Qual è il vostro territorio di caccia?», chiese Laurent.

Carlisle ignorò le implicazioni della domanda. «La catena dei Monti Olimpici, qui vicino, o la costa, di tanto in tanto.

Abbiamo una residenza fissa nei dintorni. E c'è un altro insediamento permanente come il nostro, nei pressi di Denali».

Laurent arretrò impercettibilmente, sui talloni.

«Permanente? E come fate?». Sembrava sinceramente curioso.

«Perché non venite a casa nostra e ne parliamo con calma? È una storia piuttosto lunga».

James e Victoria si scambiarono uno sguardo sorpreso alla parola "casa". Laurent, invece, mantenne il controllo.

«Invito molto interessante, e ben accetto». Sorrise affabile. «Siamo partiti per la caccia dall'Ontario e non ci diamo una ripulita da un bel po'». I suoi occhi scrutavano con ammirazione l'aspetto raffinato di Carlisle.

«Vi prego di non offendervi, ma siamo costretti a chiedervi di astenervi dalla caccia, negli immediati dintorni. Capirete bene che è meglio che nessuno si accorga di noi», spiegò Carlisle.

«Certo», annuì Laurent. «Non invaderemo il vostro territorio, siatene certi. E comunque, abbiamo mangiato poco dopo aver lasciato Seattle». Rise. Un brivido mi corse lungo la schiena.

«Se volete seguirci, vi facciamo strada. Emmett e Alice, accompagnate Edward e Bella fino alla jeep».

Mentre Carlisle parlava, accaddero tre cose in contemporanea: la brezza leggera mi scompigliò i capelli, Edward si irrigidì, e il secondo maschio, James, si voltò di scatto a osservarmi, spalancando le narici.

Tutti restarono impietriti, e James si accucciò facendo un passo in avanti. Edward mostrò i denti, in posizione di difesa, e cacciò un ringhio bestiale. Niente a che vedere con quello giocoso che avevo sentito a casa sua: era la cosa più minacciosa che avessi mai udito, rabbrividii dalla radice dei capelli alla punta dei piedi.

«E questa cos'è?», esclamò Laurent, palesemente sorpreso. I duellanti non abbandonarono le loro pose aggressive. James fece una finta a cui Edward rispose immediatamente.

«È con noi». Il fermo rimprovero nella voce di Carlisle era diretto a James. Laurent sembrava meno sensibile al mio odore, ma anche lui, a quel punto, iniziava a capire.

«Vi siete portati uno spuntino?», chiese incredulo, avanzando involontariamente di un passo.

Il ringhio di Edward divenne ancora più duro e feroce, le sue labbra erano tese e scoprivano i denti brillanti. Laurent arretrò.

«Ho detto che è con noi», ribadì Carlisle, duro.

«Ma è *umana*», protestò Laurent. Sembrava semplicemente stupito, non aggressivo.

«Sì». Emmett si era messo al fianco di Carlisle, lo sguardo puntato su James. Questi si rilassò lentamente, ma senza perdermi di vista, con le narici sempre dilatate. Di fronte a me, Edward era teso come un leone pronto a spiccare un balzo.

Laurent cercò di abbassare i toni e spegnere l'improvvisa ostilità: «A quanto pare, dobbiamo imparare a conoscerci meglio».

«Esattamente». La voce di Carlisle era ancora fredda.

«Eppure, gradiremmo accettare il vostro invito». Mi lanciò un'occhiata e si rivolse di nuovo a Carlisle. «Naturalmente, non faremo del male all'umana. Come ho detto, non intendiamo cacciare nel vostro territorio».

James rivolse a Laurent uno sguardo incredulo e irritato, e scambiò un'occhiata con Victoria, che ancora scrutava uno a uno i volti dei presenti, nervosamente.

Carlisle studiò l'espressione sincera di Laurent, prima di parlare. «Vi facciamo strada. Jasper, Rosalie, Esme?». I ragazzi si radunarono attorno a me per nascondermi. Alice fu al mio fianco in meno di un istante, ed Emmett si spostò lentamente dietro di me, senza staccare gli occhi da James.

«Andiamo, Bella». La voce di Edward era bassa e cupa.

Fino a quel momento ero rimasta impietrita, immobilizzata dal terrore. Edward fu costretto a darmi uno strattone per farmi riavere dalla trance. Ero nascosta tra Alice ed Emmett. Mi trascinavo a fianco di Edward, sopraffatta dalla paura. Non avevo capito se il resto del gruppo se ne fosse andato. L'impazienza di Edward era tangibile, mentre mi accompagnava, a velocità umana, verso il confine della foresta.

Una volta che fummo tra gli alberi, mi prese in spalla senza perdere il passo. Mi strinsi quanto potevo, e lui iniziò a correre, seguito dagli altri. A testa bassa, non riuscivo a chiudere gli occhi, spalancati dalla paura. Sfrecciavamo come lampi nella foresta buia. L'eccitazione che di solito nasceva in Edward con la corsa era del tutto assente, sostituita da una furia che lo consumava e lo faceva avanzare ancora più veloce del solito. Malgrado portasse me in spalla, precedeva i fratelli.

Raggiungemmo la jeep in un batter d'occhio, ed Edward rallentò soltanto per depositarmi sul sedile posteriore.

«Allacciale le cinture», ordinò a Emmett, che s'infilò in auto al mio fianco.

Alice si era già sistemata sul sedile del passeggero, Edward avviò il motore. Con un rombo e una veloce inversione riprendemmo la strada tortuosa.

Edward ringhiava qualcosa, troppo in fretta perché capissi, ma sembrava una sequela di imprecazioni.

Il viaggio sul terreno sconnesso fu peggio che all'andata, e l'oscurità lo rese ancora più pauroso. Emmett e Alice guardavano fuori dai finestrini.

Raggiungemmo la strada principale, e malgrado la velocità fosse aumentata, riuscii a capire dove ci trovassimo. Eravamo diretti a sud, lontano da Forks.

«Dove andiamo?».

Nessuno mi rispose. Nessuno mi degnò di uno sguardo.

«Accidenti, Edward! Dove diavolo mi stai portando?».

«Dobbiamo portarti lontano da qui – molto lontano – e subito!». Non si voltò, fissava la strada. Il tachimetro segnava i centosettanta.

«Torna indietro! Devi riportarmi a casa!», urlai. Me la presi con quella stupida imbracatura, cercando di strapparla.

«Emmett», ordinò Edward torvo.

Ed Emmett bloccò le mie mani nella sua presa d'acciaio.

«No! Edward! No, non puoi farlo».

«Sono costretto, Bella. E adesso, per favore, stai calma».

«No! Devi riportarmi a casa. Charlie chiamerà l'FBI! Scoveranno la tua famiglia. Carlisle ed Esme dovranno fuggire, nascondersi per sempre!».

«Calma, Bella». La sua voce era fredda. «Ci siamo già passati».

«Non per me, no! Non puoi rovinare tutto per salvare me!». Mi dibattevo con violenza, inutilmente.
Alice parlò, per la prima volta: «Edward, accosta».
Lui la incenerì con uno sguardo e accelerò.
«Edward, ti prego, parliamone».
«Tu non capisci», ruggì, per la frustrazione. Non avevo mai sentito la sua voce a quel volume: era assordante nell'abitacolo della jeep. Il tachimetro aveva superato i centottanta. «È un segugio, Alice, non te ne sei accorta? È un segugio!».
Emmett, al mio fianco, si irrigidì, e mi meravigliai per la sua reazione a quella frase. La parola aveva un senso più pregnante per loro che per me. Avrei voluto capire, ma non c'erano spiragli per fare domande.
«Accosta, Edward». Alice sembrava voler ragionare, ma nella sua voce c'era una sfumatura autoritaria che non avevo mai sentito.
Il tachimetro superò i centonovanta.
«Avanti, accosta».
«Ascolta, Alice. Ho letto nella sua mente. Seguire una scia è la sua passione, la sua ossessione. E vuole lei, Alice... *lei*, e nessun altro. Intende iniziare la caccia stanotte».
«Ma lui non sa dove...».
«Quanto pensi che ci vorrà prima che incroci la sua scia in città? Aveva un piano pronto già prima che Laurent aprisse bocca».
C'era un solo posto a cui avrebbe potuto arrivare seguendo la mia scia. «Oh, no! Charlie! Non puoi lasciarlo solo! Non puoi!». Mi dimenavo nell'imbracatura.
«Ha ragione», disse Alice.
L'auto rallentò impercettibilmente.
«Consideriamo le alternative per un attimo», sintetizzò lei.
La macchina rallentò ancora, in maniera più brusca, fino a fermarsi, sgommando sulla banchina dell'autostrada. Quasi mi strangolai con le cinture, prima di rimbalzare sullo schienale.
«Non ci sono alternative», sibilò Edward.
«Non lascerò Charlie da solo!», strillai.
Mi ignorò.

«Dobbiamo riportarla a casa», disse Emmett, infine.
«No». Edward non tollerava obiezioni.
«Tra noi e lui non c'è confronto, Edward. Non riuscirà a torcerle un capello».
«Aspetterà».
Emmett sorrise. «Anch'io so aspettare».
«Non ti rendi conto... non capisci. Se uno come lui decide di impegnarsi in una caccia, niente può fargli cambiare idea. Saremo costretti a ucciderlo».
L'idea non sembrò sconvolgere granché Emmett: «È una possibilità».
«La femmina sta con lui. E se scoppia una guerra, anche il capo sarà dalla loro parte».
«Siamo comunque in vantaggio».
«C'è un'alternativa», disse piano Alice.
Edward si voltò verso di lei, furioso, con un ringhio violento: «Non-Ci-Sono-Alternative!».
Io ed Emmett lo fissammo scioccati, ma Alice non batté ciglio. Per un minuto interminabile fissò Edward negli occhi, muta.
Fui io a spezzare il silenzio: «A nessuno interessa il mio piano?».
«No», ruggì Edward, sotto lo sguardo fermo di Alice. Alla fine qualcuno l'aveva punto nel vivo.
«Ascolta», lo implorai. «Tu mi riporti a casa».
«No».
Lo guardai torva e proseguii: «Tu mi riporti a casa. Io dico a papà che voglio tornare a Phoenix. Faccio le valigie. Aspettiamo che questo segugio si sia appostato in ascolto, poi scappiamo. Così seguirà noi e lascerà stare Charlie, che non chiamerà l'FBI né i tuoi genitori. E poi potrete portarmi dove diavolo vi pare».
Mi guardarono, sbalorditi.
«In effetti non è una cattiva idea». La sorpresa di Emmett era un insulto bello e buono.
«Potrebbe funzionare... Non possiamo lasciare suo padre senza protezione, lo sapete», disse Alice.
Tutti guardammo Edward.

«È troppo pericoloso: non lo voglio nemmeno a cento chilometri da lei».

Emmett era sicurissimo di sé. «Edward, con noi non ha scampo».

Alice ci pensò su. «Non lo vedo attaccare. Aspetterà che la lasciamo sola».

«Capirà al volo che non lo faremo».

«*Pretendo* che tu mi porti a casa». Cercai di rendere il mio tono irremovibile.

Edward chiuse gli occhi, si premeva le tempie con le dita.

«Per favore», chiesi, a voce più bassa.

Non alzò lo sguardo. Quando rispose, sembrava esausto.

«Te ne andrai stasera, che il segugio ti veda o no. Vai a casa e dici a Charlie che non intendi restare a Forks un minuto di più. Raccontagli la scusa che preferisci. Poi prepari una valigia con le prime cose che ti capitano e sali sul pick-up. Non m'interessa come reagisce tuo padre. Hai quindici minuti. Capito? Quindici minuti da quando varchi la soglia di casa».

La jeep riprese vita con un rombo, e lui invertì la marcia sgommando. La lancetta del tachimetro ricominciò a muoversi.

«Emmett?». Lanciai un'occhiataccia verso le mie mani.

«Ah, scusa». E mi liberò dalla stretta.

Trascorremmo qualche minuto in silenzio, in ascolto del rombo del motore. Poi parlò Edward.

«Le cose andranno così. Arrivati a casa, se il segugio non c'è, l'accompagno alla porta. Da quel momento ha quindici minuti». Mi lanciò un'occhiata dal retrovisore. «Emmett, tu tieni d'occhio la casa dall'esterno. Alice, tu ti occupi del pick-up. Io resto in casa con lei. Dopo che è uscita, portate la jeep a casa e riferite tutto a Carlisle».

«Neanche per idea», lo interruppe Emmett. «Io resto con te».

«Pensaci bene, Emmett. Non so neanch'io quando potrei tornare».

«Finché non sappiamo come finirà questa faccenda, io resto con te».

Edward fece un sospiro. «Se il segugio è a casa di Charlie, invece, non ci fermiamo».

«Ci arriveremo prima di lui», disse Alice, fiduciosa.
Edward sembrò d'accordo. Qualunque problema avesse nei confronti di Alice, in quel momento si fidava di lei.
«Cosa facciamo con la jeep?», chiese lei.
Lui rispose secco: «La riporti a casa».
«Invece no», ribatté Alice, imperturbabile.
E la sequela di imprecazioni incomprensibili ricominciò.
«Non ci staremo tutti e quattro sul pick-up», mormorai.
Probabilmente Edward non mi ascoltava nemmeno.
«Secondo me è meglio che mi lasciate andare da sola», dissi, a voce ancora più bassa.
E lui se ne accorse.
«Bella, per favore, fai come dico io, almeno questa volta», disse a denti stretti.
«Stammi a sentire, Charlie non è uno stupido. Se domani neanche tu sarai in città, si insospettirà».
«Non m'interessa. Faremo in modo di proteggerlo, e questo è ciò che importa».
«E il segugio? Si è accorto di come hai reagito, stasera. Penserà che sei con me, ovunque ti trovi».
Emmett mi insultò di nuovo con uno sguardo sorpreso. «Edward, ascoltala. Secondo me ha ragione».
«Certo che sì», ribadì Alice.
«Non posso farlo». La voce di Edward era fredda come il ghiaccio.
«È meglio che nemmeno Emmett mi segua», aggiunsi. «Ha osservato bene anche lui».
«Cosa?», esclamò Emmett, voltandosi verso di me.
«Se resti a casa avrai qualche possibilità di rifarti con lui», confermò Alice.
Edward la guardava incredulo: «Pensi che dovrei lasciarla scappare da sola?».
«Certo che no», rispose lei, «la accompagneremo io e Jasper».
«Non posso», ribadì Edward, stavolta con una nota di rassegnazione nella voce. Soccombeva di fronte alla logica.
Cercai di persuaderlo: «Resta da queste parti per una setti-

mana», notai la sua espressione nello specchietto e mi corressi, «anzi, solo qualche giorno. Così Charlie avrà la certezza che non mi hai rapita e questo James girerà a vuoto per un po'. Assicurati che perda completamente le mie tracce. Poi raggiungimi. Ovviamente, sarà meglio prenderla un po' alla larga. A quel punto, Jasper e Alice potranno tornare a casa».

Iniziava a pensarci seriamente.

«Dove ti raggiungerei?».

«A Phoenix». Naturale.

«No. Se dici a Charlie che torni a Phoenix, lo sentirà anche il segugio», ribatté impaziente.

«E tu gli farai credere che è un imbroglio, ovviamente. Lui sa che noi sappiamo di essere spiati. Non crederà mai che io stia andando davvero dove dico di andare».

«È diabolica», commentò Emmett con una risatina.

«E se non funziona?».

«Phoenix ha milioni di abitanti».

«Non è difficile trovare una guida del telefono».

«Non tornerò a casa di mia madre».

«Eh?». A giudicare dal tono di voce, sembrava allarmato.

«Sono abbastanza grande per vivere da sola».

«Edward, ci saremo noi con lei», gli rammentò Alice.

«E *voi* cosa farete *in giro* per Phoenix?», chiese Edward, mordace.

«Resteremo chiusi in casa».

«Il piano mi piace». Di sicuro, Emmett stava già pensando a come intrappolare James.

«Chiudi il becco», lo apostrofò Edward.

«Ascolta, se cerchiamo di incastrarlo mentre lei è qui attorno, c'è un rischio molto più alto che qualcuno si faccia del male, lei o te che cerchi di proteggerla. Invece, se riuscissimo a isolarlo...». Emmett tacque, accennando un sorriso. Avevo ragione.

Giunta alla periferia di Forks, la jeep iniziò a rallentare. Malgrado il mio discorso coraggioso, sentivo drizzarmisi i peli sulle braccia. Ripensai a Charlie solo in casa e cercai di farmi forza.

«Bella». Edward pronunciò il mio nome con dolcezza. Alice ed Emmett guardavano fuori dai finestrini. «Se lasci che ti accada qualcosa – qualsiasi cosa – ti riterrò direttamente responsabile. Lo capisci?».

«Sì», risposi senza fiato.

Si rivolse ad Alice.

«Jasper è in grado di gestire la situazione?».

«Fidati, Edward. Tutto sommato, finora si è comportato molto, molto bene».

«E tu, pensi di poterla gestire?».

Al che, la piccola e graziosa Alice mostrò i denti con una smorfia orrenda e si lasciò andare a un ringhio gutturale che mi fece rannicchiare contro il sedile, terrorizzata.

Edward le sorrise. «Ma le tue idee, tientele per te», bofonchiò inaspettatamente.

19

Addii

Charlie era rimasto sveglio ad aspettarmi. Le luci di casa erano tutte accese. Non avevo la più pallida idea di cosa raccontargli per convincerlo a lasciarmi andare. Non sarebbe stata affatto una cosa piacevole.

Edward accostò lentamente, attento a non sbarrare la strada al pick-up. I miei tre compagni di viaggio erano all'erta, rigidi sui sedili, intenti ad ascoltare ogni minimo rumore del bosco, a osservare ogni ombra, a sentire ogni odore, controllando che niente fosse fuori posto. A motore spento, mentre loro ascoltavano, io restavo seduta, immobile.

«Non è qui», disse nervoso Edward. «Andiamo».

Emmett si avvicinò per aiutarmi a uscire dall'imbracatura. «Non preoccuparti, Bella», mi parlò piano, fiducioso, «ce ne sbarazzeremo in fretta».

Lo guardavo, e mi sentii gli occhi lucidi. Ci conoscevamo appena, ma l'idea di non sapere quando ci saremmo rivisti mi colmava di angoscia. Era soltanto un assaggio di tutti gli addii che mi sarebbero toccati nell'ora successiva, al cui solo pensiero iniziai a piangere.

«Alice, Emmett». Le parole di Edward erano un ordine. I due sparirono all'istante, assorbiti nell'oscurità. Edward aprì la portiera e mi prese per mano, proteggendomi nel suo abbraccio. Mi accompagnò svelto di fronte a casa, con lo sguardo vigile nel buio della notte.

«Quindici minuti», ribadì, con un filo di voce.

«Ce la posso fare», dissi tra i singhiozzi. Le lacrime mi avevano dato l'ispirazione.

Mi fermai sulla soglia della veranda e gli presi il viso tra le mani. Lo guardai negli occhi, fiera.

«Ti amo», dissi, e la mia voce era profonda e decisa. «Ti amerò sempre, succeda quel che succeda».

«Non ti succederà niente, Bella», disse lui con altrettanta convinzione.

«L'importante è che tu segua il piano. Proteggi Charlie, per favore. Dopo stasera ce l'avrà sicuramente con me, e voglio avere la possibilità di scusarmi, quando tutto sarà finito».

«Entra, Bella. Dobbiamo sbrigarci», disse, impaziente.

«Una cosa ancora», lo implorai sottovoce. «Non ascoltare una sola parola di ciò che sto per dire!». Mi si era avvicinato, perciò mi bastò alzarmi in punta di piedi per baciargli le labbra, sorprese e ghiacciate, con tutta la forza di cui ero capace. Poi mi voltai e con un calcio aprii la porta.

«Vattene, Edward!», urlai, correndo in casa e sbattendogli la porta in faccia, come se la sorpresa non fosse già abbastanza.

«Bella?». Charlie, rimasto ad aspettarmi in salotto, era scattato subito in piedi dal divano.

«Lasciami stare!», gridai, in lacrime. Salii le scale di corsa e chiusi a chiave la porta della mia stanza, sbattendola. Raggiunsi il letto e mi gettai a terra, in cerca della mia sacca da viaggio. Poi frugai tra il materasso e la rete, dove nascondevo la vecchia calza che custodiva i miei risparmi segreti.

Charlie bussava forte alla porta.

«Bella, stai bene? Che succede?». Sembrava impaurito.

«Me ne torno a *casa*», urlai, con voce rotta dal pianto nel momento perfetto.

«Ti ha trattata male?». Dalla paura, stava passando alla rabbia.

«No!», il mio strillo salì di parecchie ottave. Mi voltai verso l'armadio, ed ecco spuntare Edward, che in silenzio ne estraeva bracciate di vestiti a caso, per lanciarmele.

«Ti ha lasciata?», Charlie era perplesso.

«No!», urlai, con un po' meno fiato, mentre affannata infilavo tutto nella sacca. Edward mi lanciò il contenuto di un altro cassetto. La borsa era già piena.

«Cos'è successo, Bella?», gridò Charlie da dietro la porta, senza smettere di bussare.

«*Io* ho lasciato *lui*!», risposi, mentre mi accanivo sulla zip della sacca. Le mani capaci di Edward spinsero via le mie e la chiusero senza difficoltà. Me la sistemò per bene in spalla.

«Ti aspetto sul pick-up... Vai!», sussurrò, e mi spinse verso la porta. Svanì, uscendo dalla finestra.

Aprii la porta, scansai bruscamente Charlie e scesi le scale di slancio, attenta che il peso della borsa non mi sbilanciasse.

«Ma cos'è successo?», urlò lui. Mi era alle spalle. «Mi sembrava che ti piacesse».

In cucina mi raggiunse e mi trattenne per una spalla. Malgrado lo sbalordimento, la sua presa era forte.

Con uno strattone mi costrinse a voltarmi, e capii subito che non aveva nessuna intenzione di lasciarmi andare. Riuscii a escogitare soltanto una maniera per fuggire, e questa implicava ferirlo a tal punto che mi sarei odiata. Ma non avevo più tempo e dovevo mettere Charlie al sicuro.

Lo fissai con lo sguardo pieno di lacrime appena spuntate.

«Il problema è proprio che mi piace. Non ce la faccio più. Non posso mettere radici qui. Non voglio finire intrappolata in questa noiosa stupida cittadina, come la mamma! Non intendo ripetere il suo stesso errore idiota. Odio Forks... non voglio sprecarci più neanche un minuto del mio tempo!».

Mi lasciò la spalla come se avesse sentito una scossa elettrica. Voltai le spalle a Charlie, attonito e ferito, e puntai dritta verso la porta.

«Bells, non puoi andartene ora. È notte», sussurrò alle mie spalle.

Non mi voltai. «Se mi stanco dormirò nel pick-up».

«Aspetta almeno una settimana», mi implorò, ancora intontito dalla sorpresa. «Lascia almeno che Renée torni a casa».

«Cosa?». Quello fu un fulmine a ciel sereno.

Rincuorato dalla mia incertezza, continuò balbettando: «Ha chiamato mentre eri fuori. Le cose non stanno andando granché bene in Florida, e se Phil non trova un contratto entro la fine della settimana torneranno in Arizona. Il vice allenatore dei Sidewinders dice che forse hanno bisogno di un altro interbase».

Scossi il capo, cercando di riordinare le idee, peggio che confuse. Più aspettavo, più Charlie rischiava.

«Ho la chiave», mormorai, girando la maniglia. Era troppo vicino, con una mano allungata verso di me e l'espressione sconvolta. Non potevo perdere altro tempo a discutere. Ero obbligata ad affondare il coltello nella piaga.

«Lasciami andare, Charlie, per favore». Le ultime parole di mia madre, poco prima di attraversare quella stessa soglia, molti anni prima. Le pronunciai con tutta la rabbia che potevo e spalancai la porta. «Non ha funzionato, punto e basta. Odio Forks, la odio!».

Le mie parole crudeli fecero effetto: Charlie rimase sulla porta, impietrito e frastornato, mentre io fuggivo nella notte. Ero schifosamente terrorizzata dal giardino vuoto. Corsi a perdifiato verso il pick-up e notai un'ombra scura alle mie spalle. Lanciai la borsa sul pianale e spalancai la portiera. La chiave era già nel quadro.

«Ti chiamo domani!», gli urlai. Non so cosa avrei dato per potergli spiegare tutto in quel momento, ma sapevo che non ne sarei stata neppure capace. Accesi il motore e partii a mille.

Edward mi prese la mano.

«Accosta», disse, non appena la casa e Charlie sparirono dalla nostra visuale.

«So guidare», dissi con il viso coperto di lacrime.

A sorpresa, le sue lunghe mani mi strinsero i fianchi e con un piede mi tolse il controllo dell'acceleratore. Mi sollevò, spostandomi dal posto di guida, e in un secondo eccolo al volante. Il pick-up non deviò di un centimetro.

«Non saresti capace di ritrovare la casa», si giustificò.

All'improvviso un paio di fari si accesero alle nostre spalle. Mi sporsi dal finestrino, terrorizzata.

«Non preoccuparti, è Alice». Mi prese di nuovo la mano.

Davanti agli occhi avevo ancora l'immagine di Charlie sulla porta di casa. «E il segugio?».

«Ha assistito all'ultima parte della tua esibizione», disse Edward, torvo.

«E Charlie?», chiesi, angosciata.

«Il segugio ha seguito noi. È alle nostre spalle in questo momento».

Mi sentii ghiacciare.

«Possiamo seminarlo?».

«No». Eppure Edward accelerò. Il motore del pick-up lanciò un gemito di protesta.

All'improvviso, il piano non mi sembrava più tanto brillante.

Fissavo i fari di Alice dietro di noi, quando il pick-up scartò e fuori dal finestrino apparve un'ombra scura.

Il mio urlo agghiacciante durò una frazione di secondo, prima che Edward mi tappasse la bocca.

«È Emmett!».

Lasciò la presa e mi strinse con un braccio.

«Va tutto bene, Bella. Ti portiamo al sicuro».

Sfrecciavamo per la città addormentata, verso l'autostrada diretta a nord.

«Non immaginavo che fossi così annoiata dalla vita di provincia», attaccò Edward, e sapevo che stava cercando di distrarmi. «Mi sembrava che ti ci stessi abituando molto bene... soprattutto negli ultimi tempi. Ma forse mi sono solo illuso di averti reso la vita un po' più interessante».

«Non sono stata carina», confessai, abbassando gli occhi e ignorando il tentativo di cambiare discorso. «Ho ripetuto le stesse parole che disse mia madre quando se ne andò. È stato un colpo davvero basso».

«Non preoccuparti. Saprà perdonare». Accennò un sorriso, senza convincermi.

Lo fissai disperata, e nei miei occhi vide il panico.

«Bella, andrà tutto bene».

«Non quando sarai lontano», sussurrai.

«Ci rivedremo tra qualche giorno», rispose, stringendo la presa attorno ai miei fianchi. «Non dimenticare che l'idea è stata tua».

«Era l'idea migliore... per forza è stata mia».

Il sorriso che mi rivolse era vuoto e scomparve immediatamente.

«Perché è successo tutto questo?», chiesi, senza voce. «Perché io?».

Edward fissava la strada inespressivo e cupo. «È colpa mia. È stato stupido esporti in quella maniera». Ovvio, era arrabbiato con se stesso.

«Non è ciò che intendevo. Ero lì, certo. Ma non ho infastidito gli altri due. Perché questo James avrebbe deciso di uccidere *me*? Con tutta la gente che c'è, perché proprio io?».

Prima di rispondere attese qualche istante.

«Stasera ho analizzato bene la sua mente», disse Edward a voce bassa. «Temo che in ogni caso non sarei riuscito a impedire tutto questo. In un certo senso, è anche colpa *tua*». Era beffardo. «Se il tuo odore non fosse così straordinariamente delizioso, forse non ne sarebbe stato toccato. Ma quando ti ho difesa... be', ho peggiorato le cose, e di molto. Non è abituato a essere ostacolato, e non importa quanto insignificante sia la preda. Non si ritiene altro che un cacciatore. La sua esistenza è fatta soltanto di pedinamenti, è sempre alla ricerca di nuove sfide. All'improvviso, gliene abbiamo fornita una su un piatto d'argento: un folto clan di forti guerrieri che proteggono l'unico elemento vulnerabile del gruppo. Non puoi immaginare quanto lui sia euforico in questo momento. È il suo gioco preferito, e lo abbiamo appena invitato a una partita più eccitante del solito». Aveva la voce piena di disgusto.

Fece una pausa.

«D'altro canto, se fossi rimasto impassibile ti avrebbe uccisa seduta stante», disse. Era abbattuto, disperato.

«Pensavo... che sugli altri il mio profumo non avesse lo stesso... effetto che ha su di te», balbettai.

«Infatti non ce l'ha. Ma ciò non significa che tu non sia comunque una tentazione. Se il segugio – o uno degli altri due – si fosse sentito attratto da te come lo sono io, sarebbe stato inevitabile battersi immediatamente».

Fui scossa da un tremito.

«A questo punto credo di non avere altra scelta. Sarò costretto a ucciderlo», mormorò, «e a Carlisle non piacerà».

Sentivo il rumore delle ruote che percorrevano il ponte, benché il fiume al buio fosse invisibile. Stavamo per arrivare a destinazione. Dovevo chiederglielo adesso.

«Come si uccide un vampiro?».

Mi lanciò un'occhiata indecifrabile e la sua voce si fece subito nervosa. «L'unica maniera possibile è farlo a pezzi e bruciarne i resti».

«Gli altri due combatteranno con lui?».

«La donna sì. Non sono sicuro di Laurent. Il loro legame non è così forte... si è unito a loro soltanto per convenienza. L'atteggiamento di James, nel prato, lo metteva in imbarazzo».

«Ma James e la donna... cercheranno di ucciderti?», chiesi, rauca.

«Bella, *non osare* perdere tempo a preoccuparti per me. Ora devi soltanto badare a proteggerti e – per favore, per favore – *tenta* di non essere troppo temeraria».

«Ci segue ancora?».

«Sì. Però non attaccherà in casa. Non stanotte».

Svoltò nel sentiero invisibile, seguito a ruota da Alice.

Giungemmo a casa dei Cullen. Le luci erano tutte accese, ma non riuscivano a contrastare l'oscurità della foresta che circondava l'edificio. Emmett aprì la mia portiera prima ancora che il pick-up si arrestasse; mi estrasse dal sedile, mi strinse al petto come una palla da football e mi portò dentro di corsa.

Facemmo irruzione nel grande salone bianco, affiancati da Edward e Alice. Erano tutti lì, e sentendoci arrivare, si erano alzati. In mezzo a loro c'era anche Laurent. Emmett mi depose accanto a Edward, con un ringhio cupo.

«È sulle nostre tracce», annunciò Edward e inchiodò Laurent con uno sguardo.

Laurent non se ne mostrò affatto felice: «Era ciò che temevo».

Alice danzò fino a raggiungere Jasper e gli disse qualcosa all'orecchio; le sue labbra vibravano veloci e silenziose. Salirono spediti le scale, assieme. Rosalie li guardò e si portò svelta a fianco di Emmett. I suoi occhi bellissimi lanciarono uno sguardo intenso e poi – quando sfiorarono casualmente il mio viso – furioso.

«Cosa farà?», chiese Carlisle a Laurent, con una voce da mettere i brividi.

«Mi dispiace», rispose. «Temevo proprio che tuo figlio, difendendo la ragazza, l'avrebbe scatenato».

«Lo puoi fermare?».

Laurent scosse il capo. «Quando James si mette all'opera, niente può fermarlo».

«Lo fermeremo noi», promise Emmett. Le sue intenzioni erano inequivocabili.

«Non ci riuscirete. In trecento anni non ho mai visto nessuno come lui. È assolutamente letale. Per questo mi sono unito alla sua cricca».

La *sua*. Certo. Quella a cui avevamo assistito nel prato era stata soltanto una sceneggiata.

Laurent scuoteva il capo. Mi guardò perplesso e si rivolse di nuovo a Carlisle: «Sei sicuro che ne valga la pena?».

Il ruggito infuriato di Edward riempì la stanza. Laurent fece un passo indietro.

Carlisle guardò Laurent, severo. «Temo che sia il momento di fare una scelta».

Laurent capì. Rimase per qualche istante a pensare. Scrutò i nostri volti e poi il salone luminoso.

«Sono affascinato dallo stile di vita che conducete qui. Ma non mi ci voglio immischiare. Non vi sono ostile, ma non voglio mettermi contro James. Penso che mi dirigerò a nord, verso il clan di Denali». S'interruppe qualche istante, poi riprese a parlare: «Non sottovalutate James. È dotato di un cervello brillante e sensi impareggiabili. Sa muoversi bene quanto voi nel mondo degli umani, e non vi attaccherà mai a testa bassa... Mi dispiace per ciò che abbiamo scatenato. Mi dispiace davvero». Chinò il capo, ma mi accorsi di un'altra occhiata di sconcerto verso di me.

«Vai in pace», fu la risposta formale di Carlisle.

Laurent si guardò un'ultima volta attorno e raggiunse svelto la porta.

Il silenzio durò meno di un secondo.

«Quanto è vicino?». Carlisle guardava Edward.

Esme era già all'opera: con la mano sfiorò i tasti di un pannello segreto sul muro, e con uno stridio un'enorme paratia d'acciaio iniziò a sigillare la vetrata sul retro della casa. Restai a bocca aperta.

«Circa cinque chilometri al di là del fiume. Ci sta girando attorno per incontrare la femmina».

«Qual è il piano?».

«Noi lo porteremo fuori strada, Jasper e Alice accompagneranno Bella a sud».

«E poi?».

La voce di Edward era quella di un assassino: «Non appena Bella sarà al sicuro, gli daremo la caccia».

«Immagino che non ci sia altra scelta», rispose Carlisle, cupo.

Edward si rivolse a Rosalie.

«Portala di sopra e scambiatevi i vestiti», le disse in tono perentorio. Lei lo fissò irritata e incredula.

«Perché dovrei?», sibilò. «Cos'è lei per me? Nient'altro che una minaccia... un pericolo a cui tu hai deciso di esporre tutti noi».

Il suo tono avvelenato mi fece trasalire.

«Rose...», mormorò Emmett, posandole la mano su una spalla. Lei se la scrollò via.

Io non staccavo gli occhi da Edward, conoscevo il suo temperamento ed ero preoccupata di come avrebbe reagito.

Mi sorprese. Distolse lo sguardo come se Rosalie non avesse nemmeno aperto bocca, come se non esistesse.

«Esme?», chiese senza scomporsi.

«Certo», rispose lei in un sussurro.

In un batter d'occhio Esme fu al mio fianco, mi prese con facilità tra le braccia e mi portò su per le scale prima ancora che potessi sorprendermi.

«Cosa facciamo?», chiesi, senza fiato, appena mi ebbe deposta davanti a una stanza buia che dava sul corridoio del secondo piano.

«Cerchiamo di confondere l'odore. Non durerà tanto, ma potrebbe esserci d'aiuto per farti scappare». Sentivo i suoi vestiti cadere a terra.

«Non credo che mi andranno bene...», esitai, ma all'istante le sue mani mi sfilarono la camicia. Mi liberai da sola, in fretta, dei jeans. Mi diede qualcosa che somigliava a una camicetta. Con qualche difficoltà, riuscii a infilare le braccia nei buchi giusti. Poi mi passò un paio di pantaloni sportivi. Li indossai, ma erano troppo lunghi, i piedi non uscivano. Riuscii a mantenere l'equilibrio solo dopo avere arrotolato più volte gli orli. Lei, nel frattempo, era già dentro i miei abiti. Mi riportò alle scale, dove ci aspettava Alice che stringeva una borsa di pelle. Le due donne mi presero per i gomiti e mi trascinarono di corsa giù per la scalinata.

Al piano di sotto i preparativi erano a buon punto. Edward ed Emmett erano pronti a partire. Emmett portava in spalla uno zaino dall'aria pesante. Carlisle stava porgendo un piccolo oggetto a Esme. Si voltò e ne passò uno identico ad Alice: era un microscopico telefono cellulare argentato.

«Esme e Rosalie prenderanno il tuo pick-up, Bella», disse rivolto a me. Annuii, scrutando Rosalie con la coda dell'occhio. Fissava Carlisle, risentita.

«Alice, Jasper: prendete la Mercedes. A sud i finestrini scuri vi saranno necessari».

Anche loro annuirono.

«Noi prendiamo la jeep».

Fu una sorpresa scoprire che Carlisle avrebbe seguito Edward. Mi accorsi all'istante, con un brivido di paura, che la loro era la squadra dei cacciatori.

«Alice», domandò Carlisle, «abboccheranno?».

Tutti si voltarono verso la ragazza, che chiuse gli occhi e restò immobile, pietrificata.

Infine li riaprì. «Il segugio pedinerà voi tre. La donna seguirà il pick-up. A quel punto noi dovremmo avere via libera». Sembrava convinta.

«Andiamo». Carlisle si diresse verso la cucina.

Ma al mio fianco si materializzò Edward. Mi strinse nella

sua presa d'acciaio, fino quasi a soffocarmi. Incurante della presenza dei suoi familiari, mi alzò da terra e avvicinò le labbra alle mie. Le sentii, fredde e dure, per il più breve degli istanti. Poi mi posò a terra accarezzandomi il viso, gli occhi ardenti fissi nei miei.

Quando si voltò, aveva il vuoto, la morte, nello sguardo.

E se ne andarono.

Gli altri furono tanto rispettosi da distogliere gli occhi da me, mentre il mio volto si rigava di lacrime mute.

Il silenzio si trascinò fino a quando il telefono vibrò nella mano di Esme. In un lampo lo portò all'orecchio.

«Ora», disse. Rosalie si affrettò verso l'uscita senza degnarmi di uno sguardo; Esme, invece, mi sfiorò una guancia.

«Stai attenta». Sentii il suo sussurro dietro di me, mentre le due donne già si dileguavano fuori di casa. Udii il motore del pick-up rombare e poi allontanarsi.

Jasper e Alice attendevano. Alice aveva già portato il telefono all'orecchio prima ancora che iniziasse a vibrare.

«Edward dice che la femmina è sulle tracce di Esme. Vado a prendere la macchina», riferì, e sparì nell'ombra, come Edward poco prima.

Io e Jasper ci guardammo. Restava dall'altra parte del corridoio, a distanza... e attento.

«Lo sai che ti sbagli, vero?», disse piano.

«Cosa?», chiesi senza fiato.

«Sento ciò che stai provando adesso, e ti dico che sono *sicuro* che ne vali la pena».

«No», bofonchiai. «Stanno rischiando per niente».

«Ti sbagli», ribadì, sorridendomi gentile.

In silenzio, Alice entrò e mi si avvicinò, con le braccia tese.

«Posso?».

«Sei la prima che chiede il permesso», accennai ironicamente, con un mezzo sorriso.

Mi prese tra le braccia snelle con la stessa facilità di Emmett, facendomi da scudo, e schizzammo fuori dalla porta lasciandoci alle spalle le luci di casa

Inquietudine

Mi risvegliai confusa. Avevo la testa annebbiata, affollata di sogni e incubi. Impiegai più del dovuto per rendermi conto di dove fossi.

Una stanza così anonima poteva trovarsi soltanto in un albergo. Le abat-jour fissate ai comodini erano un indizio inconfutabile, e così le tende dello stesso tessuto del copriletto e le stampe appese alle pareti.

Mi sforzai di ricordare come ci fossi arrivata, ma non mi veniva in mente nulla.

Poi ricordai l'auto nera, elegante, con i finestrini più scuri di quelli di una limousine. Il motore quasi non si sentiva, benché sfrecciassimo sulle autostrade buie a più del doppio del limite di velocità.

E ricordavo che Alice era seduta al mio fianco sul sedile posteriore. Chissà come, durante la lunga notte, avevo posato la testa contro il suo collo granitico. Non si era mostrata affatto stupita di quella vicinanza, e la sua pelle dura e fresca mi metteva stranamente a mio agio. Il colletto della sua camicia di cotone si era fatto umido e freddo, inzuppato dal fiume di lacrime che mi sgorgò dagli occhi finché non si furono prosciugati, restando rossi e pesti.

Ero rimasta a lungo insonne; le mie palpebre esauste rifiutavano di chiudersi, benché la notte fosse finita e dietro la cima di una montagna bassa, da qualche parte in California, si intravedesse l'alba. La luce grigia che colorava il cielo terso mi accecava. Ma i miei occhi non cedevano: se solo li chiudevo, riaffioravano immagini troppo vivide, intollerabili, come diapositive nascoste sotto le palpebre. L'espressione affranta di Charlie... il ringhio brutale di Edward a denti scoperti... lo sguardo sprezzante di Rosalie. E poi il modo in cui il segugio ci scrutava, acuto e all'erta, e la morte negli occhi di Edward dopo quell'ultimo bacio... Non riuscivo a sopportare di rivedere tutto questo. Perciò mi sforzai di combattere contro la stanchezza, e il sole si alzò.

Quando attraversammo uno stretto valico di montagna, e il nuovo giorno illuminò i tetti di mattoni della "valle del sole", ero ancora sveglia. Se mi fosse rimasta qualche emozione, mi sarei sorpresa a scoprire che eravamo giunti in Arizona in un giorno solo, anziché in tre. Osservavo l'ampia distesa pianeggiante vuota di fronte a me. Phoenix: le palme, gli arbusti bassi e i cespugli odorosi di creosoto, le linee tracciate a caso dall'intersezione delle autostrade, le macchie verdi dei campi da golf appena rasati, le pozzanghere turchesi delle piscine; il tutto sommerso da uno smog sottile e abbracciato dalla breve catena di creste rocciose, troppo basse per poterle chiamare montagne.

Il sole gettava sull'asfalto le ombre oblique delle palme, definite, più aguzze di quanto ricordassi, più chiare di quanto avrebbero dovuto essere. Dietro quelle ombre non poteva nascondersi nulla. L'autostrada luminosa e aperta sembrava un luogo benevolo. Ma non provavo alcun sollievo, non era un vero ritorno a casa.

«Qual è la strada per l'aeroporto?», aveva chiesto Jasper, spaventandomi, malgrado la sua voce bassa e tranquilla. Fu il primo suono, a parte le fusa del motore, a spezzare il lungo silenzio di quella notte.

«Resta sulla I-101», avevo risposto meccanicamente, «e ci passeremo davanti».

Ricordavo come il mio cervello lavorasse lentamente, annebbiato dalla privazione di sonno.

«Prendiamo l'aereo?», avevo chiesto ad Alice.

«No, ma è meglio restare qui vicino, non si sa mai».

Ricordavo che avevamo imboccato la circonvallazione attorno all'aeroporto internazionale di Sky Harbor ma non che ne fossimo usciti. Probabilmente mi ero addormentata in quel momento.

Eppure, dopo aver ripescato i ricordi, mi restava un'immagine vaga di come ero scesa dall'auto – il sole stava per tramontare all'orizzonte – abbrancata alle spalle di Alice, che mi stringeva forte, trascinandomi in mezzo a ombre calde e asciutte.

Non ricordavo la stanza.

Guardai la radiosveglia sul comodino. Secondo le cifre rosse luminose erano le tre in punto, chissà se di notte o di pomeriggio. Dalle tende spesse non trapelava un filo di luce, la stanza era illuminata soltanto dalle lampadine.

Mi alzai, contratta, e barcollai fino alla finestra per guardare fuori.

Era buio. Perciò erano le tre di notte. La mia stanza dava su un tratto deserto di autostrada e sul nuovo parcheggio dell'aeroporto. Fu quasi rassicurante, riuscire a identificare tempo e spazio.

Indossavo ancora gli abiti di Esme e non mi andavano affatto bene. Mi guardai intorno e notai con piacere la mia sacca sopra il letto.

Mi avvicinai per tirarne fuori qualche vestito, ma qualcuno bussò piano alla porta, spaventandomi.

«Posso entrare?», chiese Alice.

Respirai a fondo. «Certo».

Entrò e mi rivolse un lungo sguardo indagatore. «Sembri strapazzata, potresti concederti qualche altra ora di sonno», disse.

Feci cenno di no.

Si avvicinò in silenzio alle tende e le chiuse con cura, prima di rivolgersi di nuovo a me: «Ci toccherà restare al chiuso».

«D'accordo». La voce mi si incrinò; era debole e rauca.

«Hai sete?».

«No, sto bene. E tu?».

«Niente di ingestibile». Sorrise. «Ti ho ordinato qualcosa da mangiare, è di là, nell'altra stanza. Edward ha detto di ricordarmi che voi vi nutrite molto più spesso di noi».

Subito mi sentii più vigile. «Ha chiamato?».

«No», rispose, notando la mia espressione delusa. «È stato prima di partire».

Mi prese per mano con delicatezza e mi guidò nel salotto della suite. Dalla TV arrivava un cupo brusio di voci. Jasper era immobile, seduto alla scrivania nell'angolo, e osservava il notiziario senza il minimo interesse.

Mi sedetti per terra, accanto al tavolino sul quale mi attendeva un vassoio pieno di cibo, e iniziai a mangiucchiare qualcosa, senza neppure badare a cosa fosse.

Alice si appollaiò sul bracciolo del divano e si mise a fissare a vuoto la TV, come Jasper.

Mangiavo piano, guardando lei e lanciando di tanto in tanto un'occhiata a Jasper. Erano immobili, fin troppo. Non staccavano gli occhi dallo schermo, nemmeno quando c'era la pubblicità. Spinsi via il vassoio: improvvisamente avevo la nausea. Alice si voltò verso di me.

«Cosa c'è che non va, Alice?», le chiesi.

«Niente». I suoi occhi erano grandi, sinceri... ma non mi fidai.

«Cosa facciamo adesso?».

«Aspettiamo la telefonata di Carlisle».

«Avrebbe già dovuto chiamare?». Quasi centro. Lo sguardo di Alice incrociò il mio e per un istante schizzò sul telefono, sopra la borsa di pelle.

«Cosa significa...», la voce mi tremava, faticavo a controllarla, «che non ha ancora chiamato?».

«Significa soltanto che non hanno niente da dirci». Ma la sua voce era troppo piatta, e l'atmosfera troppo tesa.

Immediatamente Jasper affiancò Alice, avvicinandosi a me più del solito.

«Bella», disse, con una voce dolce, fin troppo sospetta, «non c'è niente di cui preoccuparsi. Qui sei al sicuro, fidati».

«Questo lo so».

«E allora, perché hai paura?», chiese perplesso. Poteva percepire le mie emozioni, ma non riusciva a coglierne l'origine.

«Hai sentito anche tu cos'ha detto Laurent». La mia voce era un flebile sussurro, ma di certo riuscivano a sentirla. «Ha detto che James è letale. E se qualcosa non funziona, se si dividono? Se succede qualcosa a uno qualsiasi di loro, Carlisle, Emmett... Edward...». Restai senza fiato. «Se quella femmina selvaggia fa del male a Esme...». Nella mia voce risuonò una nota più stridula, isterica: «Come potrei vivere sapendo che è colpa mia? Nessuno di voi dovrebbe rischiare così tanto per me...».

«Bella, Bella, smettila». Jasper parlava troppo in fretta, quasi non lo capivo. «Ti preoccupi delle cose sbagliate. Credimi, se ti dico che nessuno di noi rischia niente. Sei già abbastanza sotto pressione: non caricarti del peso di preoccupazioni superflue. Ascoltami», mi rimproverò, perché avevo distolto lo sguardo, «la nostra famiglia è forte. L'unica paura che abbiamo è quella di perderti».

«Ma perché dovreste...».

A interrompermi fu Alice, che mi sfiorò la guancia con le dita fredde: «Edward è rimasto solo per quasi un secolo. Ora ha trovato te. Dopo tutti questi anni passati insieme a lui, certi cambiamenti non ci sfuggono, e lui è diverso, adesso. Pensi che avremmo il coraggio di guardarlo in faccia per i prossimi cent'anni, se ti perde?».

Il mio senso di colpa sbiadiva lentamente, mano a mano che sprofondavo in quegli occhi neri. Malgrado la calma mi stesse invadendo, però, sapevo di non potermi fidare delle mie sensazioni, se c'era Jasper.

Fu una giornata lunghissima.

Restammo nella stanza. Alice chiese alla reception di non preoccuparsi delle pulizie in camera. Le finestre erano sempre chiuse, la TV sempre accesa, benché nessuno la guardasse. I pasti arrivavano a intervalli regolari. Il telefonino argentato che spiccava sopra la borsa di Alice sembrava sempre più gigantesco.

I miei due baby-sitter sopportavano la tensione molto meglio di me. Più diventavo irrequieta e impaziente, più loro si facevano immobili, due statue i cui occhi mi seguivano con spostamenti impercettibili. Mi distraevo memorizzando i dettagli della stanza, le righe colorate dei cuscini: marrone chiaro, pesca, nocciola, oro opaco, e ancora marrone. Di tanto in tanto osservavo le stampe astratte appese alle pareti cercando di identificare delle figure, come facevo da piccola con le nuvole. Vidi una mano blu, una donna che si pettinava, un gatto che si stirava. Ma quando un cerchio rosso chiaro divenne un occhio spalancato, lasciai perdere.

Con l'avanzare del pomeriggio me ne tornai a letto, tanto per fare qualcosa. Speravo che da sola, al buio, avrei potuto dare sfogo alle paure terribili che incombevano ai margini della mia coscienza, frenate dall'attenta supervisione di Jasper.

Ma Alice, come se si fosse stancata anche lei del salotto, mi seguì. Forse aveva ricevuto da Edward istruzioni precise che io ignoravo. Mi sdraiai sul letto, lei si sedette al mio fianco, a gambe incrociate. Sulle prime semplicemente la ignorai, mi sentivo tutt'a un tratto abbastanza stanca da poter dormire. Dopo qualche minuto, però, il panico trattenuto dalla presenza di Jasper iniziò a riaffiorare. Rinunciai all'idea di addormentarmi in fretta e mi raggomitolai su me stessa.

«Alice?».

«Sì?».

Cercavo di mantenere un po' di calma almeno nella voce. «Secondo te cosa stanno facendo?».

«Carlisle voleva attirare il segugio più a nord possibile, aspettare che si avvicinasse e poi tornare indietro a tendergli un'imboscata. Esme e Rosalie dovrebbero dirigersi a ovest, finché la femmina le segue. Se dovesse cambiare direzione, loro tornerebbero a Forks per tenere d'occhio tuo padre. Immagino che le cose stiano procedendo bene, se non possono telefonare. Significa che il segugio è molto vicino e non vogliono che li ascolti».

«Neanche Esme?».

«Penso che dovrà prima tornare a Forks. Non si azzarderebbe a chiamare, se rischiasse di farsi sentire dalla femmina. Di sicuro tutti agiscono con la massima attenzione».

«Pensi davvero che siano al sicuro?».

«Bella, quante volte devo ripeterti che noi non siamo in pericolo?».

«Se così non fosse, mi diresti la verità?».

«Sì. Ti dirò sempre la verità». Sembrava sincera.

Per un attimo ci pensai su, e conclusi che lo era.

«E allora dimmi... come si diventa vampiri?».

La mia domanda la prese in contropiede. Si zittì. Mi rigirai nel letto per osservarla, la sua espressione era ambigua.

«Edward non vuole che te lo dica», rispose con fermezza, ma qualcosa mi diceva che non era d'accordo.

«Non è giusto. Credo di avere il diritto di saperlo».

«Lo so».

La guardai, impaziente.

Sospirò: «Si arrabbierà tantissimo».

«Non riguarda lui. Resterà tra me e te. Alice, te lo chiedo da amica». E in qualche modo, ormai eravamo davvero amiche. Probabilmente lei lo sapeva da sempre.

Mi fissò con i suoi occhi splendidi, grandi... inquieti.

«Ti spiegherò come funziona», disse infine, «ma io non me lo ricordo, non l'ho mai fatto né visto fare, perciò tieni conto che è solo teoria».

Aspettavo che parlasse.

«In quanto predatori, disponiamo di un arsenale vastissimo, molto più ricco del necessario. La forza, la velocità, i sensi affinati, per non parlare di quelli come me, Edward o Jasper, che sfruttano sensi supplementari. E poi, come fiori di piante carnivore, le nostre prede ci trovano fisicamente attraenti».

Immobile, ricordavo con quanta precisione Edward mi avesse dimostrato quello stesso concetto, nella radura.

Lei si illuminò di un sorriso ampio e inquietante. «E c'è un'altra arma che definirei superflua. Siamo anche velenosi». I denti mandarono un bagliore. «È un veleno che non uccide: mette soltanto fuori combattimento la vittima. Funziona lentamente, si diffonde attraverso il sangue in modo che la preda, sopraffatta da un dolore tanto intenso, non possa sfuggire. Come ho detto, è un'arma quasi del tutto superflua. Se siamo così vicini, la preda non fa comunque in tempo a scappare. Ci sono le eccezioni, certo. Carlisle, per esempio...».

«Perciò... se si lascia che il veleno si diffonda...».

«La trasformazione dura qualche giorno, a seconda di quanto veleno circola nel sangue e di quanto ne entra nel cuore. Il cuore pompa sangue e veleno che, entrando in circolo, guarisce e trasmuta il corpo. Alla fine il cuore si ferma, e la metamorfosi è completa. Ma in ogni singolo istante del mutamento, la vittima non desidera altro che morire».

Avevo i brividi.

«Ecco, non è una cosa piacevole».

«Edward mi ha detto che per voi è un'operazione molto delicata. Non capisco».

«In un certo senso, somigliamo anche agli squali. Se sentiamo il sapore, o l'odore, del sangue, diventa molto difficile mettere a tacere l'istinto famelico. Talvolta è impossibile. Perciò mordere qualcuno, assaggiarne il sangue, scatena l'impulso. È difficile per entrambi: la sete di sangue da una parte, il dolore insopportabile dall'altra».

«Secondo te, perché non ricordi nulla?».

«Non lo so. Per gli altri, il dolore della trasformazione è il ricordo più acuto della loro vita da esseri umani. Io non ricordo nemmeno di esserlo stata». Si era intristita.

Restammo in silenzio, chiuse ciascuna nei propri pensieri.

I secondi passavano, ed ero talmente assorta da essermi dimenticata della presenza di Alice.

Poi, all'improvviso, scese dal letto con un balzo leggero. Alzai la testa di scatto, sorpresa.

«È cambiato qualcosa». Sembrava impaziente e non parlava con me.

Raggiunse la porta nello stesso istante in cui vi apparve Jasper. Era ovvio che avesse ascoltato la nostra conversazione e l'esclamazione improvvisa di Alice. Le posò le mani sulle spalle e la fece sedere sul bordo del letto.

«Cosa vedi?», chiese, concentrato, fissandola negli occhi. Lei aveva lo sguardo perso, metteva a fuoco qualcosa di molto, molto lontano. Mi sedetti accanto a lei, chinandomi per ascoltarne la voce svelta e flebile.

«Vedo una stanza. È lunga, ci sono specchi dappertutto. Il pavimento è di legno. Lui è nella stanza, in attesa. C'è dell'oro... una linea dorata sugli specchi».

«Dov'è la stanza?».

«Non lo so. Manca qualcosa... Una decisione che non è stata ancora presa».

«Quando?».

«Presto. Arriverà nella stanza degli specchi oggi, o forse domani. Dipende. Sta aspettando qualcosa. Ora è al buio».

Jasper sapeva come interrogarla, calmo e metodico: «Cosa fa?».

«Guarda la TV... no, è un videoregistratore, al buio, in un altro posto».

«Riesci a vedere dove?».

«No, c'è troppo buio».

«E nella stanza degli specchi cos'altro c'è?».

«Solo gli specchi e l'oro. È una linea che corre per tutta la stanza. Ci sono un tavolo nero, con sopra un grosso impianto stereo, e un televisore. Qui lui tocca il videoregistratore, ma non lo guarda come nella stanza buia. Questa è la stanza in cui aspetta». Fissò il vuoto, poi mise a fuoco il volto di Jasper.

«Nient'altro?».

Scosse il capo. I due si guardavano, immobili.

«Cosa significa?», chiesi.

Sulle prime, nessuno riuscì a rispondermi, poi parlò Jasper.

«Significa che i piani del segugio sono cambiati. Ha preso una decisione che lo porterà alla stanza degli specchi e alla stanza buia».

«Ma non possiamo sapere dove sono queste stanze?».

«No».

«Però sappiamo che non riusciranno a spingerlo sulle montagne a nord dello Stato di Washington. Riuscirà a sfuggirgli». La voce di Alice era cupa.

«È il caso di chiamarli?», chiesi. Si scambiarono uno sguardo preoccupato, indecisi.

Poi il telefono squillò.

Prima ancora che potessi alzare gli occhi, Alice era dall'altra parte della stanza.

Schiacciò un tasto e avvicinò il cellulare all'orecchio, ma non fu lei a parlare per prima.

«Carlisle», disse in un fiato. Non sembrava sorpresa né tranquillizzata, come invece ero io.

«Sì», disse, lanciandomi un'occhiata. Per qualche lunghissimo istante rimase in ascolto. «Mi è apparso poco fa». Descrisse di nuovo la sua visione. «Qualunque motivo l'abbia spinto a prendere quell'aereo… lo porterà a quelle stanze». Fece una pausa. «Sì», disse al telefono, poi si rivolse a me: «Bella?».

Mi porse il cellulare. Corsi a prenderlo.

«Pronto?».

«Bella».

«Oh, Edward! Ero preoccupatissima!».

«Bella», sospirò, frustrato, «ti ho detto di preoccuparti solo di te stessa». Sentire la sua voce era qualcosa di incredibilmente bello. La nuvola di disperazione svanì pian piano e se ne andò.

«Dove sei?».

«Appena fuori Vancouver. Bella, mi dispiace: l'abbiamo perso. Si muove con prudenza, riesce sempre a starci lontano quel tanto che basta perché mi sia impossibile sentire ciò che pensa. Ma adesso è sparito… sembra che abbia preso un aereo. Probabilmente tornerà a Forks per ricominciare la caccia da capo». Alle mie spalle, Alice aggiornava Jasper, con parole velocissime che si confondevano in un brusio.

«Lo so. Alice l'ha visto altrove».

«Tu però non devi preoccuparti. Non troverà niente che lo porti a te. Devi soltanto restare lì e aspettare che lo ritroviamo».

«D'accordo. Esme è da Charlie?».

«Sì. La femmina è tornata in città. È passata da casa tua, ma Charlie era al lavoro. Non gli si è avvicinata, perciò non preoccuparti. È al sicuro, guardato a vista da Esme e Rosalie».

«E lei cosa fa?».

«Probabilmente sta cercando la scia giusta. Stanotte ha battuto la città intera. Rosalie l'ha seguita in aeroporto, lungo le strade della periferia, a scuola… Sta scavando, Bella, ma non troverà niente».

«E tu sei certo che Charlie sia al sicuro?».

«Sì, Esme non lo perde di vista. E presto la raggiungeremo anche noi. Se il segugio si avvicina a Forks, lo prenderemo».

«Mi manchi», sussurrai.

«Lo so, Bella. Credimi, lo so. È come se ti fossi portata via metà di me stesso».

«E allora vieni a riprendertela».

«Presto, il più presto possibile. Prima ti salverò».

«Ti amo».

«Ci credi se ti dico che, malgrado tutto quello che ti sto facendo subire, ti amo anch'io?».

«Sì, certo che sì».

«Verrò a prenderti presto».

«Ti aspetto».

Non appena riattaccò, la nuvola di depressione tornò a riaddensarsi sulla mia testa.

Mi voltai per restituire il telefono ad Alice e la trovai seduta al tavolo, intenta a disegnare su un foglio di carta intestata dell'albergo. Sbirciai da dietro le sue spalle.

Stava disegnando una stanza: lunga, rettangolare, con una sezione quadrata più stretta in fondo. Le assi del parquet correvano parallele al lato più lungo. Sulle pareti, una serie di linee dritte marcava i contorni degli specchi. E poi, a un'altezza che poteva arrivare ai fianchi di una persona, la linea. La linea che secondo Alice era dorata.

«È una scuola di danza», dissi, riconoscendo all'istante le forme familiari.

Mi guardarono, sorpresi.

«Hai già visto questa stanza?». Jasper sembrava calmo, ma nella sua voce vibrò una nota che non riuscii a identificare. Alice stava a capo chino sulla sua opera, e la mano volava sul foglio a tratteggiare i contorni di un'uscita di sicurezza in fondo alla sala, poi lo stereo e il televisore sopra il tavolino, nell'angolo a destra dell'entrata.

«Sembra il posto in cui andavo a prendere lezioni di danza a otto o nove anni. Aveva la stessa forma». Sfiorai la pagina all'altezza della sezione quadrata e più stretta, in fondo alla stanza. «Qui c'era il bagno... per entrare si passava dall'altra sala. Ma lo stereo era qui», indicai l'angolo sinistro, «era più vecchio, e non c'era il televisore. In sala d'attesa c'era una finestra: da lì si poteva vedere la stanza, dalla stessa prospettiva che hai disegnato tu».

Alice e Jasper mi fissavano, increduli.

«Sei sicura che sia la stessa stanza?», chiese Jasper, senza perdere la calma.

«No, niente affatto: immagino che la maggior parte delle scuole di danza siano così, con gli specchi e la sbarra». Seguii con il dito la linea che incrociava gli specchi. «È soltanto la forma a sembrarmi familiare». Indicai la porta, che si trovava esattamente dove ricordavo.

«Avresti qualche motivo per andarci adesso?», chiese Alice, interrompendomi mentre fantasticavo sui miei ricordi.

«No, non ci entro da quasi dieci anni. Ero una ballerina tremenda... nei saggi di fine anno mi mettevano sempre in ultima fila».

«Perciò è impossibile che questa stanza possa portare a te?», chiese Alice, assorta.

«Probabilmente ha anche cambiato proprietario. Di sicuro è un'altra stanza, altrove».

«E la scuola di ballo che frequentavi tu, dov'è?», chiese Jasper, senza tradire troppa curiosità.

«Era a due passi da casa di mia madre. Ci andavo a piedi, dopo la scuola...», dissi, senza terminare la frase. Lo sguardo che i due si scambiarono non mi sfuggì.

«Qui a Phoenix?», chiese Jasper, il tono ancora calmo.

«Sì», dissi in un sussurro, «tra la Cactus e la Cinquantottesima».

Restammo in silenzio, con gli occhi fissi sul disegno.

«Alice, quel telefono è sicuro?».

«Sì. È un numero del distretto di Washington».

«Allora posso usarlo per telefonare a mamma».

«Pensavo fosse in Florida».

«Sì, però tornerà presto, e non posso permettere che entri in casa e...». Mi tremava la voce. Stavo pensando a ciò che aveva detto Edward della femmina dai capelli rossi: che era stata a casa di Charlie e a scuola, dove erano custoditi i miei dati.

«Come farai a raggiungerla?».

«Non hanno un numero fisso, a parte quello di casa: lei controlla la segreteria regolarmente».

«Jasper?», chiese Alice.

Lui ci pensò sopra. «Non credo che corriamo rischi. Ovviamente, bada a non dire dove ti trovi».

Afferrai il telefono con impazienza e composi il numero che conoscevo così bene. Al quarto squillo, la voce di mia madre chiedeva di lasciare un messaggio.

«Mamma, sono io. Ascolta. Ho bisogno di un grosso favore. Appena senti il messaggio, chiamami a questo numero». Alice scattò al mio fianco e scrisse il numero in fondo al disegno. Lo lessi a voce alta con cura, due volte. «Ti prego, non andare da nessuna parte finché non mi avrai richiamato. Non preoccuparti, sto bene, ma devo parlare con te quanto prima, a qualsiasi ora ascolti la registrazione, d'accordo? Ti voglio bene, mamma. Ciao». Chiusi gli occhi e pregai con tutte le mie forze che nessun imprevisto la costringesse a tornare a casa prima di ascoltare la segreteria.

Mi lasciai cadere sul divano e presi a mangiucchiare quel che era rimasto di un vassoio di frutta, pronta ad affrontare una lunga serata. Pensai anche di chiamare Charlie, ma non ero sicura che fosse già a casa. Mi concentrai sui telegiornali, in cerca di servizi sulla Florida, sugli allenamenti precampionato, ma anche su scioperi, uragani o attacchi terroristici, su qualsiasi cosa che avrebbe potuto costringerli a tornare in anticipo.

Evidentemente, chi è immortale impara a essere paziente. Né Jasper né Alice sentivano il bisogno di fare alcunché. Per un po', Alice tratteggiò la stanza buia come l'aveva vista, per quel che le permetteva la luce fioca del televisore. Quando finì, si sedette a osservare il muro spoglio, con i suoi occhi senza tempo. Neanche Jasper sembrava avere necessità di mettersi a passeggiare avanti e indietro, o di sbirciare dalla finestra, o di correre urlando fuori dalla porta, come avrei desiderato fare io.

Probabilmente mi addormentai sul divano, in attesa di uno squillo del telefono. Mi svegliai per qualche istante al tocco leggero delle mani gelate di Alice che mi rimetteva a letto, ma risprofondai nel sonno ancora prima di posare la testa sul cuscino.

21

Telefonata

Stavo lentamente iniziando a confondere il giorno con la notte, perché, ancora una volta, quando riaprii gli occhi era troppo presto. Sotto le coperte, ascoltavo le voci basse di Alice e Jasper nell'altra stanza. Era strano che riuscissi a sentirle. Rotolai fino a posare i piedi a terra e mi trascinai nel salotto.

L'orologio sul televisore diceva che erano passate da poco le due del mattino. Alice e Jasper stavano seduti sul divano, lei disegnava, lui osservava i suoi schizzi. Quando entrai non si accorsero di me, erano troppo concentrati.

Sgattaiolai a fianco di Jasper per sbirciare.

«Ha visto altro?», chiesi, a bassa voce.

«Sì. Qualcosa l'ha fatto tornare nella stanza del videoregistratore, che adesso è illuminata».

Alice disegnava una stanza quadrata, con travi scure sul soffitto. Le pareti erano rivestite di pannelli di legno scuro, fuori moda. Sul pavimento, un tappeto scuro con decorazioni geometriche. Verso sud si apriva un'ampia finestra e a ovest si vedeva l'accesso a un salotto. Un lato dell'accesso era fatto di pietra: era un camino di pietra marrone che dava su entrambe le stanze. Il punto di fuga della prospettiva, il televisore e il videoregistratore, ammassati su un tavolo di legno troppo piccolo, erano nell'angolo più lontano della stanza. Un vecchio divano ad angolo stava di fronte al televisore e in mezzo si trovava un tavolino basso.

«Lì sopra c'è il telefono», mormorai indicando il tavolino.

Due paia di occhi immortali mi fissarono.

«È casa di mia madre».

Alice balzò immediatamente dal divano con in mano il telefono. Io restai con gli occhi sbarrati sulla prospettiva perfetta del salotto di casa mia. Jasper, contrariamente alle sue abitudini, mi si avvicinò. Mi sfiorò piano la spalla, e il contatto aumentò la sua influenza benefica. Il panico divenne sfocato e nebuloso.

Le labbra di Alice vibravano, snocciolando parole velocissime, in un ronzio basso impossibile da decifrare. Non riuscivo a concentrarmi.

«Bella», disse Alice. Io seguitai a guardarla, confusa.

«Bella, Edward sta venendo a prenderti. Lui, Emmett e Carlisle ti porteranno via, per tenerti nascosta».

«Edward sta arrivando?». Quelle parole furono il salvagente che mi teneva a galla nel diluvio.

«Sì, con il primo volo da Seattle. Abbiamo appuntamento all'aeroporto, dopodiché te ne andrai via con lui».

«Ma, mia madre... sta cercando mia madre, Alice!». Malgrado la presenza di Jasper, l'isteria trabordò nella mia voce.

«Jasper e io resteremo qui a proteggerla».

«Non posso cavarmela, Alice. Non potete restare a guardia di tutti i miei cari per sempre. Capite cosa sta facendo? Non segue soltanto le mie tracce. Appena ne avrà l'occasione, farà del male a qualcuno a cui voglio bene... Alice, non posso...».

«Lo prenderemo, Bella».

«E se accade qualcosa a uno di voi, Alice? Pensate che ne sarei contenta? Pensate che possa colpirmi soltanto facendo del male alla mia famiglia umana?».

Alice lanciò uno sguardo d'intesa a Jasper. Una nebbia di letargia profonda e pesante mi avvolse e chiusi gli occhi contro la mia volontà. Mi resi conto di ciò che stava accadendo e cercai di restare lucida malgrado la nebbia. Mi costrinsi ad aprire gli occhi e mi alzai, allontanandomi dal contatto con la mano di Jasper.

«Non voglio dormire!».

Sbattendo la porta rientrai in camera, per essere libera di crollare in privato. Alice non mi seguì. Per tre ore e mezzo restai rannicchiata nel letto a dondolarmi e a fissare la parete. La mia mente girava in tondo, cercando inutilmente una via di uscita da quell'incubo. Non c'era scampo, non c'erano soluzioni. Nel futuro vedevo la luce sbiadita di una sola conclusione possibile. La sola incertezza riguardava il numero di persone che nel frattempo ci sarebbero andate di mezzo.

L'unico sollievo, l'unica speranza che mi era rimasta, era la consapevolezza che presto avrei rivisto Edward. Forse il suo viso mi avrebbe ispirato la soluzione che in quel momento mi sfuggiva.

Quando il telefono squillò, tornai nel salone, vergognandomi un po' del mio comportamento. Speravo di non averli offesi e che capissero quanto gli fossi grata dei sacrifici che facevano per il mio bene.

Alice parlava, rapida come sempre, ma ciò che attirò la mia attenzione fu che, per la prima volta, Jasper non c'era. L'orologio segnava le cinque e mezzo del mattino.

«Stanno per salire sull'aereo», disse Alice. «Atterreranno alle nove e quarantacinque». Ancora qualche ora da sopportare, prima dell'arrivo di Edward.

«Dov'è Jasper?».

«È andato a pagare il conto».

«Non restate qui, voi?».

«No, ci trasferiamo in un posto più vicino a casa di tua madre».

A quelle parole, mi si strinse lo stomaco.

Ma fui distratta da un altro squillo del cellulare. Alice sembrava sorpresa, io mi feci immediatamente avanti, fiduciosa.

«Pronto?... No, è qui accanto». Alice mi passò il telefono, dicendomi sottovoce che era mia madre.

«Pronto?».

«Bella? Bella?». Era la sua voce, mi chiamava con un tono familiare che da piccola avevo sentito migliaia di volte, quando mi avvicinavo troppo al bordo di un marciapiede o mi perdeva di vista in un posto affollato. Era la voce del panico.

Feci un sospiro. Me lo aspettavo, malgrado avessi cercato, nel mio messaggio, di risultare il meno allarmata possibile, senza però sminuire l'urgenza.

«Calmati, mamma», risposi, cercando di rassicurarla, allontanandomi piano da Alice. Non ero sicura che con i suoi occhi addosso sarei riuscita a mentire senza tradirmi. «Va tutto bene, okay? Dammi solo un minuto e ti spiego tutto, te lo prometto».

Feci una pausa, sorpresa che non mi avesse ancora interrotta.

«Mamma?».

«Bada a non aprire bocca finché non te lo dirò io». La voce che sentii era inattesa e sconosciuta. Era un tenore, piacevole quanto anonimo, il genere di voce maschile che si sente fuori campo nelle pubblicità delle auto di lusso. Parlava molto in fretta.

«Ora, non è il caso che io faccia del male a tua madre, perciò ti prego di fare esattamente ciò che dico e non le torcerò un capello». Restò zitto per qualche istante, mentre io tacevo, terrorizzata. «Molto bene, complimenti. Adesso ripeti ciò che dico, e cerca di farlo con naturalezza. Per favore, di': "No, mamma, resta dove sei"».

«No, mamma, resta dove sei». La mia voce era poco più che un respiro.

«Accidenti, temo che sarà una bella impresa». Sembrava divertito, spiritoso e amichevole. «Perché non cambi stanza, così nessuno ti vede in faccia? Non c'è ragione di far soffrire tua madre. Mentre ti allontani, di': "Mamma, ti prego, ascoltami". Dillo ora».

«Mamma, ti prego, ascoltami». Mi diressi molto lentamente in camera da letto, con lo sguardo di Alice addosso. Chiusi la porta cercando di restare lucida, malgrado il terrore mi attanagliasse il cervello.

«Brava. Adesso sei sola? Rispondi soltanto sì o no».

«Sì».

«Ma di certo riescono a sentirti».

«Sì».

«Molto bene», proseguì quella voce gradevole. «Di': "Mamma, fidati di me"».

«Mamma, fidati di me».

«È andata molto meglio di quanto pensassi. Prevedevo una lunga attesa, ma tua madre è tornata a casa in anticipo. Così è più facile, no? Meno tensione, meno ansia per te».

Restai in ascolto.

«Ora voglio che tu mi stia bene a sentire. Desidero che ti allontani dai tuoi amici. Pensi di poterci riuscire? Rispondi sì o no».

«No».

«Che peccato. Speravo fossi un po' più fantasiosa. Pensi che riusciresti ad allontanarti da loro se da ciò dipendesse la vita di tua madre? Rispondi sì o no».

Doveva esserci un modo. Ricordai che stavamo per andare all'aeroporto. Aeroporto internazionale di Sky Harbor: affollato, caotico...

«Sì».

«Così va meglio. So che non sarà facile, ma se ho il minimo sospetto che hai compagnia, be', sarà un bel guaio per tua madre, te lo assicuro. A questo punto dovresti conoscerci a sufficienza per renderti conto di quanto impiegherei a sapere se stai cercando di portare qualcuno con te. E quanto velocemente potrei agire, se decidessi di prendermela con tua madre. Capisci? Rispondi sì o no».

«Sì». Ero senza voce.

«Molto bene, Bella. Questo è ciò che devi fare. Voglio che torni a casa di tua madre. Accanto al telefono troverai un numero. Chiamalo, ti risponderò io e ti dirò dove andare». Sapevo già dove sarei andata e dove tutto sarebbe finito. Ma ero decisa a seguire le istruzioni. «Puoi farcela? Rispondi sì o no».

«Sì».

«Prima di mezzogiorno, per favore. Non ho tutta la giornata a disposizione», disse educato.

«Dov'è Phil?».

«Ah, stai attenta, Bella. Aspetta che ti dia il permesso, prima di parlare».

Attesi.

«Ora, è importante che, quando torni di là, i tuoi amici non sospettino niente. Digli che tua madre ti ha chiamata e che l'hai convinta a rimandare il ritorno. Adesso, ripeti con me: "Grazie, mamma". Dillo ora».

«Grazie, mamma». Stavo per mettermi a piangere, ma riuscii a trattenere le lacrime.

«Di': "Ti voglio bene, mamma, ci vediamo presto". Ora».

«Ti voglio bene, mamma», la mia voce era fioca. «Ci vediamo presto».

«Ciao, Bella. Non vedo l'ora di incontrarti di nuovo». Riattaccò.

Restai con il telefono all'orecchio, immobilizzata dal terrore, nemmeno in grado di mollare la presa.

Dovevo pensare a un piano, ma la voce di mia madre nel panico mi riempiva la testa. I secondi passavano e mi sforzavo di riprendere il controllo.

Molto, molto lentamente, iniziai a fare breccia nel muro di terrore. A ragionare. Perché ormai non avevo altra scelta: dovevo andare nella stanza degli specchi, a morire. Non avevo garanzie che non facesse del male a mia madre e non avevo nulla da offrire per salvarla, nulla se non me stessa. Potevo soltanto sperare che a James bastasse vincere la partita con Edward. Ero schiacciata dallo sconforto: venire a patti con lui, offrirgli qualcos'altro che potesse soddisfarlo o trattenerlo era impossibile. Non avevo scelta. Dovevo provarci.

Soffocai il terrore meglio che potevo. La decisione era presa. Non valeva la pena sprecare tempo a riflettere sulle conseguenze. Dovevo restare lucida: Alice e Jasper mi aspettavano, e liberarmi di loro era assolutamente indispensabile, e assolutamente impossibile.

Per fortuna Jasper era lontano. Se avesse percepito il mio tormento, in quegli ultimi cinque minuti, come avrei potuto impedirgli di sospettare? Dovevo mettere a tacere ansia e paura. Non potevo permettermele. Non sapevo quando sarebbe tornato.

Mi concentrai sulla fuga. Dovevo sperare che la mia familiarità con l'aeroporto giocasse a mio favore. Dovevo riuscire in qualche modo a tenere lontana Alice...

Proprio lei che, in ansia, mi attendeva nell'altra stanza. Ma prima del ritorno di Jasper occorreva risolvere un'altra piccola questione in privato.

Dovevo accettare che non avrei mai più rivisto Edward, che non avrei potuto portare con me, nella stanza degli specchi, nemmeno il ricordo di un ultimo rapido sguardo al suo volto. Stavo per ferirlo e non potevo neppure dirgli addio. Mi lasciai torturare dalle ondate di sofferenza. Poi soffocai anche quelle, e tornai di là ad affrontare Alice.

L'unica espressione che riuscii a fare fu uno sguardo spento, morto. La vidi allarmata e non aspettai nemmeno che facesse domande. La sceneggiatura era pronta e non c'era posto per l'improvvisazione.

«Mia madre era preoccupata, voleva tornare a casa. Ma va tutto bene, l'ho convinta a rimandare». La mia voce era priva di vita.

«Penseremo noi alla sua sicurezza, Bella, non preoccuparti».

Mi voltai, non potevo mostrarmi a viso aperto.

Il mio sguardo cadde su un foglio bianco di carta intestata dell'albergo. Lo afferrai lentamente, pensando a un piano. C'era anche una busta. Molto bene.

«Alice», chiesi esitante, senza voltarmi, a voce bassa. «Se scrivo una lettera a mia madre, gliela consegnerete? Voglio dire, potete lasciarla a casa sua?».

«Certo, Bella». Parlava con cautela. Aveva capito che stavo per crollare. *Dovevo* controllarmi meglio.

Tornai in camera e m'inginocchiai al tavolino.

Mi tremava la mano, la grafia si leggeva a malapena.

Edward,

ti amo. Mi dispiace tanto. Ha preso mia madre, devo provarci. So che potrebbe non funzionare. Mi dispiace, mi dispiace tanto.

Non prendertela con Alice e Jasper. Se riuscirò a scappare da loro sarà un miracolo. Per favore, ringraziali da parte mia. Soprattutto Alice.

E per favore, per favore, non venire a cercarlo. Credo sia proprio ciò che vuole. Non posso sopportare che qualcun al-

tro si faccia del male per colpa mia, soprattutto se quel qualcuno sei tu. Ti prego, questa è l'unica cosa che ti chiedo. Falla per me.

Ti amo. Perdonami.
Bella

Piegai la lettera per bene e la imbustai. Prima o poi l'avrebbe trovata. Speravo solo che potesse capirmi e che per una volta mi desse ascolto.

Così, con cura, sigillai anche il mio cuore.

Nascondino

C'era voluto molto meno di quanto mi fosse sembrato, malgrado il terrore, lo sconforto, il cuore a pezzi. I minuti scorrevano più lenti del solito. Jasper era ancora assente, quanto tornai da Alice. Avevo paura di restare nella stessa stanza con lei, paura che intuisse qualcosa... e paura di nascondermi da lei per lo stesso motivo.

Pensavo di avere perso la capacità di sorprendermi, torturata com'ero dai miei pensieri, ma mi sorpresi eccome, quando vidi Alice piegata sulla scrivania, ai cui bordi si teneva aggrappata.

«Alice?».

Non reagì, continuò soltanto a ciondolare il capo lentamente, con gli occhi annebbiati, vuoti... Pensai subito a mia madre. Era già troppo tardi?

Corsi al suo fianco per prenderle la mano.

«Alice!», saettò la voce di Jasper, ed eccolo lì accanto, a coprire le mani di lei con le sue, sciogliendole dalla presa sul tavolo. Dall'altra parte della stanza, la porta si chiudeva con uno scatto cupo.

«Cosa succede?», chiese lui.

Lei si voltò e nascose il viso nel suo petto. «Bella», disse.

«Sono qui accanto», risposi.

Si voltò di nuovo, fissandomi negli occhi con uno sguardo stranamente vacuo. Mi resi conto all'istante che non voleva parlare con me: aveva risposto alla domanda di Jasper.

«Cos'hai visto?», chiesi, ma la mia, piatta e disinteressata, non suonava come una domanda.

Jasper mi fulminò con uno sguardo. Io cercai di fingere distacco, e attesi. Gli occhi di lui saltavano dal viso di Alice al mio e sentivano il caos... perché avevo intuito cosa avesse visto Alice.

Mi sentii avvolgere da un'atmosfera tranquilla. L'accolsi di buon grado e la sfruttai per disciplinare le mie emozioni.

Anche Alice si riprese.

«Niente, niente», rispose infine, incredibilmente calma e convincente. «La stessa stanza di prima».

Poi si rivolse a me, composta e tranquilla: «Volevi fare colazione?».

«No, mangio qualcosa in aeroporto». Anch'io ero calmissima. Andai a fare una doccia. Come se possedessi le facoltà ultrasensoriali di Jasper, avvertivo il desiderio pressante – e ben nascosto – di Alice di restare sola con lui. Così che potesse raccontargli che stavano sbagliando qualcosa, che avrebbero fallito...

Mi preparai con scrupolo, concentrandomi su ogni singolo gesto. Tenni i capelli sciolti, disordinati, per coprirmi il viso. La sensazione di pace creata da Jasper mi aveva invasa e mi aiutava a mantenere la lucidità, a pensare al piano. Frugai nella borsa in cerca della calza con i soldi. Me la svuotai in tasca.

Ero impaziente di arrivare all'aeroporto, e felice che alle sette ce ne saremmo andati da quell'albergo. Stavolta sul sedile posteriore dell'auto non avevo compagnia. Alice era appoggiata alla portiera, con il viso rivolto verso Jasper, ma da dietro gli occhiali da sole non mi perdeva di vista.

«Alice...», dissi, con atteggiamento indifferente.

«Sì?», rispose, cauta.

«Come funzionano? Le visioni, intendo». Guardavo fuori dal finestrino e parlavo con voce annoiata. «Edward ha detto che non sono definitive... che le cose cambiano, è vero?». Pronunciare quel nome fu più difficile di quanto pensassi. Probabilmente ciò mise Jasper in allarme, perché un'altra ondata di serenità invase l'abitacolo.

«Sì, le cose cambiano...». Speriamo, pensai. «Alcune visioni sono più sicure di altre... quelle che riguardano il tempo, per esempio. Con le persone è più difficile. Vedo la strada che seguono nel momento in cui la imboccano. Se per caso cambiano idea e prendono una decisione nuova, per minuscola che sia, tutto il futuro si trasforma».

Annuii, pensierosa: «E tu non eri riuscita a vedere James a Phoenix perché non aveva ancora deciso di venirci».

«Sì», mi confermò. Era di nuovo guardinga.

E non aveva visto me nella stanza degli specchi con James, finché non avevo deciso di incontrarlo. Cercai di non pensare a cos'altro avesse potuto vedere. Non volevo che il mio panico insospettisse ulteriormente Jasper. La visione di Alice li aveva resi ancora più vigili. Fuggire sarebbe stato impossibile.

Giungemmo all'aeroporto. La fortuna era con me, o forse mi voleva dare solo un piccolo aiuto. L'aereo di Edward era atteso al terminal 4, il più grande. Vi atterrava la maggior parte dei voli, perciò non c'era di che stupirsi. Ma era esattamente quello di cui avevo bisogno: la zona più caotica e affollata dell'aeroporto. E c'era una porta, al terzo piano, che poteva essere la mia unica via di scampo.

Parcheggiammo al quarto piano dell'enorme garage. Feci strada: per una volta ero io quella che si orientava meglio. Scendemmo con l'ascensore al terzo piano, quello dei passeggeri in arrivo. Alice e Jasper persero un sacco di tempo a osservare il tabellone delle partenze. Li sentivo discutere i pro e i contro di New York, Atlanta, Chicago. Città che non avevo mai visto. Che non avrei visto mai.

Aspettavo l'occasione giusta con impazienza, incapace di fermare i piedi irrequieti. Restammo seduti sulla lunga fila di sedie accanto ai metal detector. Jasper e Alice mi controllavano fingendo di guardare la gente che passava. Mi bastava muovermi di un centimetro perché mi guardassero con la coda dell'occhio. Non avevo speranza. Dovevo mettermi a correre?

Avrebbero osato costringermi a fermarmi con la forza, in un luogo pubblico? O si sarebbero limitati a seguirmi?

Presi la busta da lettere dalla tasca e la posai sopra la borsetta di pelle nera di Alice. Lei mi guardò.

«La lettera», dissi. Annuì e la infilò in una tasca esterna. Edward l'avrebbe trovata subito.

I minuti passavano, l'aereo stava per atterrare. Era incredibile come ogni singola cellula del mio corpo sentisse la vicinanza di Edward e desiderasse vederlo. Ciò rendeva tutto molto difficile. Mi ritrovai a pensare a una scusa per rimandare, anche di poco, la fuga. A un modo per vederlo, prima. Ma sapevo che dopo l'arrivo di Edward non avrei avuto più alcuna possibilità di fuggir via.

Più di una volta Alice si offrì di accompagnarmi a fare colazione. Ancora no. Prendevo tempo.

Tenevo gli occhi fissi sul tabellone degli arrivi, osservando la successione puntuale dei voli. L'aereo da Seattle si avvicinava sempre di più alla cima dell'elenco.

Poi, quando mi restava soltanto mezz'ora per scappare, i numeri cambiarono. Il volo di Edward era in anticipo di dieci minuti. Non avevo più tempo.

«Penso che mangerò qualcosa», dissi svelta.

Alice si alzò. «Vengo con te».

«È un problema se mi faccio accompagnare da Jasper? Mi sento un po'...». Non terminai la frase. Il mio sguardo era abbastanza terrorizzato da suggerire il resto.

Jasper si avvicinò. Alice sembrava confusa, ma per fortuna non sospettava nulla. Evidentemente attribuiva il cambiamento nelle sue visioni a una manovra del segugio anziché a un mio tradimento.

Jasper camminava in silenzio al mio fianco, tenendomi una mano sulla spalla, come se mi stesse guidando. Finsi di essere poco interessata ai primi bar dell'aeroporto, in cerca del mio vero obiettivo. Ed eccolo, finalmente, dietro l'angolo, lontano dalla vista acuta di Alice: il bagno del terzo piano.

«Ti dispiace?», chiesi a Jasper quando ci passammo davanti. «Ci metto un secondo».

«Ti aspetto qui».

Non appena la porta si chiuse alle mie spalle, iniziai a correre. Ricordavo che una volta mi ero persa in quel bagno, perché aveva due uscite.

L'altra porta era poco distante dagli ascensori, e se Jasper era rimasto dove l'avevo lasciato non poteva scorgermi. Corsi senza guardarmi alle spalle. Era la mia unica possibilità e dovevo andare avanti che mi vedesse o no. La gente mi guardava, ma la ignorai. Dietro l'angolo ecco gli ascensori, verso cui mi buttai infilandomi all'ultimo momento tra le porte di una cabina piena, diretta al piano terra. M'insinuai fra i passeggeri irritati e controllai che qualcuno avesse premuto il pulsante del primo piano. Era acceso, le porte si chiusero.

Quando si riaprirono, mi feci largo e schizzai fuori in un lampo, lasciandomi alle spalle le voci infastidite degli altri occupanti. Rallentai soltanto di fronte agli agenti di guardia nella zona di raccolta bagagli e tornai a correre a precipizio quando vidi l'uscita. Chissà dov'era Jasper. Se aveva seguito la mia scia, mi restavano pochi secondi. Saltai fuori dalle porte a vetri automatiche, rischiando di mandarle in frantumi quando mi accorsi che si aprivano troppo piano.

Lungo il marciapiede affollato non c'era l'ombra di un taxi.

Non avevo tempo. Nel giro di un minuto Alice e Jasper avrebbero capito che ero scappata, o forse lo sapevano già. Mi avrebbero trovata in un baleno.

A pochi metri di distanza da me, la navetta per lo Hyatt stava chiudendo lo sportello.

«Aspettate!», urlai, sbracciandomi.

«Questa è la navetta per l'Hotel Hyatt», disse l'autista, confuso, mentre riapriva le porte.

«Sì», sbuffai ansimando, «devo andare proprio là». Salii gli scalini di corsa.

Era perplesso per il fatto che non avessi nessun bagaglio, ma fece spallucce e non chiese altro.

I posti erano quasi tutti liberi. Mi sedetti il più lontana possibile dagli altri passeggeri, e vidi allontanarsi prima il marciapiede, poi l'intero aeroporto. Non potevo fare a meno di immaginare Edward, sul ciglio della strada, nel punto in cui terminava la mia scia. Non potevo permettermi di piangere. La strada era ancora lunga.

La mia fortuna proseguì. Di fronte allo Hyatt, una coppia dall'aria esausta stava estraendo l'ultima valigia dal bagagliaio di un taxi. Balzai giù dall'autobus e corsi verso l'auto, sgattaiolando sul sedile posteriore alle spalle del tassista. La coppia stanca e l'autista della navetta mi guardavano sbalorditi.

Diedi al tassista l'indirizzo di mia madre. «Devo arrivarci il più presto possibile».

«Ma è a Scottsdale», replicò lui.

Lanciai quattro pezzi da venti sul sedile.

«Sono abbastanza?».

«Certo che sì, ragazzina, nessun problema».

Mi abbandonai sullo schienale, incrociando le braccia. Le vie familiari della città iniziarono a sfrecciarmi attorno, ma non guardavo fuori dai finestrini. Cercavo di mantenere il controllo dei miei nervi. Ora che il mio piano aveva funzionato, ero decisa a non lasciarmi andare. Non aveva senso abbandonarmi di nuovo all'ansia, indugiare ancora nel terrore. La strada era segnata. Dovevo soltanto seguirla.

Perciò, anziché andare in panico, chiusi gli occhi e passai i venti minuti del viaggio in compagnia di Edward.

Immaginai di essere rimasta all'aeroporto. Vidi me stessa in punta di piedi, impaziente di vederlo nella ressa dei passeggeri. E lui che, veloce e aggraziato, si muoveva tra la folla che ci separava. Infine, mi sarei lanciata di corsa in quegli ultimi metri – temeraria come al solito – per sentirmi al sicuro nel suo abbraccio saldo come il marmo.

Chissà dove mi avrebbe portata. Forse al Nord, per poter uscire alla luce del giorno. O forse in un posto remoto, isolato, dove avremmo potuto restare entrambi al sole. Lo immaginavo su una spiaggia, con la pelle luccicante come il mare. Non m'importava quanto a lungo ci sarebbe toccato nasconderci. Restare intrappolata con lui in una stanza d'albergo sarebbe stato un paradiso. Avevo ancora così tante domande. Avrei parlato con lui senza sosta, senza mai dormire, senza mai allontanarmi dal suo fianco.

Ne vedevo i contorni del viso così nitidi... quasi sentivo la sua voce. E malgrado l'orrore e la disperazione, mi sentii leggera e felice. Ero talmente coinvolta nel mio sogno a occhi aperti da aver perso il senso del tempo.

«Ehi, a che numero hai detto?».

La domanda del tassista sgonfiò le mie fantasie come fossero un palloncino, spegnendo ogni colore di quelle dolci illusioni. La paura, dura e vuota, stava per riempire lo spazio che queste avevano occupato fino a un attimo prima.

«Cinquantotto ventuno», dissi, con voce strozzata. Il tassista mi sbirciò, temendo che stessi per avere una crisi o qualcosa del genere.

«Eccoci». Non vedeva l'ora che scendessi, e probabilmente sperava anche che non gli chiedessi il resto.

«Grazie», sussurrai. Ricordai che non c'era bisogno di avere paura. La casa era vuota. Dovevo sbrigarmi: mamma mi aspettava, impaurita, e la sua vita dipendeva da me.

Corsi verso la porta e con un movimento automatico cercai subito la chiave sotto la grondaia. Feci scattare la serratura e aprii. L'interno della casa era buio, vuoto, normale. Mi precipitai al telefono e accesi la luce in cucina. Lì, sulla lavagnetta, c'era un numero di dieci cifre scritto con una grafia minuta e precisa. Mi tremava la mano, non riuscivo a digitare le cifre giuste. Fui costretta a riattaccare e a ricominciare. Mi concentrai sui tasti, uno alla volta. Ci riuscii. Faticavo a tenere la cornetta salda vicino all'orecchio. Squillò una volta sola.

«Ciao, Bella», rispose la voce, affabile. «Che velocità. Complimenti».

«Mia madre sta bene?».

«Benissimo. Non preoccuparti, Bella. Non m'interessa lei. A meno che non ci sia qualcuno ad accompagnarti, ovviamente». Frivolo, ironico.

«Sono sola». Non ero mai stata così sola in vita mia.

«Molto bene. Dunque, sai dov'è la scuola di danza, vicino a casa di tua madre?».

«Sì, ci so arrivare».

«Bene. A presto, allora».

Riattaccai.

Corsi via dalla stanza, via dall'appartamento, e uscii nel caldo asfissiante.

Non c'era tempo di dare un'altra occhiata a casa mia, e non volevo neanche vederla, vuota com'era: un santuario trasformato nel simbolo della paura. L'ultimo a esserci entrato era stato il mio nemico.

Con la coda dell'occhio, mi sembrava di scorgere mia madre all'ombra del grande eucalipto sotto il quale giocavo da bambina. O inginocchiata presso la piccola chiazza di fango ai piedi della cassetta della posta, il cimitero di tutti i fiori che aveva tentato di piantare. I ricordi erano meglio di qualsiasi realtà che avrei mai potuto vedere, quel giorno. Ma ero costretta a lasciarmi tutto alle spalle, dietro l'angolo.

Mi sembrava di correre così piano, come sulla sabbia bagnata, nemmeno il cemento era un punto d'appoggio abbastanza solido. Inciampavo in continuazione, caddi e mi sbucciai le mani sul marciapiede, poi mi tirai su ma solo per cadere di nuovo. Se non altro, raggiunsi l'angolo della strada. Ora mancava soltanto una via: ripresi a correre senza fiato, con il viso coperto di sudore. Il calore del sole mi cuoceva la pelle, e la luce riflessa dal cemento bianco mi accecava. Mi sentivo in pericolo, allo scoperto. Con più forza di quanta avessi mai immaginato, desideravo tornare nella verde e protettiva foresta di Forks... a casa.

Girato l'angolo che incrociava con la Cactus, vidi la scuola di danza, esattamente come la ricordavo. Il parcheggio era vuoto, le persiane sbarrate. Non riuscivo più a correre, neppure a respirare: lo sforzo e la paura mi avevano prosciugata. Solo il pensiero di mia madre mi dava la forza di mettere un piede davanti all'altro.

Mi avvicinai, e notai il cartello appeso alla porta. Era scritto a mano, su una carta rosa acceso: diceva che la scuola era chiusa per le vacanze primaverili. Sfiorai la maniglia, spinsi la porta con cautela. Non era chiusa a chiave. Mi sforzai di controllare il respiro, e l'aprii.

L'atrio era buio e vuoto, raffreddato dal condizionatore che ronzava in un angolo. Contro una parete c'era una fila di sedie di plastica, e il tappeto profumava di shampoo. La stanza di sinistra era buia, la vedevo attraverso la finestrella dell'entrata. Le luci di quella più grossa, a destra, invece erano accese. Ma la finestrella era sbarrata.

Il terrore mi assalì, tanto da farmi sentire letteralmente intrappolata. Non riuscivo nemmeno a camminare.

A quel punto, sentii la voce di mia madre.

«Bella! Bella!». Quello stesso tono isterico e ansioso. Scattai verso la porta, verso il suono della sua voce.

«Bella, mi hai spaventata! Non farlo mai più!», continuò lei, mentre mi facevo strada verso la stanza lunga, dal soffitto alto.

Mi guardai attorno per cercare di capire da dove venisse la voce. La sentii ridere, e mi voltai di scatto.

Eccola, dentro il televisore, intenta ad accarezzarmi i capelli, tranquillizzata. Era il Giorno del Ringraziamento, avevo dodici anni. Eravamo andati a trovare mia nonna in California, l'anno prima che morisse. Un giorno avevamo fatto una gita in spiaggia e mi ero sporta troppo da un molo. Aveva visto i miei piedi muoversi convulsi nel tentativo di restare in equilibrio. Spaventata, aveva urlato: «Bella! Bella!».

Poi lo schermo diventò blu.

Mi voltai lentamente. Lui era in piedi, immobile accanto all'uscita posteriore, perciò non l'avevo notato. Stringeva un telecomando. Incrociammo gli sguardi per un lunghissimo istante, e poi sorrise.

Fece qualche passo per avvicinarsi a me, poi mi oltrepassò, si accostò al videoregistratore e vi posò sopra il telecomando. Mi voltai a guardarlo, con cautela.

«Spiacente, Bella, di tutta questa messa in scena. Tuttavia è molto meglio che in realtà non abbia dovuto coinvolgere tua madre, non credi?». La sua voce era cordiale.

Così, all'improvviso, capii. Mia madre era al sicuro. Era ancora in Florida. Non aveva mai ricevuto il mio messaggio. Non era mai stata terrorizzata dagli occhi rosso scuro su quel volto assurdamente pallido che avevo davanti. Era al sicuro.

«Sì», risposi, piena di sollievo.

«Non sembri in collera con me, anche se ti ho ingannata».

«Non lo sono». L'improvviso cambiamento di umore mi diede coraggio. Cosa importava, ormai? Presto tutto sarebbe finito. Charlie e la mamma erano al riparo, non dovevano più temere nulla. Mi sentivo quasi stordita. La parte razionale del mio cervello mi avvertì che ero pericolosamente vicina a perdere i sensi per il troppo stress.

«Che strano. Dici sul serio». I suoi occhi scuri mi analizzarono, interessati. L'iride era quasi nera, con una leggera sfumatura color rubino sul bordo. Assetato. «Devo ammettere che la tua congrega aveva ragione, voi umani potete essere piuttosto interessanti, a volte. Capisco che osservare un esemplare come te sia piacevole. È incredibile... alcuni di voi sembrano totalmente privi di egoismo».

Stava a qualche spanna da me, a braccia conserte, e mi guardava con curiosità. Non c'era ombra di minaccia nella sua espressione, né nella sua posa. Era davvero anonimo, privo di tratti interessanti, nel viso e nel corpo. Solo la pelle bianca, le occhiaie a cui ormai mi ero abituata. Indossava una maglietta azzurra a maniche lunghe e jeans stinti.

«Immagino che tu stia per dirmi che prima o poi il tuo ragazzo si vendicherà», disse, e probabilmente era ciò che sperava.

«No, non credo. Gli ho chiesto di non farlo».

«E lui cosa ti ha risposto?».

«Non lo so». Era stranamente facile conversare con questo predatore educato. «Gli ho scritto una lettera».

«Che romantica, l'ultima lettera. E pensi che onorerà la tua volontà?». La sua voce si era vagamente indurita, con un velo di sarcasmo a sporcare tanta compostezza.

«Lo spero».

«Mmm, bene. Abbiamo prospettive diverse, vedo. Capirai anche tu che fin qui è stato tutto troppo facile, troppo veloce. A dire la verità, sono piuttosto deluso. Mi aspettavo una sfida molto più difficile. E in fondo mi sarebbe servita soltanto un po' di fortuna».

Restai in silenzio.

«Dopo che Victoria non è riuscita ad arrivare a tuo padre, le ho chiesto di trovare informazioni su di te. Non aveva senso correrti dietro per l'intero pianeta quando potevo aspettarti comodo comodo nel posto che preferivo. Perciò, dopo aver parlato con Victoria, ho deciso di venire a Phoenix a salutare tua madre. Ti avevo sentita dire che saresti tornata a casa. Sulle prime, davo per scontato che stessi mentendo. Ma poi ci ho pensato per bene. Gli umani sono molto prevedibili, amano rifugiarsi nei luoghi che sentono più sicuri e familiari. E non è una manovra perfetta, nascondersi nell'ultimo posto in cui ci si immagina che tu possa nasconderti, proprio dove hai detto che ti saresti rifugiata?

Ovviamente non potevo esserne sicuro, era solo un'intuizione. Di solito sviluppo una specie di sesto senso, chiamiamolo così, per la preda che scelgo. Giunto a casa di tua madre ho ascoltato il messaggio in segreteria, ma certo ignoravo da dove avessi chiamato. Avere il tuo numero poteva essermi utile, ma per quel che ne sapevo potevi anche essere in Antartide, e il mio trucco non avrebbe funzionato, se non fossi stata a portata di mano.

Poi il tuo ragazzo è salito su un aereo per Phoenix. Naturalmente, Victoria li stava tenendo d'occhio per me: in una partita con tanti giocatori, non potevo permettermi di restare solo. Perciò sono stati loro a dirmi che, proprio come speravo, ti eri rifugiata qui. Ero pronto: avevo già guardato tutti i tuoi graziosi filmati casalinghi. A quel punto, si trattava solo di preparare il bluff.

Tutto facilissimo, vedi, molto al di sotto dei miei standard. Per questo spero che ti sbagli, riguardo al tuo ragazzo. Si chiama Edward, no?».

Non risposi. La mia sfacciataggine se n'era andata. Sentivo che il suo gongolare maligno, il quale peraltro non era diretto a me, stava finendo. Non c'era soddisfazione né gloria nella vittoria su una debole umana.

«Ti dispiacerebbe se lasciassi una letterina scritta di mio pugno per il tuo Edward?».

Fece un passo indietro e sfiorò una minuscola videocamera digitale, posata in equilibrio sopra lo stereo. Una spia rossa indicava che stava registrando. La sistemò un poco, allargando l'inquadratura. Io lo fissavo terrorizzata.

«Scusami, ma credo davvero che non sarà capace di resistere, dopo aver visto questa scena, e non potrà che darmi la caccia. E poi non vorrei che si perdesse qualcosa. La mia vera preda è lui, ovviamente. Tu sei soltanto un'umana, che sfortunatamente si è trovata nel posto sbagliato al momento sbagliato e senza dubbio in compagnia delle persone sbagliate, se me lo concedi».

Fece un passo avanti, sorridente. «Prima di cominciare...».

Le sue parole mi avevano preso allo stomaco. Ero nauseata, non mi sarei mai aspettata che fosse quella la verità.

«...gradirei solo dilungarmi un momento per ficcarti bene una cosa in testa. La soluzione per voi era a portata di mano, e temevo proprio che Edward la intuisse e mi rovinasse il divertimento. È successo una volta sola... una vita fa. L'unica occasione in cui una preda mi sia sfuggita.

Vedi, il vampiro che si era stupidamente preso una cotta per la mia piccola vittima prese la decisione che il tuo Edward non ha avuto il coraggio di prendere. Quando il vecchio capì che stavo importunando la sua amichetta, la rapì dal manicomio dove lui lavorava – non capirò *mai* l'ossessione di certi vampiri per voialtri umani – e subito dopo la salvò. La poveretta non diede mostra di sentire nemmeno il dolore. Era rimasta troppo a lungo chiusa in quel buco nero di cella. Cento anni prima l'avrebbero bruciata su un rogo, per colpa delle sue visioni. Invece erano gli anni Venti del ventesimo secolo, perciò le toccarono il manicomio e l'elettroshock. Quando riaprì gli occhi, forte della gioventù riconquistata, era come se non avesse mai visto il sole prima di allora. Il vampiro anziano l'aveva trasformata in una giovane e valente vampira, e a quel punto non avevo più motivo di importunarla». Fece un sospiro. «Per vendicarmi, distrussi il vecchio».

«Alice», dissi stupita, con un filo di voce.

«Sì, la tua amica. È stata una bella sorpresa ritrovarla nel campo dove ci siamo incontrati. Così ho pensato che la sua congrega avrebbe potuto imparare qualcosa da tutto questo.

Io prendo te, loro si tengono lei. L'unica vittima che mi sia mai sfuggita, un bell'onore.

E il suo odore era così delizioso. Rimpiango ancora di non averla assaggiata... Il suo profumo era anche meglio del tuo. Scusa, senza offesa. Tu sai di buono. Di fiori, direi...».

Fece un altro passo verso di me, finché non fu a pochi centimetri di distanza. Prese una ciocca dei miei capelli e l'annusò delicatamente. Poi, con gentilezza, la rimise in ordine, e sentii le sue dita fredde sfiorarmi la gola. Le sollevò e mi passò il pollice sulla guancia, curioso. Non so cos'avrei dato per scappare via, ma ero impietrita. Non riuscii nemmeno a ritrarmi di un millimetro.

«No», mormorò tra sé, lasciando cadere la mano. «Non capisco». Fece un sospiro. «Be', immagino che saremo costretti a farla finita così. Poi chiamerò i tuoi amici e gli dirò dove trovare te e il mio messaggio».

A quel punto iniziai a sentirmi davvero male. Leggevo nei suoi occhi la mia sofferenza imminente. Non si sarebbe accontentato di vincere, nutrirsi e andarsene. La conclusione non sarebbe stata veloce come mi aspettavo. Le mie ginocchia iniziarono a tremare, avevo paura di cadere a terra.

Fece un passo indietro e iniziò a girare in tondo, come se cercasse la prospettiva migliore da cui rimirare una statua in un museo. Stava decidendo da che parte cominciare e la sua espressione era ancora amichevole e serena.

Poi si acquattò, in una postura che conoscevo, e il sorriso si aprì fino a diventare tutt'altro: una tagliola di denti lustri e brillanti.

Non riuscii a trattenermi: provai a correre via. Malgrado fosse inutile e lo sapessi benissimo, malgrado le mie ginocchia fossero già deboli, il panico prese il sopravvento, e scattai verso l'uscita di sicurezza.

In un lampo fu davanti a me. Non mi accorsi se aveva usato la mano o il piede, era stato troppo veloce. Una botta secca mi colpì il petto, caddi all'indietro e sentii lo schianto della mia testa contro gli specchi. Il pannello si spezzò e riempì di schegge e briciole il pavimento attorno a me.

Ero tramortita, non sentivo nemmeno il dolore. Non riuscivo a respirare.

Lui si avvicinò lentamente.

«Bell'effetto», disse, in tono nuovamente cortese, osservando lo scempio del vetro rotto. «Avevo pensato che come scenografia per il mio piccolo film, questa stanza avesse un effetto visivo sensazionale. Perciò l'ho scelta. Perfetta, vero?».

Lo ignorai, mentre cercavo di strisciare verso l'altra porta, spingendomi con le braccia e le gambe.

In un istante fu sopra di me, mi schiacciò una gamba con un colpo secco del suo piede pesante. Sentii lo scrocchio insopportabile prima ancora che arrivasse il dolore, ma dopo un istante arrivò *tutto*, e mi lasciai scappare un urlo agonizzante. Mi allungai verso la gamba, ma lui era in piedi sopra di me e sorrideva.

«Gradiresti ritrattare le tue ultime volontà?», chiese, garbato. Con la punta del piede stuzzicava la mia gamba rotta, e sentii uno strillo acuto. Con sorpresa, mi accorsi che veniva da me.

«Non preferiresti ora che Edward mi trovasse?».

«No!», urlai, con il poco di voce che mi restava. «No, Edward, non...», e poi qualcosa si fracassò sulla mia faccia e mi rispedì sopra la specchiera rotta.

A sovrapporsi al dolore che saliva dalla gamba, sentii bruciare sul cranio il taglio netto provocato dai vetri. E qualcosa di liquido e caldo che si diffondeva tra i miei capelli a velocità allarmante. Inzuppava la manica della mia maglietta e gocciolava sul parquet. L'odore mi dava la nausea.

Tra la nausea e lo stordimento, vidi qualcosa che mi diede un'improvvisa e ultima speranza. I suoi occhi, che fino a poco prima si erano limitati a squadrarmi, ora bruciavano di un bisogno incontrollabile. Il sangue – che copriva sempre più di un rosso cremisi la mia maglietta bianca e allagava rapido il pavimento – lo stava facendo impazzire di sete. Quali che fossero le sue intenzioni originali, non sarebbe stato capace di trattenersi.

Fa' che si sbrighi, era il mio unico pensiero mentre il sangue colava e goccia dopo goccia mi faceva perdere i sensi. Non riuscivo a tenere gli occhi aperti.

Udii, come se fossi sommersa, il ruggito finale del cacciatore. Attraverso le lunghe gallerie che sentivo al posto degli occhi, vidi la sua sagoma scura avanzare verso di me. Il mio ultimo gesto istintivo fu quello di coprirmi il volto. Chiusi gli occhi e mi lasciai andare.

23

L'angelo

Andavo alla deriva, e sognavo.

Mentre affondavo nell'acqua scura, sentii il suono più piacevole che la mia mente potesse ricostruire: bellissimo, rincuorante e altrettanto pauroso. Era un altro ringhio, anzi un ruggito, più profondo e selvaggio, pieno di furia.

Un dolore acuto squarciò la mia mano alzata davanti al volto e mi riportò quasi in superficie, ma non riuscivo a trovare la strada giusta per riaffiorare, per aprire gli occhi.

A quel punto capii di essere morta.

Perché, dal profondo, sotto quell'acqua di piombo, sentii la voce di un angelo che mi chiamava per nome, guidandomi verso l'unico paradiso che desideravo.

«Oh no, Bella, no!», gridava la voce dell'angelo, spaventato.

Oltre a quel suono tanto amato, sentivo un altro rumore, un tumulto tremendo da cui la mia mente cercava di fuggire. Un ringhiare cupo e malefico, uno schianto terrificante, e un lamento acutissimo che si troncò all'improvviso...

Cercai di concentrarmi sulla voce dell'angelo.

«Bella, ti prego! Bella, ascoltami, ti prego. Ti prego, Bella, ti prego!».

Avrei voluto rispondere con un sì. O in qualsiasi altro modo. Ma non riuscivo a trovare le labbra.

«Carlisle!», esclamò l'angelo, la sua voce perfetta agonizzava. «Bella, Bella, no! Oh ti prego, no, no!». E l'angelo iniziò a gemere, senza versare una lacrima.

Non era giusto, l'angelo non doveva piangere. Volevo trovarlo, dirgli che andava tutto bene, ma l'acqua era troppo profonda, e mi schiacciava, non riuscivo a respirare.

Sentii qualcosa premermi al di sopra della fronte. Faceva male. Poi, dopo quel dolore, nell'oscurità che mi attorniava ne sentii altri, più intensi. Gridai qualcosa, affannandomi nel tentativo di uscire dalla pozza scura.

«Bella!», urlò l'angelo.

«Ha perso sangue, ma la ferita alla testa non è profonda», mi informò una voce tranquilla. «Attento alla gamba, è rotta».

Un urlo di rabbia si strozzò nella bocca dell'angelo.

Sentii una fitta acuta al fianco. Questo non era il paradiso, certo che no. C'era troppo dolore.

«Anche qualche costola, credo», aggiunse la voce, metodica.

Ma le fitte erano sempre più deboli. Sentivo un dolore nuovo, che mi ustionava la mano e copriva tutto il resto.

Qualcuno mi stava bruciando.

«Edward», cercai di dire, ma la mia voce usciva lenta e pesante. Non riuscivo nemmeno io a sentirmi.

«Bella, andrà tutto bene. Mi senti, Bella? Ti amo».

«Edward». Ci riprovai, la mia voce migliorava.

«Sì, sono qui».

«Fa male».

«Lo so, Bella, lo so». Poi disse a qualcuno, allontanandosi da me: «Non puoi farci niente?».

«La valigetta, per favore... Trattieni il respiro, Alice, sarà meglio», le consigliò Carlisle.

«Alice?», farfugliai.

«È qui, sapeva dove ti avremmo trovata».

«Mi fa male la mano», cercai di dire.

«Lo so, Bella. Carlisle ti darà qualcosa per calmare il dolore», mi rassicurò Edward.

«La mano sta andando a fuoco!», urlai, sbattendo gli occhi e uscendo finalmente dall'oscurità. Ma non riuscivo a vederlo in faccia, perché qualcosa di caldo e umido mi annebbiava la vista. Perché non si accorgevano del fuoco, perché non lo spegnevano?

Lui sembrava spaventato: «Bella?».

«Il fuoco! Qualcuno spenga il fuoco!», gridavo, e intanto mi sentivo bruciare.

«Carlisle! La mano!».

«L'ha morsa». Carlisle non era più calmo, era sbigottito.

Edward aveva smesso di respirare, terrorizzato.

«Edward, devi farlo». Era la voce di Alice, vicina alla mia testa. Sentivo dita fredde sfregare i miei occhi umidi.

«No!».

«Alice», provai, la voce impastata.

«Potrebbe esserci ancora una possibilità», disse Carlisle.

«Quale?», lo implorò Edward.

«Prova a succhiarle il veleno. Il taglio è piuttosto pulito». Mentre Carlisle parlava, sentivo qualcosa premermi contro la testa, qualcosa che mi tastava la ferita sopra la fronte. Quel dolore si perdeva dentro il dolore per il fuoco ardente.

«Funzionerà?», chiese Alice nervosamente.

«Non lo so», disse Carlisle. «Ma dobbiamo sbrigarci».

«Carlisle, io... non so se ce la faccio». Nella bellissima voce di Edward si sentiva di nuovo l'agonia.

«La decisione spetta a te. Non posso aiutarti. Se tu succhierai il sangue dalla mano, io dovrò fare in modo che smetta di sanguinare qui, dalla testa».

Mi dibattevo nella morsa di quella tortura infuocata, ma il movimento non faceva che amplificare il dolore alla gamba.

«Edward!», gridai. Avevo chiuso di nuovo gli occhi senza accorgermene. Li riaprii, provavo il bisogno disperato di rivedere il suo volto. E lo trovai. Finalmente avevo di fronte il suo viso perfetto che mi fissava, una maschera di indecisione e dolore.

«Alice, portami qualcosa per tenerle la gamba ferma!». Carlisle era piegato su di me, alle prese con la ferita sulla testa. «Edward, devi farlo subito, o sarà troppo tardi».

L'espressione di Edward era contratta. Vidi il dubbio nei

suoi occhi improvvisamente scalzato da una bruciante determinazione. Strinse i denti. Sentii le sue dita fredde e forti immobilizzare la mano che mi bruciava. Poi si chinò, e avvicinò le labbra fredde alla mia pelle.

All'inizio, sembrava che il dolore peggiorasse. Urlai e mi dibattei cercando di liberarmi dalla sua stretta fredda. Sentii la voce di Alice che tentava di calmarmi. Qualcosa di pesante mi bloccava la gamba sul pavimento, e Carlisle mi costringeva la testa nella presa delle sue braccia di pietra.

Poi, lentamente, iniziai a dimenarmi meno, mentre la mano si intorpidiva. Il fuoco si stava spegnendo, si concentrava su un punto sempre più piccolo. Mano a mano che il dolore diminuiva, sentivo svanire i miei sensi. Temevo di ricadere nell'oceano buio, di perdere ancora Edward nell'oscurità.

«Edward». Cercavo di parlare, ma non sentivo la mia voce. Loro, per fortuna, sì.

«È qui, Bella».

«Resta, Edward, resta con me...».

«Sì, resto». La sua voce era esausta, ma trionfante.

Sospirai, tranquillizzata. Il fuoco si era spento, il resto dei dolori annebbiato da un torpore che andava avvolgendo il mio corpo.

«È uscito tutto?», chiese Carlisle, lontanissimo.

«Il sangue mi sembra pulito», rispose Edward. «Sentivo il sapore della morfina».

«Bella?», disse Carlisle.

Cercai di rispondere: «Mmm».

«Il fuoco è spento?».

«Sì», sussurrai. «Grazie, Edward».

«Ti amo», mi rispose lui.

«Lo so», dissi afona, senza forze.

Sentii il mio suono preferito: quello della risata a mezza voce di Edward, stanco e rincuorato.

«Bella?», chiamò di nuovo Carlisle.

«Cosa c'è?». Ancora. Volevo solo dormire.

«Dov'è tua madre?».

«In Florida», mormorai. «Mi ha imbrogliata, Edward. Ha

guardato le nostre cassette». La rabbia nella mia voce sembrava fragile, inconsistente.

Ma ciò mi riportò alla memoria qualcosa.

«Alice», cercai di riaprire gli occhi, «Alice, il video... Ti conosceva, Alice, sapeva da dove vieni». Avrei voluto dirle tutto in fretta, ma la mia voce era troppo debole. «Sento puzza di benzina», aggiunsi, sorpresa: la mia mente era così annebbiata.

«Possiamo portarla via», disse Carlisle.

«No, voglio dormire», mi lamentai.

«Puoi dormire, cara, ti porto io», disse Edward per tranquillizzarmi.

Ed eccomi già accoccolata sul suo petto, tra le sue braccia. Fluttuavo, e non sentivo più il dolore.

«Adesso dormi, Bella», furono le ultime parole che udii.

Impasse

Aprii gli occhi e vidi una luce bianca, abbagliante. Ero in una stanza che non conoscevo, bianca anch'essa. La parete al mio fianco era occupata da lunghe veneziane a stecche, il neon accecante era sopra la mia testa. Mi avevano sistemata su un letto duro e irregolare: un letto con le sbarre. I cuscini erano piatti e bitorzoluti. Da qualche parte, accanto a me, sentivo un fastidioso e continuo *bip*. Speravo che ciò significasse che ero ancora viva. La morte non poteva essere così scomoda.

Le mie mani erano coperte di tubicini trasparenti, e sentivo qualcosa appiccicato sotto il naso. Cercai di strapparlo.

«Ferma lì». Una mano fredda mi bloccò.

«Edward?». Mi voltai un poco e vidi il suo volto squisito a pochi centimetri dal mio, il mento appoggiato al cuscino. Mi resi conto di essere davvero viva, e stavolta ero felice e grata. «Oh, Edward, mi dispiace tanto!».

«Sssh... adesso è tutto a posto».

«Cos'è successo?». Ricordavo poco, e la mia mente si rifiutava di ricostruire l'accaduto.

«Era quasi troppo tardi. Stavo per arrivare troppo tardi», sussurrò, con voce tormentata.

«Sono stata una stupida, Edward. Pensavo avesse preso mia madre».

«Ci ha imbrogliati tutti».

«Devo chiamare Charlie e la mamma», la consapevolezza si fece strada attraverso la nebbia.

«Li ha chiamati Alice. Renée è qui... be', è in ospedale. È andata proprio ora a mangiare qualcosa».

«Qui?». Cercai di sedermi, ma la testa iniziò a girarmi più veloce, e le mani di Edward mi riaccompagnarono sul cuscino.

«Tornerà presto, stai tranquilla. Non muoverti».

«Ma cosa le avete detto?», chiesi, nel panico. Non mi interessava essere consolata. Mia madre era lì e io mi stavo riprendendo dall'assalto di un vampiro. «Che cosa le avete raccontato?».

«Che sei caduta da due rampe di scale e hai sfondato una finestra. Devi ammettere che ne saresti capace».

Feci un sospiro, e sentii il dolore. Osservai il mio corpo sotto le coperte, il fardello che avevo al posto della gamba.

«Quanto male mi sono fatta?».

«Hai una gamba rotta, quattro costole incrinate, un trauma cranico, ferite superficiali e contusioni dappertutto, e hai perso molto sangue. Ti hanno fatto qualche trasfusione. Non ho gradito, per un po' hanno alterato il tuo odore».

«Dev'essere stato un bel fuori programma, per te».

«No, il *tuo* odore mi piace».

«Come hai fatto?», chiesi a mezza voce. Capì subito a cosa mi riferivo.

«Non lo so nemmeno io». Distolse lo sguardo, prese la mia mano fasciata dal letto e la strinse con dolcezza per non staccare uno dei fili che mi collegavano ai monitor.

Attesi con pazienza la spiegazione.

Sospirò, senza tornare ai miei occhi. «Era impossibile... trattenersi», mormorò. «Impossibile. Ma ce l'ho fatta». Finalmente alzò lo sguardo, accennando un sorriso: «È *evidente* che ti amo».

«Il sapore non è buono come il profumo?», risposi, sorridendo. Sentii male al viso.

«È anche meglio, meglio di quanto immaginassi».

«Scusa», mi pentii subito della battuta.

Alzò gli occhi al soffitto: «Come se di questo dovessi scusarti».

«E per cosa dovrei scusarmi?».

«Per avere rischiato di sparire dalla mia vita per sempre».
«Scusa», ripetei.
«So perché l'hai fatto», cercò di confortarmi. «È stata comunque una decisione irrazionale, va da sé. Avresti dovuto aspettarmi, avresti dovuto dirmelo».
«Non mi avresti lasciata andare».
«In effetti no», si rabbuiò, «non ti avrei lasciata».
Certi ricordi molto sgradevoli iniziavano a riaffiorare. Tremai, poi ebbi un sussulto.
Edward scattò all'istante, inquieto: «C'è qualcosa che non va?».
«Che fine ha fatto James?».
«Dopo che te l'ho tolto di dosso, se ne sono occupati Emmett e Jasper». Nella sua voce si leggeva una decisa nota di rimpianto.
Non capivo. «Ma non ho visto né Emmett né Jasper, lì».
«Sono stati costretti a uscire dalla stanza... troppo sangue».
«Ma tu sei rimasto».
«Sì».
«E Alice, e Carlisle...», aggiunsi, meravigliata.
«Ricorda che anche loro ti vogliono bene».
Una sequenza di immagini del mio ultimo incontro con Alice mi ricordò una cosa. «Alice ha visto il nastro?», chiesi, agitata.
«Sì». Una sfumatura di odio puro era sopraggiunta a incupire la sua voce.
«Era rimasta confinata sempre al buio, perciò non ricorda nulla».
«Lo so. Ora ha capito». Manteneva la voce composta, ma il viso era fosco, furioso.
Cercai di accarezzarlo con la mano libera, ma qualcosa mi bloccò. Abbassai lo sguardo e vidi l'ago della flebo.
«Ugh...».
«Cosa c'è?», chiese, di nuovo in ansia. L'avevo distratto, ma non abbastanza. L'ombra non aveva abbandonato del tutto il suo sguardo.
«Aghi», risposi, distogliendo lo sguardo da quello infilato sul dorso della mia mano. Mi concentrai su una piastrella della

parete che mancava e cercai di respirare a fondo malgrado il male alle costole.

«Ha paura di un ago», mormorò fra sé, scuotendo il capo. «Finché si tratta di un vampiro sadico intenzionato a torturarla, nessun problema, scappa a conoscerlo. Una flebo, invece...».

Alzai gli occhi al cielo. Era l'unica reazione che potessi concedermi senza sentire male. Decisi di cambiare discorso.

«E *tu*, cosa ci faresti, qui?».

Mi fissò, prima confuso, poi imbarazzato. Aggrottò le sopracciglia. «Vuoi che me ne vada?».

«No!», protestai, terrorizzata al solo pensiero. «No... volevo dire, come hai giustificato a mia madre la tua presenza? Devo preparare un alibi prima che torni».

«Ah», tirò un sospiro e rilassò la fronte, che tornò liscia come il marmo. «Sono venuto a Phoenix per farti ragionare e convincerti a tornare a Forks». I suoi occhioni erano talmente candidi e sinceri che riuscì quasi a darla a bere anche a me. «Tu hai accettato di incontrarmi, sei uscita per raggiungere l'albergo in cui alloggiavo assieme a Carlisle e Alice, ovviamente sono venuto qui con il permesso e la guida dei miei genitori...», disse per sottolineare la sua virtù irreprensibile. «Ma salendo le scale per raggiungere la mia camera hai messo un piede in fallo, e... be', il resto lo sai. Non c'è bisogno che ricordi altri dettagli: hai un'ottima scusa per essere un po' confusa sui particolari».

Ci pensai per qualche istante. «Ma c'è qualcosa che non torna. Per esempio, nessuna finestra rotta».

«Non proprio», rispose. «Alice si è lasciata un po' prendere la mano, mentre fabbricava le prove. Ci siamo occupati di tutto con molto scrupolo; se volessi, potresti addirittura denunciare l'albergo. Non devi preoccuparti di nulla». Mi sfiorò la guancia con la più leggera delle carezze. «Devi badare soltanto a guarire, ora».

Non ero così annebbiata dal dolore e dai tranquillanti da non reagire al suo tocco. Il *bip* del monitor accelerò frenetico: adesso anch'io potevo sentire le bizze del mio cuore.

«Sarà davvero imbarazzante», mormorai tra me e me.

Lui soffocò una risata e mi rivolse uno sguardo pensieroso. «Mmm, chissà se...».

Si chinò lentamente; le pulsazioni iniziarono a divenire più veloci ancor prima che mi sfiorasse le labbra. Ma quando le sue premettero sulle mie, con il massimo della dolcezza, il *bip* si arrestò del tutto.

Si allontanò di scatto, e l'ansia sparì dal suo viso soltanto quando il monitor accertò che il mio cuore aveva ripreso a battere.

«A quanto pare dovrò prestare molta più attenzione del solito», si lamentò.

«Io non avevo finito di baciarti», protestai. «Non costringermi ad alzarmi».

Sorrise, e si chinò di nuovo leggero sulle mie labbra. Il monitor impazzì.

Poi si irrigidì e si staccò da me.

«Credo di aver sentito tua madre», disse, con un nuovo sorriso.

«Non andartene», strillai, colta da un'ondata di panico irrazionale. Non volevo che si allontanasse, non volevo che sparisse di nuovo.

In un istante si accorse del terrore nei miei occhi. «Non me ne andrò», promise, serio, poi ammiccò: «Farò un sonnellino».

Dalla seggiola di plastica dura accanto al letto, si spostò sulla poltroncina reclinabile di finta pelle che stava ai miei piedi, abbassò lo schienale e chiuse gli occhi. Era perfettamente immobile.

«Non dimenticarti di respirare», bisbigliai, sarcastica. Lui fece un respiro profondo, a occhi chiusi.

Riuscivo anch'io a sentire mia madre. Stava parlando con qualcuno, forse un'infermiera, e sembrava stanca e fuori di sé. Avrei voluto saltare giù dal letto e correre da lei per calmarla e giurarle che andava tutto bene. Ma non ero in condizione di muovermi, perciò attesi, impaziente.

La porta si aprì appena e lei sbirciò nella stanza.

«Mamma!», sussurrai, con voce piena d'amore e sollievo.

Vide la sagoma immobile di Edward sulla poltrona e si avvicinò al mio letto in punta di piedi.

«Non se ne va mai, eh?», mormorò tra sé.

«Mamma, che bello vederti!».

Si chinò ad abbracciarmi delicatamente, e sentii il calore delle lacrime sulle mie guance.

«Bella, ero così agitata!».

«Mi dispiace, mamma. Adesso è tutto a posto, tutto okay».

«Sono contenta di vedere che apri gli occhi, finalmente». Si sedette sul bordo del letto.

All'improvviso mi resi conto di aver perso la cognizione del tempo. Non avevo idea di *quando* fosse successo tutto. «Quanto a lungo sono rimasti chiusi?».

«È venerdì, cara, non sei stata in te per un bel po'».

«Venerdì?». Ero sbalordita. Cercai di ricordare in che giorno... ma non volevo pensarci.

«Hanno dovuto riempirti di sedativi, piccola... eri piena di ferite».

«Lo so». Le sentivo ancora.

«Per fortuna il dottor Cullen era lì. È davvero un brav'uomo... anche se è molto giovane, certo. E somiglia più a un modello che a un medico...».

«Hai conosciuto Carlisle?».

«E Alice, la sorella di Edward. Che cara ragazza».

«Lo è davvero», risposi, con tutta sincerità.

Diede un'occhiata a Edward sprofondato nella poltroncina, sempre con gli occhi chiusi. «Non mi avevi detto di avere amici così cari, a Forks».

Cercai di muovermi e lanciai un gemito.

«Cosa ti fa male?», chiese lei ansiosa, voltandosi di nuovo verso di me. Sentii lo sguardo di Edward sul viso.

«Tutto bene. Devo solo ricordarmi di restare immobile». Edward tornò al suo falso sonnellino.

Sfruttai la distrazione momentanea di mia madre per tenere il discorso lontano dal mio comportamento tutt'altro che limpido: «Dov'è Phil?».

«In Florida. Ah, Bella, non indovinerai mai! Proprio quando stavamo per andarcene è arrivata la buona notizia!».

«Ha firmato un contratto?».

«Sì, come hai fatto a indovinare? Con i Suns, ci credi?».

«Grande», risposi con tutto l'entusiasmo che potevo, malgrado non avessi la minima idea di cosa ciò significasse.

«E vedrai che Jacksonville ti piacerà», aggiunse, mentre la seguivo con sguardo vacuo. «Mi ero preoccupata un po', quando Phil aveva iniziato a parlare di Akron, con la neve e tutto il resto, perché sai quanto odio il freddo... ma Jacksonville! C'è sempre il sole, e l'umidità, in fondo, non è così tremenda. Abbiamo trovato una casetta bellissima, gialla con le finiture bianche, una veranda come quelle dei vecchi film, una quercia enorme, e poi è a pochissimi minuti dal mare, e in più avrai un bagno tutto per te...».

«Aspetta, mamma!». Edward teneva gli occhi chiusi, ma era troppo teso per sembrare addormentato. «Cosa stai dicendo? Non verrò in Florida. Io vivo a Forks».

«Ma non c'è più motivo, sciocca», disse ridendo. «Phil sarà molto più presente, d'ora in poi. Ne abbiamo parlato molto e abbiamo deciso che nelle trasferte faremo un compromesso: passerò metà del tempo con te e metà con lui».

«Mamma». Ero incerta su quale fosse il modo più diplomatico per parlarle. «Io *voglio* vivere a Forks. A scuola mi sono ambientata, ho un paio di amiche...», la parola "amiche" la fece immediatamente voltare verso Edward, perciò provai a cambiare direzione, «...e Charlie ha bisogno di me. È tutto solo, lassù, e non sa neanche cucinare».

«Vuoi restare a Forks?», chiese, sbigottita. L'idea, per lei, era inconcepibile. Poi i suoi occhi scivolarono di nuovo su Edward: «Perché?».

«Te l'ho detto... la scuola, Charlie. Ahi!». Mi ero stretta nelle spalle. Cattiva idea.

Si affannò in cerca di una zona del mio corpo che potesse sfiorare senza farmi male. Si accontentò della fronte, lì non c'erano bende né cerotti.

«Bella, piccola mia, tu odi Forks», provò a rammentarmi.

«Non è così male».

Scura in viso, stavolta guardò apertamente prima me, poi Edward.

«È per lui?», sussurrò.

Ero pronta a dirle una bugia, ma da come mi osservava capivo che non sarei riuscita a dissimulare.

«C'entra anche lui». Inutile raccontarle quanto. «Sei riuscita a parlarci un po'?».

«Sì». Restò in silenzio ad ammirare la sua sagoma perfettamente immobile. «E vorrei discuterne con te».

Accidenti. «Di cosa?».

«Penso che quel ragazzo sia innamorato di te», dichiarò, badando a tenere la voce bassa.

«Lo penso anch'io».

«E tu, cosa provi per lui?». Nascondeva piuttosto male la curiosità che l'attanagliava.

Sospirai e abbassai lo sguardo. Per quanto volessi bene a mia madre, non era questo il tipo di conversazione che desideravo sostenere con lei. «Direi che sono pazza di lui». Ecco... l'adolescente tipo che descrive il suo primo amore.

«Be', *sembra* un bravo ragazzo, e santo cielo, è incredibilmente bello. Ma sei così giovane, Bella...». La sua voce era insicura: a memoria mia, era la prima occasione, da quando avevo otto anni, in cui si esprimeva con un tono che potesse suonare autorevole, quasi degno di un genitore. Riconobbi l'atteggiamento ragionevole-ma-deciso che aveva quando si parlava di uomini.

«Lo so, mamma. Non preoccuparti. È soltanto una cotta», la blandii.

«Va bene». Si accontentava di poco.

Poi sospirò e lanciò uno sguardo colpevole alle sue spalle, verso il grosso orologio da muro.

«Devi andare?».

«Phil dovrebbe chiamare tra poco... Non sapevo che ti saresti svegliata...».

«Non c'è problema, mamma». Cercai di non farle sentire il sollievo nella mia voce per evitare di ferirla. «Non sarò sola».

«Torno presto. Ho dormito qui, sai», annunciò, fiera di sé.

«Oh, mamma, lascia perdere! Puoi dormire a casa, non me ne accorgerei neppure». I tranquillanti in circolo rendevano ancora difficile al mio cervello mantenere la concentrazione, malgrado avessi dormito per giorni interi, a quanto pareva.

«Ero troppo nervosa», ammise allora a capo chino. «Sono successe brutte cose nel quartiere e non sto tranquilla a casa da sola».

«Brutte cose?».

«Qualcuno ha fatto irruzione nella scuola di danza dietro casa nostra e l'ha incendiata: non è rimasto niente! E di fronte hanno lasciato un'auto rubata. Ti ricordi quando andavi a lezione lì, tesoro?».

«Ricordo». Sentii un brivido e trasalii.

«Se c'è bisogno di me, posso restare».

«No, mamma. Andrà tutto bene. Edward starà qui con me».

Pareva questa la ragione per cui anche lei desiderava rimanere. «Torno stasera», scandì lanciando l'ennesima occhiata a Edward. Sembrava più un avvertimento che una promessa.

«Ti voglio bene, mamma».

«Anch'io, Bella. Cerca però di stare più attenta a dove metti i piedi, non voglio perderti».

Gli occhi di Edward erano chiusi, ma sulle sue labbra passò un ampio sorriso.

Poi apparve un'infermiera, pronta a controllare i tubi e i fili. Mia madre mi baciò sulla fronte, mi sfiorò la mano bendata e se ne andò.

L'infermiera controllava il tabulato del cardiogramma.

«Sei un po' agitata, piccola? Qui vedo un bell'aumento di intensità».

«No, tutto bene».

«Dirò alla caporeparto che ti sei svegliata. Tra un minuto verrà a controllarti».

Non aveva neanche chiuso la porta che Edward era già al mio fianco.

«Hai rubato un'auto?», indagai, alzando un sopracciglio.

Sogghignò, sfacciato. «Era una bella macchina, molto veloce».

«Dormicchiato bene?».

«Sì. È stato interessante». Strinse gli occhi.

«Che cosa?».

Abbassò lo sguardo. «Sono sorpreso. Pensavo che la Florida... e tua madre... be', pensavo fosse ciò che volevi».

Lo fissavo senza capirlo. «Ma a te toccherebbe restare chiuso in casa tutto il giorno. Potresti uscire soltanto di notte, come un vero vampiro».

Quasi sorrise, ma si trattenne. Poi tornò serio: «Sarei rimasto a Forks, Bella. O in un posto del genere. Ovunque, pur di non farti più soffrire».

Non capii subito. Stavo a guardarlo, inespressiva, mentre il mio cervello incasellava le sue parole, una dopo l'altra, come tessere di un inquietante puzzle. Mi accorgevo appena del *bip* del mio cuore che accelerava. Il dolore alle costole, invece, lo sentii bene, perché ero andata in iperventilazione.

Lui non disse nulla. Mi osservava guardingo, mentre un dolore molto più intenso, che non c'entrava nulla con le ossa rotte, minacciava di distruggermi.

Poi arrivò spedita un'altra infermiera. Edward rimase pietrificato, mentre lei mi osservava con occhio esperto e passava a controllare i monitor.

«Prendiamo un po' di tranquillanti, piccola?», chiese gentile, picchiettando sul flacone della flebo.

«No, no», mormorai, cercando di cacciare via la sofferenza dalla voce. «Sto bene così». Non potevo permettermi di chiudere gli occhi proprio in quel momento.

«Non è il caso di essere coraggiosi, cara. È meglio che non ti stressi troppo: hai bisogno di riposo». Restò in attesa, ma io ribadii di no con un cenno.

«D'accordo», sospirò. «Suona il campanello quando ti senti pronta».

Lanciò un'occhiataccia a Edward e osservò per un'ultima volta i monitor con un filo d'apprensione, prima di andarsene.

Lui mi pose le sue mani fredde sul viso, io lo guardavo piena di agitazione.

«Sssh, Bella... calmati».

«Non lasciarmi», lo implorai, senza voce.

«No, te lo prometto. Adesso rilassati, così chiamo l'infermiera con i tranquillanti».

Ma il mio cuore non rallentava.
«Bella», mi accarezzò le guance, nervoso, «non andrò da nessuna parte. Sarò al tuo fianco ogni volta che avrai bisogno di me».
«Giura che non mi lascerai», bisbigliai. Cercavo almeno di controllare l'affanno. Sentivo le costole pulsare.
Avvicinò il mio viso al suo, tenendolo tra le mani. Il suo sguardo era aperto e serio. «Lo giuro».
Il profumo del suo respiro mi tranquillizzò. Riusciva a placare il dolore che sentivo respirando. Edward sostenne il mio sguardo fino a quando il mio corpo non iniziò a rilassarsi, lentamente, e il ritmo del cuore tornò normale. Aveva gli occhi scuri, più neri che dorati.
«Va meglio?», chiese.
«Credo di sì».
Scosse il capo e mormorò qualcosa. Mi sembrava di aver colto le parole "reazione esagerata".
«Perché hai detto una cosa del genere, prima?», sussurrai, cercando di mantenere salda la voce. «Sei stanco di dovermi salvare in continuazione? Vuoi davvero che me ne vada?».
«No, non voglio stare senza te, Bella, certo che no. Sii razionale. Neanche doverti salvare è un problema. Ma il fatto è che sono io stesso a metterti in pericolo... in fondo è colpa mia se sei qui».
«Sì, se non fosse stato per te non sarei qui... viva».
«A malapena». La sua voce era un sussurro. «Coperta di bende e cerotti, nemmeno in grado di muoverti».
«Non parlo dell'ultima volta in cui ho rischiato di morire», sbottai, irritata. «Ce ne sono altre, scegline una. Se non ci fossi stato tu, sarei finita a marcire nel cimitero di Forks».
Le mie parole lo fecero sussultare, ma lo sguardo tormentato non se ne andava dai suoi occhi.
«Non è questa la parte peggiore, comunque», proseguì. Era come se non avessi parlato. «Non è stato averti vista là, sul pavimento... sottomessa e picchiata». La sua voce era soffocata. «Non è stato temere che fossi arrivato davvero troppo tardi. Nemmeno sentirti urlare di dolore... o tutti quei ricordi insopportabili che porterò con me per l'eternità. No, la parte peg-

giore è stata sentire... sapere che non sarei riuscito a fermarmi. Essere convinto che sarei stato io a ucciderti».

«Ma non l'hai fatto».

«Avrei potuto. Senza sforzo».

Dovevo mantenere la calma... ma stava cercando di convincersi a lasciarmi, e il panico che mi aveva riempito i polmoni voleva uscire.

«Prometti», mormorai.

«Cosa?».

«Lo sai, cosa». A quel punto stavo per arrabbiarmi. Era testardamente determinato a battere sul tasto del pessimismo.

Sentì cambiare il mio tono di voce. Mi guardò torvo. «A quanto pare non sono abbastanza forte da poterti stare lontano, perciò immagino che alla fine farai a modo tuo... anche a costo di farti uccidere». Aggiunse quelle ultime parole in tono sgarbato.

«Bene». Non aveva promesso però, e la cosa non mi era sfuggita. Trattenevo a stento il panico; non mi era rimasto un briciolo di forza per controllare la rabbia. «Hai detto che ti sei fermato... adesso voglio sapere perché».

«Perché?».

«Perché l'hai fatto. Perché non hai lasciato che il veleno entrasse in circolo? A quest'ora sarei uguale a te».

I suoi occhi diventarono neri e opachi, e ricordai che lui non aveva mai voluto che scoprissi certi particolari. Alice, probabilmente, era occupata a mettere ordine in ciò che aveva scoperto della propria vita... oppure aveva trattenuto i pensieri in presenza di Edward. In ogni modo, era chiaro: lui non sospettava affatto che la sorella mi avesse spiegato la meccanica delle trasformazioni vampiresche. Era sorpreso e infuriato. Dilatò le narici, la sua bocca sembrava incisa nella pietra.

Non intendeva degnarmi di una risposta, era evidente.

«Sono la prima ad ammettere di non essere esperta di relazioni», dissi io, «ma mi sembra quantomeno logico... tra un uomo e una donna deve esserci una certa parità... per esempio, non può toccare sempre a uno solo dei due salvare l'altro. Devono potersi salvare a vicenda».

Seduto sul bordo del letto, incrociò le braccia e ci affondò il mento. Sembrava più tranquillo, tratteneva la sua furia. Evidentemente aveva deciso di arrabbiarsi con qualcun altro. Speravo di poter avvertire Alice prima che la incrociasse.

«Ma tu *mi hai* salvato», disse piano.

«Non posso essere sempre Lois Lane. Voglio essere anche Superman».

«Non sai cosa mi stai chiedendo». Parlava in tono pacato. Fissava il bordo della federa.

«Invece credo di sì».

«Bella, non te ne rendi conto. Ci penso da quasi novant'anni e non mi sono ancora fatto un'idea».

«Vorresti che Carlisle non ti avesse salvato?».

«No, non è così». S'interruppe qualche istante. «Ma la mia vita era giunta al termine. Non stavo rinunciando a niente».

«La mia vita sei tu. Soffrirei davvero soltanto se perdessi te». Stavo migliorando. Era facile ammettere a che punto avessi bisogno di lui.

Ma Edward restava calmo. Deciso.

«Non posso farlo, Bella, e non lo farò».

«Perché no?». Avevo la gola secca, le parole non uscivano chiare come desideravo. «E non dirmi che è troppo difficile! Dopo oggi, o qualche giorno fa, quando è stato... be', dopo tutto questo, dovrebbe essere una passeggiata!».

Mi squadrò.

«E il dolore?», chiese.

Sbiancai. Non potei impedirmelo. Ma cercai di non far trapelare quanto bene ricordassi quella sensazione... il fuoco nelle vene.

«È un problema mio. Posso cavarmela».

«A volte capita di trascinare il coraggio fino al punto in cui diventa pazzia».

«Poco importa. Tre giorni. Cosa vuoi che siano».

Edward reagì con una smorfia alle mie parole: dimostravo di essere più informata di quanto lui avrebbe desiderato. Lo vidi reprimere la rabbia e tornare a riflettere.

«E Charlie?», chiese all'improvviso. «Renée?».

Restai in silenzio, cercavo disperatamente una risposta, e i minuti passavano. Aprii la bocca, senza emettere suono. La richiusi. Lui aspettava, con espressione trionfante, perché sapeva che non avevo una risposta degna di questo nome.

«Senti, nemmeno quello è un problema», bofonchiai infine; il mio tono di voce era poco convincente, come ogni volta che mentivo. «Renée ha sempre scelto ciò che le sembrava più giusto; non si opporrebbe se mi comportassi nello stesso modo. E Charlie si riprenderebbe, è flessibile, e si era abituato a stare da solo. Non posso badare a loro per sempre. Io voglio vivere la mia vita».

«Appunto. E non sarò io a farla terminare».

«Se aspettavi che fossi sul letto di morte, sappi che ci sono stata eccome!».

«Sì, però ti rimetterai».

Respirai a fondo per tranquillizzarmi, senza badare alla fitta nelle costole. Lo fissai, e lui mi restituì lo sguardo. La sua espressione non ammetteva compromessi.

«Invece no», risposi, piano.

Aggrottò le sopracciglia. «Certo che sì. Al massimo ti resteranno un paio di cicatrici...».

«Ti sbagli. Morirò».

«Sul serio, Bella». Si era innervosito. «Tra qualche giorno ti dimetteranno. Due settimane al massimo».

Lo inchiodai con uno sguardo: «Forse non morirò subito... ma prima o poi succederà. Ogni giorno, ogni minuto, quel momento si avvicina. E diventerò *vecchia*».

Si rabbuiò quando capì cosa intendevo, chiuse gli occhi e si massaggiò le tempie. «È così che succederà. Come dovrebbe succedere. Come sarebbe successo se io non fossi esistito... e io *non sarei dovuto esistere*».

Sbuffai. Lui aprì gli occhi, sorpreso.

«Che stupidaggine. Mi sembra di sentire il vincitore di una lotteria che, dopo avere riscosso il premio, dice: "Ehi, torniamo indietro alla normalità, è meglio così". Non me la dai a bere, sai».

«Sono tutt'altro che il premio di una lotteria».

«È vero. Sei molto meglio».

Alzò gli occhi e strinse le labbra. «Bella, non voglio più parlarne. Mi rifiuto di condannarti a un'eternità di notti e buio, punto e basta».

«Se pensi che possa finire qui, vuol dire che non mi conosci bene. Non sei l'unico vampiro che conosco». Il mio era un avvertimento.

I suoi occhi ridiventarono neri. «Alice non oserebbe».

E per un istante mi spaventò a tal punto da essere costretta a credergli: non riuscivo a immaginare nessuno tanto coraggioso da mettersi contro di lui.

«Alice ha già visto tutto, vero? Per questo ce l'hai con lei. Sa che un giorno... diventerò come te».

«Si sbaglia. Se è per questo, ti ha anche vista morta, ma non è accaduto».

«Per quel che mi riguarda, non scommetterò mai contro di lei».

Ci squadrammo a lungo. Il silenzio era rotto soltanto dal ronzio delle macchine, dai *bip*, dal gocciolare della flebo e dai rintocchi dell'orologio a muro. Finalmente, il suo viso si rilassò.

«Dunque la conclusione è...?», domandai.

Lui sorrise amaro. «Mi sembra che si chiami impasse».

Feci un sospiro ed emisi un gemito di dolore.

«Come ti senti?», chiese Edward, lanciando un'occhiata verso l'interfono.

«Bene». Mentivo.

«Non ti credo», rispose lui, delicato.

«Non ho intenzione di rimettermi a dormire».

«Hai bisogno di riposo. Tutto questo discutere non ti fa bene».

«Allora arrenditi».

«Bel colpo». Schiacciò l'interruttore.

«No!».

Non mi ascoltava.

«Sì?», gracchiò l'altoparlante dal muro.

«Credo che siamo pronti per un'altra dose di tranquillanti», disse Edward calmo, ignorando la mia espressione infuriata.

«Mando un'infermiera». La voce sembrava molto annoiata.

«Non li prendo».

Lui guardò il sacchetto di liquido che penzolava sopra il mio letto. «Non credo che ti chiederanno di ingoiare nulla».

Il mio cuore iniziò ad accelerare. Vide la paura nei miei occhi e sbuffò, spazientito.

«Bella, tu stai male. Hai bisogno di rilassarti per guarire. Perché sei così ostinata? Non serviranno altri aghi né cose del genere».

«Non ho paura degli aghi», mormorai, «ho paura di chiudere gli occhi».

Lui sfoderò il suo sorriso sghembo e mi prese la testa tra le mani. «Ti ho detto che non andrò da nessuna parte. Non avere paura. Fino a quando lo vorrai, io starò qui».

Sorrisi, ignorando il dolore nelle guance: «Stai parlando dell'eternità, lo sai».

«Oh, te la farai passare... è soltanto una cotta».

Scossi la testa incredula, e mi vennero le vertigini. «Quando Renée se l'è bevuta ci sono rimasta quasi male. Sai bene che non è così».

«È il bello di essere umani», rispose lui. «Le cose cambiano».

Socchiusi gli occhi: «Non trattenere il respiro, mentre aspetti che accada».

Quando entrò l'infermiera, con la siringa in mano, Edward rideva.

«Mi scusi», gli disse lei brusca.

Lui si alzò, attraversò la stanza e si appoggiò al muro. Incrociò le braccia in attesa. Io non gli staccavo gli occhi di dosso, ancora in apprensione. Lui ricambiava con uno sguardo rilassato.

«Ecco fatto, cara», disse l'infermiera sorridente, mentre iniettava il medicinale nel tubo. «Adesso starai meglio».

«Grazie», bofonchiai senza entusiasmo. L'effetto fu immediato. Sentii subito il torpore nelle vene.

«Così dovrebbe andare», mormorò l'infermiera, mentre le mie palpebre cedevano.

Capii che se ne era andata quando qualcosa di freddo e liscio mi sfiorò le guance.

«Resta», biascicai.

«Sì, te lo prometto». La sua voce era bellissima, come una ninna nanna. «Come ho detto, finché lo desideri... finché è la cosa migliore per te».

Cercai di scuotere la testa, ma era troppo pesante. «...'n è la stessa cosa», farfugliai.

Lui rise. «Non preoccuparti di questo adesso, Bella. Possiamo ricominciare a discutere quando ti svegli».

Sorrisi, forse. «...'a bene».

Sentii le sue labbra vicino all'orecchio.

«Ti amo», sussurrò.

«Anch'io».

«Lo so», e rise, sottovoce.

Voltai la testa lentamente... in cerca. Sapeva di cosa. Le sue labbra sfiorarono le mie, con delicatezza.

«Grazie», mormorai.

«Di niente».

Non ero più tanto presente. Combattevo stancamente contro lo stordimento. Mi restava una sola cosa da dirgli.

«Edward?». Pronunciare il suo nome correttamente era una faticaccia.

«Sì?».

«Io scommetto su Alice».

E la notte si chiuse su di me.

Un'occasione

Edward mi aiutò a salire sulla sua auto, attento a non rovinare gli svolazzi di seta e chiffon del mio vestito, i fiori che aveva appena appuntato sui miei riccioli acconciati alla perfezione e l'ingombrante ingessatura alla gamba. Ignorò la mia espressione scocciata.

Dopo avermi sistemata sul sedile, si accomodò al posto di guida e fece retromarcia sul viale lungo e stretto.

«Posso sapere quando ti prenderai la briga di rivelarmi cosa sta succedendo?», chiesi, scontrosa. Odiavo sinceramente le sorprese. E lui lo sapeva.

«È assurdo che tu non abbia ancora capito». Ridacchiava di un riso beffardo che mi tolse il respiro. Mi sarei mai abituata a tutta quella perfezione?

«Ti ho informato del fatto che sei molto carino, vero?».

«Sì». Sorrise ancora. Non l'avevo mai visto vestito di nero, e il contrasto dell'abito con la carnagione pallida rendeva la sua bellezza assolutamente surreale. Non potevo negarlo, benché il fatto che indossasse uno smoking mi rendesse molto nervosa.

Mai nervosa quanto mi rendeva il *mio* vestito. E la scarpa. Solo una, visto che l'altro piede era ancora alloggiato nell'ingessatura. Ma il tacco a spillo ancorato al mio piede solo da un laccetto di seta non mi avrebbe affatto aiutata a zampettare in giro.

«Non verrò mai più da nessuna parte con te, se mi toccherà di nuovo farmi trattare da Alice come Barbie-cavia-da-laboratorio», brontolai. Avevo trascorso quasi l'intera giornata nel bagno di Alice, tanto grande da potercisi perdere, vittima inerme di lei che giocava alla parrucchiera e alla truccatrice. Ogni volta che mi lamentavo o le suggerivo qualcosa, mi pregava, visto che non aveva memoria del suo essere stata umana, di non rovinarle quel divertimento. Poi mi aveva costretta a indossare il più ridicolo dei vestiti: blu scuro, pieno di trine e senza spalline, con un sacco di etichette francesi che non capivo. Si addiceva più a una passerella di moda che a Forks. Il nostro abbigliamento formale non prometteva niente di buono, di questo ero sicura. A meno che… ma avevo paura di tradurre i miei sospetti in parole o in pensieri.

A quel punto fui distratta dallo squillo di un telefono. Edward estrasse il cellulare da una tasca della giacca e per un istante osservò il numero sul display.

«Pronto, Charlie», disse sospettoso.

«Charlie?».

Charlie era diventato un po'… difficile, da quando ero tornata a Forks. La sua reazione alla mia brutta esperienza si era scissa in due compartimenti stagni. Da una parte, la sua gratitudine per Carlisle sfiorava l'adorazione. Dall'altro, era testardamente convinto che fosse colpa di Edward, perché, se non fosse stato per lui, non me ne sarei mai e poi mai andata di casa. Edward, da par suo, era tutt'altro che in disaccordo. A questo punto, dovevo obbedire a regole del tutto nuove: coprifuoco… e orari di visita.

Alle parole di Charlie Edward strabuzzò gli occhi incredulo, poi scoppiò in un gran sorriso.

«Sta scherzando!».

«Che c'è?», chiesi io.

Non mi ascoltò. «Posso parlargli io?», suggerì, palesemente solleticato dall'idea. Attese qualche secondo.

«Ciao Tyler, sono Edward Cullen». All'apparenza era molto amichevole. Ma ormai conoscevo abbastanza bene la sua voce da cogliervi un vago tono di minaccia. Che ci faceva Tyler a casa mia? Iniziai a intuire la terribile verità. Osservai ancora il vestito fuori luogo in cui Alice mi aveva costretta a entrare.

«Mi dispiace che ci sia stato un fraintendimento, ma Bella è occupata, stasera». Poi cambiò tono e si fece apertamente minaccioso: «Anzi, per la verità è occupata tutte le sere, per chiunque, escluso il sottoscritto. Senza offesa. Spiacente se la tua serata non andrà come speravi». Non sembrava affatto dispiaciuto. Fece scattare lo sportellino del telefono e chiuse la comunicazione, ridendo soddisfatto.

Arrossii di rabbia. Sentivo già lacrime di irritazione pronte a salire.

Lui mi guardò sorpreso: «Credi che abbia esagerato un po'? Non volevo essere offensivo riguardo a te».

Lo ignorai.

«Mi stai portando al ballo di fine anno!», strillai.

Era un'ovvietà tale da mettermi in imbarazzo. Se ci avessi fatto caso, avrei notato la data sui manifesti che tappezzavano la scuola. Ma ero convinta che nemmeno per scherzo mi avrebbe fatto subire un'umiliazione del genere. Non mi conosceva?

Di sicuro non si aspettava una reazione tanto energica. Mi guardò serio, a denti stretti: «Non fare la difficile, Bella».

Lanciai uno sguardo al finestrino: eravamo già a metà strada.

«Perché mi stai facendo questo?», chiesi, terrorizzata.

Lui indicò il suo smoking. «Sinceramente, Bella, dove credevi che ti volessi portare?».

Ero mortificata. Prima di tutto, perché l'evidenza mi era sfuggita. E poi, perché i vaghi sospetti – speranze, in realtà – che avevo avuto nel pomeriggio, mentre Alice tentava di trasformarmi in una reginetta di bellezza, erano lontanissimi dal vero. Le mie speranze velate di paura, a quel punto, sembravano un'idiozia.

Avevo intuito che fosse un'occasione speciale. Ma non il ballo! Era l'ultimo dei miei pensieri.

Sentii lacrime di rabbia scorrermi sulle guance. Ricordai con fastidio che, contro le mie abitudini, avevo il mascara. Mi strofinai subito sotto gli occhi per evitare di macchiarmi. La mano non era sporca: la saggia Alice aveva scelto cosmetici resistenti all'acqua.

«È ridicolo. Perché piangi?», chiese irritato.

«Perché mi hai fatta arrabbiare!».

«Bella». Mi colpì con tutta la forza dei suoi occhi dorati e ardenti.

«Cosa?», mormorai, turbata.

«Assecondami. Per piacere».

Il suo sguardo aveva sciolto tutta la mia furia. Era impossibile litigare, quando barava in quel modo. Mi arresi, tutt'altro che di buon grado.

«Bene», mormorai, incapace di squadrarlo come mi sarebbe piaciuto. «Te la do vinta. Ma vedrai. È un bel po' che non m'imbatto in una vera disgrazia. Come minimo mi romperò l'altra gamba. Guarda la scarpa! È una trappola mortale!». Gli mostrai la gamba buona per convincerlo.

«Mmm». La fissò molto più a lungo del necessario. «Stasera voglio ringraziare Alice, ricordamelo».

«Ci sarà anche lei?». L'idea mi dava un po' di sollievo.

«Assieme a Jasper, Emmett... e Rosalie».

Il sollievo svanì. Non avevo fatto il minimo progresso con Rosalie, benché i rapporti con il suo quasi marito fossero più che buoni. Emmett apprezzava la mia presenza: lo divertivo, forse per le mie bizzarre reazioni umane... o forse perché trovava buffo che inciampassi in continuazione. Rosalie si comportava come se non esistessi. Scrollai il capo come per indirizzare i miei pensieri altrove e cambiai discorso.

«Charlie è al corrente di questo?», chiesi, diffidente.

«Certo». Poi soffocò una risata: «A quanto pare, solo Tyler non sapeva nulla».

Ero allibita. Era incredibile che Tyler non avesse smesso di illudersi, nonostante tutto. A scuola, lontani dall'interferenza di Charlie, io ed Edward eravamo inseparabili, tranne che nelle rare giornate di sole.

Eccoci arrivati. La cabriolet rossa di Rosalie spiccava nel parcheggio. Le nuvole erano sottili quella sera e lasciavano trapelare qualche timido raggio di sole a occidente.

Edward scese dall'auto e venne ad aprirmi la portiera. Mi offrì la mano.

Rimasi testardamente seduta al mio posto, a braccia conserte, beandomi in segreto della mia vanità. Il parcheggio era affollato di persone in abito da sera: tutti testimoni. Edward non avrebbe potuto estrarmi dall'auto con la forza, come non avrebbe esitato a fare se fossimo stati soli.

Sospirò: «Di fronte a un assassino sei coraggiosa come un leone, ma basta che qualcuno parli di ballare...». Scosse il capo.

Trasalii. Ballare.

«Bella, ti terrò lontana da tutti i pericoli, compresa te stessa. Non ti mollerò un attimo, lo prometto».

Ci pensai sopra, e subito mi sentii molto meglio. Me lo si leggeva in faccia.

«Forza, adesso», disse gentile. «Non sarà così male». Si chinò e con un braccio mi cinse la vita. Afferrai l'altra mano, e mi lasciai sollevare per uscire dall'auto.

Mi aiutò a zoppicare fino all'ingresso della scuola, tenendomi stretta.

A Phoenix, le feste di fine anno scolastico avvenivano nelle sale da ballo degli alberghi. Il ballo di Forks era in palestra, ovvio. Probabilmente era l'unico locale in città che fosse grande a sufficienza. Quando entrammo, mi scappò un risolino. C'erano veri arcobaleni di palloncini e ghirlande attorcigliate di carta crespa sulle pareti.

«Sembra l'inizio di un film dell'orrore», dissi, ridendo sotto i baffi.

«Be'», mormorò Edward mentre ci avvicinavamo a fatica al tavolo che fungeva da biglietteria – lui reggeva quasi tutto il mio peso, ma ero comunque costretta a dondolare il piede per trascinarmi in avanti –, «in effetti i vampiri non mancano».

Guardai la pista da ballo, al centro si era formato uno spazio vuoto in cui due coppie piroettavano con grazia. Gli altri ballerini restavano ai margini della sala, per fare spazio: tutti temevano il confronto con tanto splendore. Emmett e Jasper mettevano soggezione, maestosi e impeccabili com'erano nei loro smoking. Alice era straordinaria nel suo vestito di seta nera, con fessure geometriche che scoprivano ampi triangoli di pelle candida. E Rosalie... be', era Rosalie. Non ci si poteva credere. L'abito rosso scuro, che aderiva fin sotto il ginocchio e si allargava in un ampio strascico, le lasciava la schiena scoperta con una scollatura vertiginosa. Non potei che compatire tutte le ragazze presenti, me compresa.

«Vuoi che blocchi le uscite, così potete massacrare gli ignari cittadini?», sussurrai, con fare cospiratorio.

«E tu da che parte stai?».

«Con i vampiri, ovvio».

Non riuscì a trattenere un sorriso. «Qualsiasi cosa, pur di non ballare».

«Qualsiasi cosa».

Comprò i biglietti, poi mi voltò in direzione della pista da ballo. Stavo abbarbicata al suo braccio e trascinavo i piedi.

«Ho tutta la serata», mi avvertì.

Alla fine riuscì a trascinarmi nel punto in cui i suoi fratelli piroettavano eleganti in uno stile totalmente inadatto ai giorni nostri e alla musica contemporanea. Restavo ferma a guardare, terrorizzata.

«Edward». Dalla mia gola totalmente secca non uscì che un rantolo. «Sinceramente, non so ballare!». Sentivo il panico bruciarmi dentro.

«Sciocca, non preoccuparti», rispose. «Io sì». Guidò le mie mani a cingergli il collo, mi sollevò appena e fece scivolare i piedi sotto i miei.

E anche noi ci ritrovammo a roteare.

«Mi sembra di avere cinque anni», dissi ridendo, dopo qualche minuto di quel valzer in cui ero trasportata senza sforzo.

«Non li dimostri», mormorò stringendomi di più a sé, e per un istante volai a qualche centimetro dal suolo.

Alice incrociò il mio sguardo e mi rivolse un sorriso di incoraggiamento, che ricambiai. A sorpresa, mi resi conto che mi stavo divertendo... un po'.

«Okay, non è così male, lo ammetto».

Ma Edward fissava la porta e sembrava arrabbiato.

«Che c'è?», chiesi ad alta voce. Seguii il suo sguardo, disorientata dai volteggi, ma infine riuscii a individuare cosa lo preoccupasse. Jacob Black, non in smoking ma con una camicia bianca e la cravatta, i capelli raccolti all'indietro nella solita coda, attraversava la pista e veniva verso di noi.

Dopo lo stupore iniziale, non potei fare a meno di compatirlo. Era evidentemente a disagio, quasi tormentato. Incrociò il mio sguardo con espressione mortificata.

Edward ringhiò sottovoce.

«Controllati!», sibilai.

La voce di Edward era inquietante. «Vuole fare due chiacchiere con te».

A quel punto Jacob ci raggiunse, l'imbarazzo e la vergogna ancora più evidenti sul suo volto.

«Ehi, Bella, speravo proprio di trovarti». A sentirlo, sembrava che avesse sperato l'esatto contrario. Ma il sorriso era affettuoso come sempre.

«Ciao, Jacob», risposi, ricambiando. «Tutto bene?».

«Mi concedi un ballo?», azzardò, lanciando per la prima volta un'occhiata a Edward. Rimasi sbalordita quando mi accorsi che per guardarlo negli occhi non doveva alzare la testa. Dall'ultima volta che ci eravamo visti era cresciuto quindici centimetri, come minimo.

L'espressione di Edward restò composta, neutra. Si limitò a farmi scendere dai suoi piedi e a fare un passo indietro.

«Grazie», disse Jacob, cortese.

Edward annuì e mi rivolse uno sguardo deciso, prima di allontanarsi.

Jacob mi si avvicinò e prendemmo posizione nella danza. Per posargli le mani sulle spalle dovetti quasi arrampicarmi.

«Accidenti, Jake, quanto sei alto adesso?».

«Più di un metro e ottanta», rispose fiero.

In realtà non ballavamo: ero immobilizzata dall'ingessatura. Ci limitavamo a dondolare goffi sul posto. Andava bene lo stesso. La crescita improvvisa lo aveva reso dinoccolato e scoordinato; probabilmente non era meglio di me, come ballerino.

«Come sei finito qui, stasera?», chiesi, ma non ero troppo curiosa. Probabilmente a causa della reazione di Edward.

«Ci credi se ti dico che mio padre mi ha dato venti verdoni per venire al tuo ballo di fine anno?», confessò, leggermente intimidito.

«Sì, ci credo», bofonchiai. «Be', se non altro spero che tu ti stia divertendo. Hai visto qualcuna che ti piace?». Indicai un gruppo di ragazze, allineate lungo la parete come pastelli dentro una scatola.

«Sì», sospirò, «una, ma è occupata».

Abbassò gli occhi e incontrò i miei per un istante. Poi entrambi distogliemmo lo sguardo, imbarazzati.

«A proposito, sei molto carina stasera», aggiunse timido.

«Ehm, grazie. Ma perché Billy ti avrebbe pagato per venire qui?», chiesi svelta, malgrado conoscessi già la risposta.

Jacob non sembrava contento che avessi cambiato discorso; guardò altrove, di nuovo a disagio. «Secondo lui era un posto "sicuro" per parlare con te. Mi sa tanto che il vecchio ha perso qualche rotella».

Mi unii senza entusiasmo alla sua risata.

«E comunque, mi ha detto che se ti riferisco un certo messaggio, mi procurerà il cilindro freni che cerco», ammise, sorridendo impacciato.

«Allora parla. Ci tengo a vedere la tua macchina finita», risposi ammiccandogli. Se non altro, Jacob non credeva affatto a suo padre, e ciò rendeva tutto un po' più facile. Appoggiato alla parete, Edward, imperturbabile, osservava la mia espressione. Una studentessa del secondo anno vestita di rosa se lo stava rimirando timida, ma lui non se ne accorse.

Jacob distolse di nuovo lo sguardo, vergognandosi: «Non arrabbiarti, okay?».

«Non sono capace di arrabbiarmi con te, Jacob. E non mi arrabbierò con Billy. Dimmi pure».

«Be'... scusa, Bella, mi sembra talmente stupido... vuole che lasci il tuo ragazzo. Mi ha pregato di chiedertelo "per favore"». Scosse la testa, disgustato.

«È ancora superstizioso, eh?».

«Sì. Ha... perso la bussola, quando ti sei fatta male a Phoenix. Non ha creduto che...». Jacob si interruppe, imbarazzato.

Lo guardai, severa. «Sono caduta».

«Lo so».

«Pensa che Edward abbia a che fare con ciò che mi è successo». La mia non era una domanda e, malgrado la promessa, ero arrabbiata.

Jacob non osava guardarmi negli occhi. Non ci preoccupavamo nemmeno più di dondolare a ritmo, benché le sue mani fossero rimaste sui miei fianchi e le mie allacciate al suo collo.

«Senti, Jacob, so che Billy stenterà a crederci, ma te lo dico lo stesso». A quel punto tornò a fissarmi, rincuorato dal tono sincero delle mie parole. «Edward mi ha davvero salvato la vita. Se non fosse stato per lui e suo padre, a quest'ora sarei morta».

«Lo so», rispose, ma sembrava che fossero state le mie parole a rassicurarlo. Forse sarebbe riuscito a convincere suo padre almeno di questo.

«Senti, mi dispiace che tu sia venuto fin qui solo per questo, Jacob. Se non altro, vedi di rimediare il tuo pezzo mancante, eh?».

«Sì», bisbigliò. Era ancora impacciato... e sulle spine.

«C'è dell'altro?», chiesi, incredula.

«Lascia perdere. Mi troverò un lavoro e metterò da parte qualche soldo».

Restai a fissarlo finché non incrociò il mio sguardo: «Sputa il rospo, Jacob».

«Non ce la faccio».

«Non m'importa. Parla».

«Va bene... però, uffa, non è una bella cosa». Scosse il capo. «Ha detto di dirti, no, di *avvertirti* – guarda che il plurale è suo, non mio – che...», staccò le mani da me e mimò le virgolette, «"ti terremo d'occhio"». Attese la mia reazione, ansioso.

Sembrava la battuta di un film sulla mafia. Non riuscii a trattenere una risata ad alta voce.

«Mi dispiace che ti sia toccato farlo, Jake».

«A me non dispiace granché». Sorrise, finalmente rilassato.

Lanciò un'occhiata di apprezzamento al mio vestito. «Quindi devo dirgli di farsi gli affaracci suoi?», chiese speranzoso.

«No», sospirai. «Ringrazialo. So che lo fa per il mio bene».

La canzone finì, e sciolsi l'abbraccio.

Lui esitò e guardò la mia gamba malconcia. «Vuoi ballare ancora? O vuoi che ti aiuti a spostarti?».

«Tutto a posto. La riprendo io».

Con grande stupore di Jacob, Edward era riapparso al nostro fianco.

«Ehi, non ti avevo visto», mormorò. «Allora ci vediamo, Bella». Fece un passo indietro e un cenno di saluto.

Sorrisi. «Sì, ci rivediamo presto».

«E scusami», ripeté ancora e si diresse verso la porta.

Appena attaccò la canzone successiva, le braccia di Edward mi avvolsero. Era un ritmo un po' troppo sostenuto per ballare un lento, ma il mio cavaliere non sembrava preoccuparsene. Poggiai la testa sul suo petto, soddisfatta.

«Ora va meglio?», sondai.

«Non proprio».

«Non prendertela con Billy», sospirai. «È preoccupato per me perché Charlie è suo amico. Niente di personale».

«Non ce l'ho con Billy», precisò lui, brusco. «È suo figlio a irritarmi».

Indietreggiai per guardarlo meglio. Era molto serio.

«Perché?».

«Prima di tutto, mi ha costretto a violare la mia promessa».

Restai a guardarlo confusa.

Accennò un sorriso: «Avevo promesso che stasera non ti avrei mollata neanche per un secondo».

«Ah. Be', sei perdonato».

«Grazie. Ma c'è dell'altro». Aggrottò le sopracciglia.

Aspettai che proseguisse.

«Ha detto che sei *carina*», aggiunse, infine, scuro in volto. «Il che è praticamente un insulto, stasera. Sei molto più che bellissima».

«Forse il tuo è un giudizio di parte», dissi ridendo.

«Non credo. Inoltre, la mia vista è perfetta».

Avevamo ricominciato a roteare vicini, i suoi piedi sotto i miei.

«Mi spieghi il perché di tutto questo?», domandai.

Mi guardò, confuso, e io accennai ai festoni di carta crespa.

Restò a pensare per un momento, e poi cambiò direzione, volteggiando assieme a me attraverso la folla, verso l'uscita posteriore della palestra. Con la coda dell'occhio mi accorsi di Jessica e Mike che ballavano. Lei mi salutò, e io risposi con un mezzo sorriso. C'era anche Angela, felice come una pasqua tra le braccia del piccolo Ben Cheney: non staccava gli occhi dai suoi, e lui era una spanna più basso. Poi Lee e Samantha, e Lauren, che ci osservava, insieme a Conner: riconoscevo i volti dentro la spirale che attraversavamo. Infine, eccoci all'aperto, nella luce fresca e morbida del tramonto.

Rimasti soli, mi sollevò tra le braccia e mi portò con sé attraverso il prato ormai buio, fino alla panchina ai piedi dei corbezzoli. Si sedette e prese a cullarmi stringendomi contro il suo petto. La luna era già sorta, faceva capolino attraverso le nuvole sottili, e il volto di Edward brillava pallido alla luce bianca. Le labbra erano tese, gli occhi irrequieti.

«Allora?», chiesi io sottovoce.

Non mi ascoltava, guardava la luna.

«Di nuovo il crepuscolo», mormorò. «Un'altra fine. Ogni giorno deve finire, anche il più perfetto».

«Non è detto che tutto abbia una fine», mormorai tra me, improvvisamente tesa.

Lui lasciò sfuggire un sospiro.

Infine, rispose alla mia domanda, lentamente: «Ti ho portata al ballo perché desidero che tu non ti perda niente. Non voglio che la mia presenza ti privi di nulla, finché mi è possibile. Voglio che tu sia *umana*. Voglio che la tua vita prosegua come se fossi morto nel 1918, come era mio destino».

Tremai a quelle parole e scossi il capo con stizza. «In quale strana dimensione parallela pensi che sarei venuta al ballo di mia spontanea volontà? Se tu non fossi mille volte più forte di me, non ti avrei mai lasciato fare».

Sulle sue labbra passò un sorriso, ma lo sguardo restò serio. «Non è andata così male, l'hai ammesso anche tu».

«Perché ero con te».

Per un po' restammo in silenzio: Edward guardava la luna, io guardavo lui. Come avrei voluto sapergli spiegare quanto poco mi interessasse una normale vita da umana.

«Mi dici una cosa?», chiese, sbirciandomi col suo solito mezzo sorriso sulle labbra.

«Non ti dico sempre tutto?».

«Promettilo», insistette.

Sapevo che me ne sarei pentita all'istante: «D'accordo».

«Mi sei sembrata sinceramente sorpresa quando hai capito che ti stavo portando qui...».

«Sì, lo ero», lo interruppi.

«Appunto... ma certo sospettavi qualcos'altro... Sono curioso: per quale occasione pensavi che ti avessi fatto vestire così?».

Ecco, pentimento istantaneo. Increspai le labbra, esitante. «Non te lo dico».

«Hai promesso».

«Lo so».

«Che problema c'è?».

Di certo pensava che fosse soltanto per imbarazzo. «Non vorrei farti arrabbiare... o intristire».

Aggrottò le sopracciglia e ci pensò su. «Non m'importa. Per favore, dimmelo».

Feci un sospiro. Lui restò in attesa.

«Be'... davo per scontato che fosse un'occasione... speciale. Ma non immaginavo che fosse una mediocre faccenda umana... Il ballo di fine anno!», dissi sprezzante.

«Umana?», chiese, senza fare una piega. Aveva colto la parola chiave.

Mi guardai il vestito, giocherellando con un lembo dello chiffon. Edward, muto, restava in attesa.

«Va bene». Mi decisi a confessare. «Ecco, speravo che avessi cambiato idea... e che ti fossi deciso a cambiare *me*, dopotutto».

Sul suo viso apparve un arcobaleno di emozioni. Alcune erano riconoscibili: rabbia... tormento... ma alla fine si ricompose e la sua espressione si fece allegra, divertita.

«E secondo te quella sarebbe stata un'occasione da vestito da sera, eh?», disse, provocandomi, e aggiustò il risvolto della giacca da smoking.

Abbassai gli occhi per nascondere l'imbarazzo. «Non so come funzionano queste cose. A me, però, sembra più logico che per un ballo di fine anno». Non smetteva di sogghignare. «Non c'è niente da ridere», tagliai corto.

«No, hai ragione, certo che no», e il suo sorriso sparì. «Però preferisco prenderla a ridere, piuttosto che credere che tu possa dire sul serio».

«Ma io dico sul serio».

Fece un sospiro profondo. «Lo so. E ci terresti davvero?».

Nei suoi occhi si riaffacciò il tormento. Annuii, mordendomi un labbro.

«E allora preparati alla fine», mormorò, quasi tra sé. «Preparati al crepuscolo della tua vita appena iniziata. Preparati a rinunciare a tutto».

«Non è la fine, è l'inizio. È la luce dell'alba», lo corressi, sottovoce.

«Non ne sono degno», rispose lui, triste.

«Ricordi quando mi hai detto che non avevo una percezione chiara di me stessa?», chiesi, alzando le sopracciglia. «Evidentemente tu sei cieco allo stesso modo».

«Io so ciò che sono».

Sospirai.

Ma nel suo umore volubile, si concentrò su di me. Strinse le labbra e iniziò a scrutarmi da vicino. Per qualche lunghissimo istante esaminò il mio viso.

«Perciò, ti senti pronta?».

«Ehm», deglutii. «Sì».

Sorrise e inclinò la testa fino a sfiorarmi con le labbra fredde l'incavo sotto il mento.

«Adesso?», disse in un soffio e mi fece sentire il fiato fresco sul collo. Involontariamente, rabbrividii.

«Sì», sussurrai, per nascondere che la voce mi tremava. Se pensava che stessi bluffando, si sbagliava di grosso. Avevo già deciso, ero sicura. Non importava che in quel momento fossi rigida come una tavola di legno, stringessi i pugni e respirassi a malapena...

Rise cupo e si allontanò. Sembrava deluso.

«Secondo te cederei così facilmente?», chiese sarcastico, ma con un filo di amarezza.

«Sognare non costa niente».

Sgranò gli occhi. «Questo sarebbe il tuo sogno? Diventare un mostro?».

«Non proprio», risposi, rabbuiandomi alla parola che aveva scelto. Mostro, figuriamoci. «Più che altro, sogno di restare con te per sempre».

La sua espressione cambiò, resa mesta e dolce dal sottile dolore che m'incrinava la voce.

«Bella». Con le dita sfiorò il contorno delle mie labbra. «Starò sempre con te. Non ti basta?».

Il sorriso mi si aprì sotto le sue dita. «Mi basta, per ora».

La mia tenacia lo fece spazientire. Nessuno dei due si sarebbe arreso, quella sera. Dalla sua bocca uscì uno sbuffo che somigliava più a un ruggito.

Gli sfiorai il viso. «Stammi a sentire. Ti amo più di qualsiasi altra cosa al mondo, senza eccezioni. Non ti basta?».

«Sì, mi basta», rispose, sorridendo. «Mi basta, per sempre».

E mi sfiorò di nuovo il collo con le labbra fredde.